沈まぬ太陽（二）

アフリカ篇・下

山崎豊子

新潮社

沈まぬ太陽 (二) アフリカ篇・下 * 目次

◇目次 (一)、(三)〜(五)◇

沈まぬ太陽

沈まぬ太陽㈡　アフリカ篇・下

カバー写真◇岩 合 光 昭
装　幀◇新潮社装幀室

第七章　テヘラン

テヘランもまた、砂漠の中の街であった。冬のテヘランは厳しく、正面に連なる三、四千メートル級のエルブールズ山脈は真っ白な雪で掩《おお》われている。山裾から南へ、街を貫くパーラビ通りの葉の落ちたプラタナスの街路樹の根元にも、雪が残っている。冬は氷点下十度、夏は四十度と、年間の温度差が世界一、著しい都市であった。

恩地《おんち》は、市南西のメヘラバード国際空港に向って、車を走らせていた。総務担当という仕事柄、空港と市内の事務所を見なければならず、週に数回、空港に出向いていた。

坂の多い街で、北部は標高千五、六百メートル、旧市街のバザールのある南部は千メートルと標高差があり、平坦なカラチで運転免許をとった恩地は、冬の坂道を上り下りするのに慣れておらず、運転に神経を遣った。

半月前、オランダ航空で、カラチからテヘランに到着した時の衝撃を、恩地は昨日のことのように、鮮明に記憶している。メヘラバード国際空港に着いたのは、午後十一時五十分過ぎだった。パキスタン同様、中東諸国の飛行機到着時刻は、やはり深夜であった。機内からタラップに一歩出た途端、肌を切りつけるような寒風が吹きつけて来た。気温は氷点下十度とのことで、空港ビルに入るまでの僅《わず》かな間に、頬と耳が痛くなった。空港にはカラチから先着していた運航担当者が出迎えてくれ、通関に戸惑うことはなかったものの、翌日からは支店開設委員の一人として仕事につき、ペルシア商法が、イランの気候のように苛烈であることを知って、パキスタン人ののんびりとした素朴な国民性を、懐しくさえ思った。

空港に向って運転しながら、目につくのは、ベンツ、シトロエン、キャデラックなどの欧米の大型高級車と、国旗、パーラビ国王の肖像写真だった。石油国有化運動により、一時、国外脱出を余儀なくされたパーラビ国王が、復活し、石油をはじめとするありとあらゆる利権を、ロイヤル・ファミリーで独占している。パーラビ体制維持のため、秘密警察が電柱の数ほどおり、反政府の動きを封じているとも云われていて、貧富の差はパキスタンの比ではない。

空港の駐車場で、恩地はしっかり、ドアのロックを確めてから、ビルの中に入った。欧米、中東の航空会社のオフィスが並んでいる二階の中ほどの扉に、ＮＡＬ（国民航空）と記した紙が貼り出してある。ようやく、確保出来た空港事務所であった。

部屋には、段ボール箱がそこここに積み上げられ、空港事務所長と、運航、整備、運送（旅客、貨物）、客室の担当者四名が、近くの航空会社から借りて来た机や椅子に、固まるように坐っている。

「ここが、自前の事務所ですか」

恩地は、貼られたばかりらしい国民航空のカレンダーを見上げた。

「せめて十坪のスペースは欲しかったが、貰えたのはこの八坪弱の部屋だ、空港係官のもとへ日参し、〝ファルダー、ファルダー（明日になったら）〟と云われ続けて、永遠にファルダーかと気を揉《も》んだが、ようやく鼻薬が効いたらしい」

ロイヤル・ファミリーに繋《つな》がる人物の口添えで確保出来たことを、空港事務所長は言外に匂わせた。

整備担当者が、近寄って来て、

「狭くても、オランダ航空のオフィスの片隅を借りて小さくなっていたことを思えば、ほっとしますよ、よそのオフィスでは、何かと気兼ねするし、おちおち仮眠も取れませんからねぇ」

と云った。国民航空がテヘランへ就航しても、日本とヨーロッパとの往復便は、週二便だから、整備は機材（DC8）が同じオランダ航空に委託することになっていた。ただ突発的な部品取り替えの連絡、機体の最終点検のために、整備士一名が常駐するのだった。恩地は、雑然とした部屋を見廻しながら、

「ここに入れる備品ですが、要り用のものは？」

総務担当者として聞いた。

「まず机と椅子、電話、金庫、書類棚——」

事務所長は、備品を挙げていき、

「それと恩地君、現地職員を二、三名、至急採用して貰いたい」

と付け加えた。

「そういえば、大事な人材のことをつい、うっかりしていました、早速、英字紙の『ケイハン・インターナショナル』に求人広告を出しましょう」

恩地は、用件を手帳に書き込んで、事務所を出ると、空港の官吏に挨拶して廻った。顔つなぎを密にしておかないと、突発的な依頼が通らないからだった。

ライター、煙草、時には女性用のナイロンストッキングを手渡し、喜ばれることがある。

帰り際、空港ロビーの椅子に独り、坐って、滑走路を見詰めた。離発着する機影はなく、かちかちに凍った砂漠のど真ん中の空港は、寒々しかった。

灼熱のカラチから、氷点下の冬のテヘランへ――、不条理な人事に、唇を嚙み、空港から市内事務所として使っているパークホテル三階のスイートルームに戻って来た。

市内事務所勤務の開設委員は、中近東地区支配人兼テヘラン支店長以下、店次長、営業、市内運送に、総務担当の自分を含め五名だった。

恩地は、空港事務所に必要な備品のリストと、見積りを概算し、島津支店長の前へ行った。イラン政府との航空交渉で取り決められた条文を読み返していた島津は、恩地の見積書に、さっと目を通し、

「いいだろう、早く注文してやり給え」

と命じた。九州男児らしく口数の少い、古武士のような風格を備えた銀髪の島津は、開設委員の間で〝侍《さむらい》支店長〟と敬愛されている。

夕刻、空港事務所から一同が帰って来、今日一日の締め括りの連絡会議に入ったが、最後の言葉は、いつもと同じだった。

「支店長、こんな調子で遅々として進まないようでは、四月一日の就航など、到底、不可能ですよ」

空港事務所長が焦ると、

「間に合うはずがない、中東は日本人にとって一番、理解出来ない国柄なのに、本社の連中は、東南アジア並みの基準でしか考えんのだから、あくせくしなくていい、責任は私が持つ」

と引き取った。戦前、大東亜航空に入社し、ヨーロッパ路線開設の視察要員として、アジアか

ら陸路、中近東諸国を経由し、ロンドンへ行った経験と識見を有する人らしい言葉で、国民航空の支店長には珍しい反骨精神を持った、文字通りの侍であった。

「さて、晩飯にしましょうか、ホテルの食堂でまた羊の串焼きかと思うと、ぞっとする、といって、外は寒いから、中華料理店へ行くのも億劫だし」

「少し遅くなってもいいのでしたら、すき焼きをしますよ、あまり固くない牛肉が手に入ったのです、野菜も、ありますし」

客室担当者が、云った。

「え、すき焼き！　待つとも！　手伝うよ」

一同、唾を呑むように、雀躍《こおど》りした。

客室担当者は、手早く粒の細長い現地米を研《と》ぎ、日本から持参の電気炊飯器にセットすると、恩地たちもバスルームの洗面台に俎《まないた》を置き、風呂場の水道で洗った野菜類を刻んだ。ご飯が炊き上ると、アルミ鍋に肉、ネギや白菜に似た野菜類、マッシュルームを入れ、今日だけは豪勢に使おうと、貴重品の醬油と砂糖で味つけした。食べることだけが楽しみの単身赴任者たちは、目を輝かせて、せっせと取り皿に醬油味の沁《し》みた肉や野菜を取り、舌鼓をうった。

煮詰った鍋が片付けられると、島津はウイスキーを生《き》のままで、少しずつ飲みながら、

「空港事務所が確保出来たから、次は市内の支店だが、シャー・レザー通りのあの角のビルが、良さそうじゃないか」

店次長に、云った。

「そうですね、あの近くには日本の商社をはじめ、邦人のお顧客《とくい》がまとまっていますから、立地条件はいいのですが、航空券を直接、売る総代理店が一向に、決まらないので、決めるに決めら

れないのです」

と嘆いた。イランでは、国民航空テヘラン支店が、直接、航空券を売れず、イラン人がトップの総代理店を置かねばならない取り決めになっていた。

「ところで恩地君、社宅の方をそろそろ検討しておき給え、誰も好きこのんで、こんな中東の地に来ているのではないから、家ぐらいは日本で住めないようなりっぱなのを探しなさい、初代の社宅が見すぼらしいと、次の代はやりにくくなるからね」

と指示した。

「それを伺って、安心しました、さしあたって支店長は、中近東地区支配人を兼務されてますから、ご希望を伺っておきますが」

「私は、息子たちが学齢期で単身赴任の身だ、年に一、二度、家内が訪ねて来る程度だから、一軒家よりフラットの方が気楽でいい、皆は、私に遠慮無用だ、本社から文句が出たら、それも責任を持つ」

と請け合った。


翌日、恩地のもとに、不動産屋から、いい物件がありますという電話がかかり、出向いて来た。りっぱな口髭をたくわえ、彫りの深い顔だちであったが、いざ、物件の案内となると、自分の高級アメリカ車は、ホテルの駐車場に入れたままで、恩地の中古の日本車に乗り込んだ。

商談が煮詰まらないうちは、ガソリンを喰うのが惜しいのだ。加えて、メイン・ストリートをはずれて脇道へ入ると、舗装をしていない土漠の、雪と泥でぬかるんだ道になり、車体の低い高級車は腹がこすれ、傷がつきやすい。他人の車を使って商売しようという腹だった。

イラン石油公社や、アメリカ大使館が建ち並ぶ目抜き通りのタクテジャム・シット通りを北へ上った住宅街の前で、車を停めた。そこに、英語のできる通訳が待っていた。

イランでは、ロイヤル・ファミリーをはじめとする上流階級は、フランス語を学び、イギリス、アメリカ留学組の知識人と実業家、外資系のビジネスマン以外は、殆《ほと》んど英語が通じない。したがって、不動産屋が手配した通訳を介して、話をはじめた。

「ミスター・オンチ、この通りの住宅なら、日本を代表する航空会社のエグゼクティブが住むのに、ふさわしい処です、時には、盛大なパーティも催されるでしょうからねぇ」

不動産屋は、お世辞をならべたてた。

煉瓦を積み重ねて、外壁を塗った家は、カラチ同様、敷地は広い。異る点は、殆んどの家の南の庭に、プールがあることと、居間と寝室の広さがカラチと反対で、居間が三十畳ほどあり、寝室よりはるかに広いことであった。

プールは、泳ぐためというより、一種、冷房の役割を果している。暑い季節、南から吹いて来る風で、気化したプールの水が家の中を通るからだった。居間の方が広いのは、イラン人が、パキスタン人より見栄っぱりの性格による。

恩地は、各部屋を見て廻り、

「この物件で、家賃はいくらだったかね」

「一万二千リアル」

「ほう、電話で話を聞いた時は、一万リアルと云ってたではないか」

「それは、あくまで電話の時点での話ですよ、あなたは、今、この物件を見に来て、商談をはじめているのです、その間に、他からの引き合いが来ているから、少し、値上り分をいれても、不思議ではありません」

恩地は、開いた口が塞《ふさ》がらなかった。

「この家は、止めた、広いフラットを探したい」

「フラットなら、この通りを西へ上ったところに、新築が完成しつつあるから、早速、案内しましょう」

と道順を云った。その方向へ車を走らせると、土漠を拓いた新興住宅地になり、洒落《しゃれ》たベージュ色の五軒続きの集合住宅が、出来上りつつあり、前の庭にはプールもついた、アメリカ風の明るい作りだった。

不動産屋は、ポケットから鍵束を取り出して、その一軒の扉を開けた。ダイニングルームとリビングルームが続きで三十畳ほどあり、ベッドルーム二部屋と、メイド用の部屋もついていた。

「どうです、ここならベランダへ出ると、エルブールズの山並も見え、入居者は、世界的企業のエグゼクティブに、ハイソサエティのイラン人といったところで、近くに外人専用のスーパーマーケットも出来るのですよ」

「しかし、緑がなくて、殺風景だね」

「これから植樹するのですよ、庭の芝生もびっしり敷く計画です、パーラビ通りのあの見事なプラタナスの街路樹も、もとは植樹ですよ、イランは、砂漠の国といっても、北のエルブールズ山脈と南西部のザーグロス山脈に降雪があり、雪解け水や湧き水があって、近隣諸国とは違いますよ」

不動産屋は、次から次へと、薬の効能書を述べたてるように喋り続けた。

突然、ベランダの方から、ガッガーッという音がした。驚いてガラス戸を開けると、ベランダのコンセントに、太いコードがさし込まれている。不審に思い、コードを辿《たど》って、ベランダ越しに、隣りを覗くと、二、三人の職人が、せっせと電気工事をしている最中だった。

「この隣りの部屋も、出来上ると、あなたが扱うのか」

「もちろん、私の取扱い物件ですよ」

「じゃあ、なぜ、この部屋のベランダのコンセントに、コードをさし込んで使っているのか」

恩地の見るところ、空室をいいことに、電源を盗って工事をし、電気代は、予《あらかじ》めメーターを確めずに入居した者が支払う、という寸法らしい。

「それがペルシア商法というのなら、汚すぎる、これが普通なら、以後、あんたとのつき合いは不快だから止める！」

と面罵し、フラットを出て、車に戻ったが、なかなか、エンジンは、かからない。不動産屋は、通訳を連れ、臆面もなく、恩地の車の扉を開けかけた。

「タクシーを拾って、帰ってくれ」

恩地は、不動産屋の手を払いのけた。

夢中で車を走らせていると、突然、エンストを起した。何度、エンジンをかけても動かない。燃料計を見ると、針が0になっている。昨日、満タンにしたばかりなのにと思い、はっとした。ガソリンを入れる時は、誤魔化されないように必らず車から降りて、ガソリンスタンドのメーターを見ることだと、先着の者から聞かされていながら、昨日は、馴染みになった店にしたから外へ出なかったのだった。

砂漠の斜面を拓いた新開地に、タクシーは走っておらず、オフィスに電話をするにも、ガソリンスタンドはおろか、商店も見つからない。

恩地は、ハンドルに手をかけたまま、不動産屋を相手に、あんなに口汚く罵《ののし》った自分自身がみっともなく、侘《わび》しく思えた。イランの荒々しい気象条件と人間に囲まれ、いつの間にか、妙に苛だち、荒《すさ》みつつある自分に気付いた。

英字紙『ケイハン・インターナショナル』の求人広告には、広告主の社名も、アドレスも記されない。英仏語堪能な女性セクレタリー一名、国際線を有する航空会社で、三年以上の営業経験を持つ男性セールス担当者一名、英語堪能、タイプ可能な男性会計担当者一名、一般事務男女各一名を募集するとのみ記し、応募書類の宛先は、ケイハン社広告局のボックス宛にした。求人主が解れば応募者が、どっとホテル内にある事務所に押し寄せるからだった。

空港事務所職員の求人も、当初、新聞広告でと考えていたが、運航、整備の専門知識を有する者を公募するのには無理があるため、オランダ航空のつてで、採用することにしたのだった。

僅か四日間で百三十通を超えた応募書類を恩地が束ねていると、店次長が、

「その分じゃあ、二百通以上になりそうだね、どういう階層の者が多いんだね」

と聞いた。

「中流の上の知識人といったところでしょうか、かねがねこの国は多民族国家で、イラン人以外に、ユダヤ人、アルメニア人、アラブ人、トルコ人などがいると聞いていましたが、今度の求人で、実感しました」

恩地が答えた。貼付された写真では人種の見分けはつきにくいが、名前や経歴で、ほぼ推定出来るのだった。この国のイラン人は、パーラビ国王に連なる一握りの支配階級と大半の貧しい下層階級に分けられ、ユダヤ人、アルメニア人などの他民族が、中流階級を形成しているのだった。

イラン航空局から戻って来た島津も横を通りかかり、

「予想以上の応募数だね」

と云った。

「数だけは、百三十通以上ありますが、口コミで今後も相当、増える見込みです」

「うむ、今も航空局で自薦他薦がわんさとあって、うんざりしたよ、君が公正を期すために新聞広告が一番と云ったのは、いい提案だった」

「支店開設業務で気が付いたのですが、我社《うち》には、家具の設定基準はあるのに、人材が財産の会社でありながら、現地職員の採用基準はないのですね」

恩地が云うと、島津支店長は、

「何だね、その家具の設定基準というのは」

と、聞き返した。

「応接セットや食堂のテーブル、ソファ、フロア・スタンドは幾つまでと、厳格に数が決っているのです」

「そうか、支店開設の手引も、現地職員の採用基準もないのに、椅子や机がどうのとは、呆れるな、で、君の考える採用の手順は？」

「職種によりますが、とりあえず、三十人程度に絞り、その後、このホテルに集めて社会常識、算数、語学の筆記試験をするつもりです」

恩地はそう云い、社会常識の出題の一例として、テヘラン駅から試験場のこのホテルまでの道順を、外国人に解るよう、地図に書かせることを挙げた。

「ほう、ユニークだな、その出題の意図は何だね」

「ある程度、論理的で、表現力がどの程度か、チェック出来ます」

「なるほど――」

「その他、水一リットルの重さは何グラムか、という類いのものも考えています、航空会社は貨物を扱うので、そういう意味での一定の知識が必要です」

「いい点をついている、その後の面接のポイントは、どんなところだ」

島津は、煙草をくわえて、聞いた。

「サービス業ですから、お客さまに不快感を与えるような人物では困りますので、礼節が身についていること、頭の回転は速いに越したことはありませんが、回転がよくても、人柄が悪くては、まずいことが起りかねませんからね」

「そりゃあ、そうだ」

金銭にシビアな国民性を熟知している島津は、珍しく笑った。

昼時になり、空港から事務所長以下がホテルへ引き揚げて来た。少し遅れて帰って来た最年少の客室担当者が、テレックスの束を各担当者に渡した。支店を開設するまで、通信設備はエール・フランスのものを借りているのだった。

客室担当者は恩地のところで足を止め、視線を逸《そら》すようにして、テレックスをさし出した。

「有難う」

恩地は格別、気にも留めずに受け取った。通常の業務連絡とばかり思い込んで眼を通しかけ、もう一度、はじめからローマ字表記、会社の略語表記まじりのテレックスを読んだ。発信人は、本社厚生課であった。

留守宅より次の連絡あり。

『母危篤、至急帰国されたし　　りつ子』


まさか、そんなことが――、一昨日、届いたばかりのりつ子の手紙には、母が具合を悪くしているなどということは、一言も書かれていなかった。それが突然、危篤とは。

恩地はいたたまれず、奥のバスルームへ駈け込んで、もう一度、テレックスを読み返した。肝腎の病名が記されていない。持病の高血圧によるものか、それとも何か余病を併発したのか。いずれにしても一刻も早く日本へ帰って、母に会いたい。

軽くノックがあり、島津が扉を開けた。

「どうかしたのか」

「只今、母が危篤との報《しら》せがありました」

恩地は、相手が侍支店長であることを思い、辛うじて感情を押し殺して、報告した。島津は、恩地の手からテレックスを取り、一読すると、

「今晩、東京まで行く便は、パン・アメリカンしかない、すぐに帰り給え、大丈夫だと念じていれば、母上には通じる」

と云い、ぎょろりとした眼に、慈父のような励ましの表情を浮かべた。

恩地は、ホテルの自室で、膝を抱えていた。

テレックスを受け取ってから、すぐ日本の自宅へ国際電話を申し込んだが繋がらなかった。昼休み明けのエール・フランスのオフィスへ出かけ、テレックスを借りて、本社厚生課より自宅へ

電話連絡をして貰ったが、折り返し来たのは、誰も出ないという返事であった。母が入院して、家族が詰めているのだろうか——。恩地は窓ガラス越しに、雪に掩われて神々しく見えるエルブールズ山脈を見上げ、どうか生きていてくれと祈った。

夕刻、午後十一時五十五分出発のパン・アメリカンの航空券が手渡された。恩地は食事も咽喉《のど》を通らず、一同に挨拶すると、早々に空港へ向った。部屋に一人でいるのは、落ち着かなかった。今夜も、氷点下十度を下廻る極寒の空港は、暖房が行き届かず、搭乗客たちは一箇所に集っている。

石油の掘削関係者らしいアメリカ人たちが、ビールを飲みながら、陽気に話している。恩地は、離れたベンチにコートの衿をたてて坐り、雪が舞っている空港を、押しひしがれる思いで、見詰めていた。

「恩地さん、ここでしたか」

息せききって、客室担当者が走り寄って来た。恩地は、反射的にたち上った。

「テレックスです、支店長がエール・フランスに直《じか》に掛け合って、就業時間後も、テレックスを受け取れる手配をされていたのです」

と云い、封筒をさし出した。

「寒いのに、すまない」

恩地は礼を云い、照明の下で、厚生課経由のテレックスを見た。

留守宅より次の連絡あり。

『母、死去、葬儀はあなたの帰国を待って、営みます　　りつ子』

眼の前が、真っ暗になり、恩地はたっているだけで、精一杯だった。

日本へ向うパン・アメリカンの機内で、恩地は、一睡もできなかった。人前では取り乱さなかったが、深夜のがらんとした機の窓際に坐り、人目がなくなると、涙が堰を切って流れた。

カラチでの任期を終えて、帰国するものと信じきっていた母は、テヘランへ赴任した現実を前にして、会社内の息子の立場を感じ取ったようであった。その落胆ぶりは、開設委員としてテヘランへ赴く恩地と別れ、カラチから子供を連れて、日本へ帰った妻のりつ子からの手紙に記されていた。

母は、息子の帰任の日を指折り数えて待ち、りつ子が、二人の子供だけを連れて帰国すると、二人の孫を抱き寄せて、「どうしてお父さんと一緒じゃなかったんだい」と数日間、涙ぐんでいたという。一時は、血圧も上り、りつ子が、テヘラン支店の開設のお手伝いだから、飛行機が飛ぶようになれば、帰国しますからと云って、やっと納得させたのだった。

それだけに、テヘラン着任後、僅か一ヵ月半での母の死は、自分がもたらしたものにほかならない。体が震えるような悲しみが襲い、恩地は、頭まで毛布を引き上げた。

若くして夫を亡くし、女手一つで、恩地と妹を育て、父方の叔父の援助があったとはいえ、恩地を大学まで出した母の苦労は一通りではなかった。恩地が国民航空へ就職した時、やっと私の苦労も報われたと安堵したのも束の間、恩地が組合の委員長になった時から、組合運動を理解できない母は、絶えず、心配し続けていた。ストライキを決行した時、恩地をアカ呼ばわりする声を耳にして、身を小さくし、不安を募らせたのだった。

恩地のカラチ赴任が決った際、齢老いた母親を連れて行けない土地柄であることを話すと、肩をすぼめ、「何かお咎《とが》めなのかい」と不安げに呟《つぶや》いた。海外へ赴任することは、どこであっても、栄転であり、任期は二年に限られていると説明すると、やっと安心したのだった。その日から、指折り数えて、二年の任期を待っていた母にとっては、恩地のテヘラン赴任は、もはや、待ち切れないものだったに違いない。

母への孝養を尽すこともなく、死の床にも間に合わなかった不肖の息子以外の何ものでもない——。テヘランから日本までは、カラチ、ニューデリー、バンコク、香港を経て一万キロ以上、中継地も含めて二十数時間かかる遥かな距離であった。恩地は、胸がかき毟《むし》られ、毛布の中で咽喉を鳴らして、嗚咽《おえつ》した。

南廻り便の飛行機は、カラチ、ニューデリーに着くごとに、長時間、駐機しなければならない。窓から見える夜の空港の青白い灯が、通夜の灯りのように見え、一刻も早く日本へ帰り着きたかった。

ようやく、バンコクに着いた。給油のため、トランジット・ルームで一時間半、待つのだった。機外へ出、タラップを降りると、湿度の高い蒸し暑い中で、空港の作業員たちが、背中に汗して働いている。乗客は、トランジット・ルームに入った。冷房がよくきいていたが、恩地は、じっと椅子に坐っておれず、室内を行きつ、戻りつしていると、杖をついた齢老いた母親の手をひき、何かと面倒を見ている息子らしき男の姿が、眼についた。じっと見詰めていると、東南アジア系らしい言葉で、楽しげに語り合っている。自分は、ただの一度すら、母の手をひいたことも、共に旅したこともなかった。カラチ在勤中に、母と妹夫婦を呼んで、カイロのスフィンクスとピラミッドを観《み》せようと、秘かに計画していたのだが、突如勃発した印パ戦争で、お流れになってしまい、遂に実現しなかった。

バンコク出発の定刻になっても、パン・アメリカンの搭乗案内はなかった。南廻り上り便は、遅れるのが普通だと解っているものの、時計を見て、苛々《いらいら》し通しだった。

遅れの原因はエンジントラブルで、結局、三時間後に出発し、香港を経て、東京の羽田空港に着いたのは、午後四時半であった。

タラップを降りると、運航と整備の組合員が数人、言葉もなく、目礼して恩地を迎えた。運航管理部の一人が近寄り、

「ご心中のほど、お察し申し上げます、うちの明け番の者が、ゲートのところで待っており、その者の車で送らせます、到着が三時間ほど遅れることを、バンコクの時点から、逐次、お宅へお報せしてあります」

組合員たちの温かい心配りが身に沁みた。通関をすませて、外に出ると、車が待っていた。テヘラン空港を発ってから丸一日以上経過していた。

目黒《めぐろ》の社宅に着くと、花輪が列《なら》び、葬儀の準備が整えられていた。母の死が現実のものとして、恩地の胸を抉《えぐ》った。

車の気配で夫の帰りを知った喪服姿のりつ子が、待ち受けていたように、出迎えた。

「あなた、お姑《かあ》さんはあなたの帰りを待っていらしたんです……」

あとは声を詰らせた。恩地は頷《うなず》き、玄関へ一歩、足を踏み入れると、襖《ふすま》を取り払った部屋の正面に、柩《ひつぎ》が見え、祭壇に会社、組合、親戚一同の供花があった。

「母さん……」

恩地は、通夜に詰めている親戚に目礼し、柩の前に坐ると、葬儀社の係の者が蓋を開けた。

母は、この三年、ずっと瞼《まぶた》にあった容姿《すがた》より一廻り以上も小さくなり、土色の顔に深い皺《しわ》が刻まれていた。カラチ、テヘランと盥廻《たらいまわ》しにされていた間、どんなに自分の身を案じてくれていたか――、その母が、自分の帰りを待ち続けて、遂に息を引き取ったかと思うと、恩地は人目も憚《はばか》らず、号泣した。

「お父さん、泣かないで――」

克己《かつき》が、心配そうに、父親の顔を覗き込んでいた。恩地は我に返った。

「克己か、おばあちゃんが死んで、悲しいだろう」

「うん、でも、もうお父さんが帰って来たから」

克己が云うと、純子も父の腕を取り、

「お父さん、すぐ帰るって云ったのに、淋しかった」

と甘えた。恩地は二人の子供を、別の部屋に行かせてから、柩の前を離れた。叔父や、母方の親戚の前に進み、

「遅くなりまして、申しわけありません」

深々と頭を下げると、叔父が膝をのり出し、

「元《はじめ》、遅すぎる！　喪主のお前がいないために、皆がどんなに、迷惑を蒙ったか」

開口一番、叱声を上げた。

「危篤の報せを受けて、すぐ飛びたったのですが、何分、テヘランから丸一日以上かかりまして……」

「そんな遠いところへ行かされているから、親の死に目にも会えんのだ、そのことをよく考えろ！」

叔父の怒りに、恩地は返す言葉がなかった。お茶を運んで来た妹の紀子《のりこ》が、

「兄さんが帰って来るまで、何とか生きていてほしかったのに、ごめんなさい」

母親譲りの眼元を赤くさせ、声をくぐもらせた。

「どうして、こうも突然なのか、話してくれ」

妻と妹の顔を見て、聞いた。

「ずっと、一緒だった私が話します」

妻は目を伏せ、母の容態の急変を話した。

ここ一週間ほどは、かかりつけの医院から新しい血圧降下剤を戴いて、お姑さんは気分がよさそうでした。ところが一昨日《おととい》の朝食後、俄《にわ》かに何度も嘔吐し、今までと様子が違うので、往診を頼んだところ、折悪く休診日で先生は、ご不在でした。お姑さんに、どこが一番、苦しいですかと聞くと、胸のあたりを押え、体を折り曲げるようにされるので、いよいよおかしいと救急車を呼びました。

病院の集中治療室で検査後、「心筋梗塞の発作を起しているから、万一の場合を考えて、近親者を呼んだ方がいい」と云われ、動転しました。そこへ紀子さんが駆けつけて下さって、二人で付き添っていると、数時間ほどして、一応、危機は越えたということで、病室に移され、一安心しましたが、お姑さんは、「もう長くない、元《はじめ》を呼んでおくれ、早く」と譫言《うわごと》のように、訴えるようになりました。「そんな弱気なことを」と慰めながらも、カラチに、八馬《はちうま》さんとご

一緒に来られた人事課長に、電話で事情を話して、あなたを帰して下さるようお願いしたのです。病室へ戻ってみると、発作に襲われたお姑さんの周りを、お医者さんや看護婦さんが囲んでいました。私が「主人はすぐ帰って来ますよ」と励ますと、かすかに頷き、「今日は、……寄り道せずに帰って来るように……、元《はじめ》に話しておくことが……」と息絶え絶えに繰り返して、息を引き取られたのです。

りつ子はそこまで話すと、

「あなた、申しわけありません、ずっと傍にいながら、心筋梗塞などとは思いもしませんでした」

夫に詫びた。

「かかりつけの医者は、それまで心臓について何も云わなかったのか」

「はい……私がもっと気を配って血圧より心臓が悪いと気付いていれば、きちんと診て貰えたかもしれませんでした」

「いいえ、お嫂《ねえ》さんのせいじゃない、お嫂さんが兄さんに随《つ》いてカラチへ行っている間は、私が、見ていたんですから」

紀子が云った。横から夫の秀雄が重い口を開いた。

「あの日は、出張で木更津《きさらづ》へ行っており、私も臨終に間に合いませんでした、済まないと思ってますが、お義母《かあ》さんを二年近くお預りした僕たちも、心臓が悪いなどと、聞いたことがないんです、紀子もお義姉《ねえ》さんも、自分を責めないで下さい、僕まで辛くなる」

「秀雄君の云う通りだ、りつ子、母さんが僕に云っておきたかったことというのは、何だったか、

「仏さんの前だから、今日はこれくらいにして、元さんも今度のことで、身勝手は骨身にしみたかった。
り、口を開けば小言ばかりだったが、自分にこれほどまで希望を託していたとは、思いも至らな
紀子は遮ったが、恩地は白髪混りの叔父の顔を見た。戦争ですべてを失った叔父は、頑なにな
「叔父さん、母の柩の前でもう止めて下さい」
かと骨を折ってもらった人に何度、頭を下げたことか、まして嫂さんは……」
それなのに、お前は学生運動にかぶれ、社会人になったら組合活動で英雄気取りだ、入社時に何
ったお前を残して戦死した兄の気持を思って、大学まで息子同然、将来を楽しみにしていたんだ、
大学に合格してくれた時、どんなに嬉しかったか、大した援助もしてやれなかったが、小学生だ
特攻隊で死なせ、恩地の家の将来はお前一人にかかっていると思って、希望を託したんだ、東都
「元《はじめ》、嫂さんがどんなにお前のことで苦労したか、考えてみろ、わしだってたった一人の息子を
深夜に及んでいた頃、母がよく云っていた言葉だった。
して貰いなさいと云いたかったのかもしれない。寄り道せずにというのは、組合の仕事で帰宅が
と云った。そう云われれば、母はお詫びとまで口にしなくとも、折り合いをつけて、日本に戻
が死を目前にして、一人息子に云い残したいことといえば、それ以外、ないだろう」
「嫂《ねえ》さんは、お前に、会社にお詫びして、日本へ帰って来ておくれと、云いたかったんだ、母親
疲れた重い頭では、恩地にも見当がつかなかった。叔父が、柩の方を見、
「そうか、心筋梗塞の苦しみの中で、母さんだって、伝えようがなかったのだろう」
と聞くと、りつ子は力なく首を振った。
思い当ることでも――」

はずですから、考えることでしょう」

母方の親戚が取りなした。

やがて夜になると、身内だけで、ささやかにとり行うはずだった通夜に、多くの弔問客が訪れ、焼香した。その中には、沢泉委員長以下組合の三役、恩地が委員長だった時の書記長、桜井の姿もあった。桜井は焼香をすますと、

「外地での訃報――、恩地さんのテヘラン行きを止められなかった非力を許して下さい」

と詫びた。恩地はそんなことはないと目顔で云い、次の弔問客に会釈した。

やがて、焼香に訪れる人の流れが跡切れた時、

「行天《ぎょうてん》の家内でございます」

低い声がした。はっとして眼を瞬《しばた》かせると、喪服から美しい衿足を見せた行天麗子が、畳に手をついていた。

「これは、また――」

夫の行天四郎とともに、サンフランシスコにいるはずの麗子が、何故、母の通夜にと訝《いぶか》りながらも、焼香の礼を述べると、

「実は、実家《さと》に余儀ない用があり、帰っておりまして、お母様がお亡くなりになったことを知った次第です、早速、サンフランシスコの主人に電話で報せましたところ、自分の代りに是非、弔問してほしいと申しまして――、主人は、独身時代、恩地さんのお母様に手料理をご馳走になったりして、お世話になったことを懐しんでおりました、それと友人として恩地さんご自身には、今後はお母様の御霊《みたま》をお慰めするように考えられてはと、申しておりました」

あくまで、しめやかな口調で云った。母の霊を慰めること、つまり、組合とはそろそろ、縁を

切って、自分のように生きろと云うのか。

「ご丁寧に、有難うございます」

恩地が、喪主として礼を云うと、りつ子が、

「ご無沙汰ばかりしておりますのに、わざわざお寒い中を――」

と、声を添えた。麗子は慎ましやかに、

「明後日、主人のもとへ帰りますので、明日のご葬儀には伺えませんが、またいつかご一緒に」

と云い、白い足袋をきりっと履いた姿で、たち去った。

恩地は、行天四郎の足音を聞くように思えた。

葬儀をすませた翌日、恩地は、世話になった厚生課と、桧山《ひやま》社長名の供花への御礼のために、丸の内の本社へ出社した。

二年ぶりに、足を踏み入れた社屋であったが、カラチ、テヘランと、中近東地区に赴任しているせいか、恩地には、もっと長い歳月に思えた。

きちんとネクタイを締め、スーツを着たビジネスマンが、忙しげに出入りし、絶え間なく、昇降する五台のエレベーターを眼にしたのも、久しぶりだった。

恩地が待っているエレベーターから、堂本常務が現われた。出会いがしらであったが、恩地は、

「この度は、鄭重なご弔意を戴き、恐縮しております」

会社の弔意に、礼を述べると、

「ああ、君か、テヘランからでは遠かったろう」

無表情に云った。

「はぁ、飛行機が遅れ、丸一日以上かかりました」

「あ、そう」

とだけ答え、行き過ぎた。堂本が、テヘランからでは遠かったろうと云ったのは、労《いたわ》りの言葉か、或いは身から出た錆《さび》だという冷やかな意味合いか、どちらとも測り兼ねた。

曾《かつ》て、組合との団交の席でも、労務担当役員の堂本は、爬虫類のような動きのない表情で、言質を取られぬよう最小限の発言しかしなかった。そのしたたかさを思い返すと、労りの言葉とは考えられなかった。

恩地はエレベーターに乗り、厚生課に向った。

厚生課長は、恩地の姿を見るなり、

「わざわざ、挨拶に来られたのですか、恐縮です、私は以前、ベイルートにいる時、島津支店長の部下だったもので、テヘランから連絡があって、お手伝いを差し向けただけです」

葬儀の受付けに、厚生課員二名が手伝いに来てくれたのだった。恩地は、島津の温さが身に沁みた。

「島津支店長の部下だったとは、ご縁ですね、母の危篤、死亡に際して、留守宅からの報せを逐一、テレックスで打って下さり、どんなに助かりましたか知れません」

深謝して、人事部に向った。カラチで、内規に定められた任期を終えたにもかかわらず、日本へ帰任させず、テヘランの支店開設委員を命じたいきさつを聞くためであった。

部長席に行くと、部長、課長の姿は見当らず、課長補佐が在席していた。予算室で、恩地と同僚の男だった。人事部長に面会したい旨を伝えると、

「部長は、このところ会議が重っていて、多忙でお目にかかれません」

事前に云われていたらしく、切口上で云った。

「そんな言い方はないだろう、君は、予算室で、同僚だったのに、少しは誠意のある応対をしてくれよ」

と云うと、課長補佐は、

「すべては、自分自身で選んだ道なんでしょ」

蔑《ないがし》ろにするような言い方をした。恩地は、かくなる上は、桧山社長に御礼かたがた、直接、話すよりほかないと、意を決した。

十階の役員室へ昇り、秘書に来意を告げると、秘書役が出て来た。

「これは、鄭重なご挨拶で、いたみ入りますが、私からお気持のほどは充分に、お伝え致します」

体よく捌《さば》きかけると、社長室から桧山が現われ、恩地と眼が合った。

「おう、恩地君か、出かけるところだが、まあ、入り給え」

と招じ入れた。

広々とした社長室の執務机に、桧山社長が戻ると、恩地は改った姿勢で、

「この度は、ご芳意を賜り、おかげで昨日、無事に葬儀を終えまして、遺族、親戚一同、心から感謝しております」

深々と一礼した。

「母上のご逝去、心からお悔みします、〝世の中に幾千万の母あれど、わが母に勝る母はなし〟という詞《ことば》があるが、聞くところによれば、君の母上は、まさにそうした方だったとか――、それだけに力落しのないように」

心から母の死を悼んでくれた。その母は、桧山が、カラチ在勤は二年限りという約束を破ったことが因《もと》で、息子の帰国を待ち切れずに、死亡したのだった。それを思うと、恩地には、こみ上げて来るものがあった。

「社長、本日は、母の葬儀の御礼を申し上げに参っただけではございません、是非とも、お聞き届け戴きたいことがございます、私のカラチ赴任にあたって、社長は、二年だけだ、自分が保証し、責任を持って帰すと、お約束下さいました、ところが、さらにテヘランへということになり、社長の真意を伺うべくお手紙を差し上げましたが、お返事は戴けず、テヘラン赴任の人事が発令されました、止むを得ず、赴任しましたが、この機会にお約束を履行して下さるようお願いに参りました」

ひたと射るように、桧山の顔を見た。桧山は、無言のまま、視線を逸した。

「社長、ご確約のほどをお願いします」

迫るように云った。桧山の顔が歪んだかと思うと、

「恩地君、すまない、ほんとうにすまない、この通りだ」

不意に、椅子からたち上り、執務机に手をついて頭を下げた。恩地は、呆然とした。桧山ほどの人物が、机に頭をすりつけんばかりにして、詫びている。暫時、重苦しい沈黙が続いた。

「恩地君、解ってくれ」

桧山は、重ねて云った。思わず、怯《ひる》みかけた恩地だが、

「社長、私としてはこれまで譲りに譲って参りました、内規で定められており、お約束でもある二年の任期も過ぎ、既に三年目に及んでおります、そして、私の帰りを待っていた母を亡くしました」

哀しみを抑えて訴えると、桧山は返答に窮するように、重い吐息をついた。

「テヘラン支店は、四月一日の就航を前にして、開設準備中だ、ここで君にぬけられては非常に困る、そこのところは、よく考えてくれ」

「もちろん、就航までぬけるわけには参りません、ですが就航後は、必らず日本へ帰して下さい、カラチから引き続いてのテヘラン赴任は、正直いって体にこたえ、家族とも、もう長い間、離れ離れの生活で、疲れました」

恩地は、はじめて、人前で本音を吐いた。ほんとうに、心身共に疲れ果てていた。どす黯《ぐろ》い顔色は、中東での陽灼けばかりではなく、疲労の堆積による皮膚の澱《よど》みであった。

桧山は、まじまじと恩地の顔を見詰め、

「よく解った、テヘランへ就航すれば、すぐに日本へ帰す、人事担当役員にも、私からこの旨を伝え、今度こそ、必らず約束するから、待っていてくれ」

もう一度、頭を下げた。社長と組合の委員長として激しく対決していたものの、互いに相手を認め、通じ合うものがあった。

恩地は、一度ならず、二度、頭を下げて約束する桧山の言葉を、今度こそはと信じた。

*

役員室の堂本信介の執務机の前で、労務部次長の八馬忠次は恭《うやうや》しく、稟議書の承認を受けると、

「常務、恩地は今日も会社へ来て、あちこちの部署に会葬御礼に廻っている様子です、ひょっとして挨拶にかこつけて、オルグしているんじゃないかと思うほどです」

ご注進とばかりに、囁《ささや》いた。堂本常務は無表情に、

「まさか、彼は今日のことを察知して、動いているわけではないのだろうな」

「私も、それが気懸りで、恩地の後を秘かに部下につけさせましたが、知らない様子です、ですが、一足違いで危い場面がありました」

「何だね、その一足違いというのは――」

堂本は、あくまでポーカー・フェイスで云った。

「一千名の大台に、もう一息のところですので、掲示板にビラ張りをして、大々的に募ろうとしていた矢先に、人事課長から、恩地が母親の葬儀に帰って来るという連絡が入ったので、ビラ張りは中止させたのです」

鼻の穴を膨らませ、手柄顔に云った。

「なるほど、だが四桁の大台は当初からの目標だ、恩地が帰って来たからといって、現状の三桁でやむなしという弱腰では困る」

「しかし、……あと七時間しかありませんので、そこまでは、ちょっと」

「昼休みにやれるだろう、就業時間に喰い込んでも、管理職は目こぼしするようにと云ってあるのだから、必らず四桁を獲得するのだ」

堂本はそう命じると、もの云いたげに机の前にたっている八馬を無視するように、インターホンで秘書を呼んだ。

八馬は一礼して、役員室を出ると、四桁の千名にするための残り百八十名を、どうかき集めたものか思案しつつ、こんな重大な時に、よりにもよって、恩地が帰って来たことが腹だたしかった。労務部に帰ると、八馬は別室に籠《こ》もり、電話をかけまくった。

その日の午後六時、四谷《よつや》の青年婦人会館の一室で、「国民航空新生労働組合結成準備大会」が、開催された。

演壇がしつらえられた講堂には、二百十四名の若い社員が、金曜日の午後五時の退社時間を待ち兼ねていたように、それぞれの職場から目だたぬように集り、受付けで出席出来ない社員の委任状を提出して、席についた。

演壇には、「国民航空新生労働組合」と横書きされた大きな張り紙が掲げられているが、スローガンめいた張り紙は一切ない。

今日の結成準備大会のために、リーダーとして動いて来、議長を務める国際旅客営業部の盛田保が、壇上に上った。

「今日はようこそ、この歴史的な大会にお集り下さいました、特に、大阪をはじめ福岡、札幌から、この日のために馳せ参じて下さった代表者には、衷心より感謝します」

前列に坐っている地方からの十六名の代表者を、在京の出席者たちに紹介すると、札幌から参加した若い営業マンが起立し、

「皆さんの一人百円のカンパでこうして上京出来ました、有難うございます」

礼を云うと、在京の代表者たちから、

「よく来た！　お疲れさん」

「カンパは、今後もいとわんぞ！」

と声が上り、開会するまでどことなく、バツが悪げで、落ち着かなかった雰囲気が、俄かに盛り上った。議長役の盛田は、

「皆さん、静粛に――、仕事の関係で遅れて参加する諸君もあるかと思いますが、本日の出席者

及び結成準備大会事務局で受理した委任状は、出席者二百十四名、委任状八百五十一名、計千六十五名であります、三千人の旧労から三分の一以上の千六十五名が、階級闘争至上主義路線を否定して、脱会し、ここに新しい旗を掲げたのです——」

感無量の面持で、呼びかけると、新生労働組合の中核である『高士会』のメンバーが、うおっと呼応するように声を上げた。新労結成に集った大半の参加者は、ストライキによって直接、お客や代理店から苦情、抗議を受ける営業部門の人間が多く、整備部門の参加者は、委任状提出も含めて五十名にも達しておらず、客室乗務の花形であるスチュワーデスも、二十名に過ぎなかった。

「では、執行部として常任準備委員会を設置することとし、委員長・本社の畑辰造君、副委員長・甘粕《あまかす》一夫君、書記長・美原《みはら》譲治君に就任して貰い、当面の課題である組合憲章、規約を起草することで、ご異議ありませんか」

と、諮った。

「異議なし！」

との場内の声に、名前を告げられた三役が壇上に上った。

畑辰造はずんぐりした体軀で、茶色の背広に赤茶の靴と野暮ったく、三十二歳の齢より老けて見える。甘粕一夫は、正反対に白皙《はくせき》の知恵者タイプ、美原は〝ジョージ〟の通称がぴったりの洗練されたスマートさを備えていた。

「では委員長から、ご挨拶をお願いします」

盛田が議事進行すると、茶色の背広に赤茶の靴の畑が、のそりと進み出、暫《しば》し無言で一同を見廻してから、

「お前らは、全員、犬じゃ！」

吼《ほ》えるように、云い放った。一同は、啞然として息を呑んだ。

「犬は犬でも、お前らはシロ犬じゃ！　国民航空労組はアカ犬じゃ！」

途端、拍手喝采が沸き起った。畑は得たりとばかりに、言葉を続けた。

「今日、ここに集った新労組合員は、階級闘争至上主義に凝り固まった国民航空労組に見切りをつけ、企業内組合として生産性向上による労働条件の改善を図るという新しい路線を選択した者たちである。一つの企業に二つの組合を作ることは避けねばならんという信念の下に、われわれはアカ犬どもに対抗する委員長候補をたて、闘って来た。だが、いかんせん、アカ犬の息のかかった代議員による委員長選挙では、アカ犬委員長しか当選しない仕組みになっており、組合員の良心は封じ込められておる！

旧労の連中は、われら新生労働組合のことを御用組合と呼ぶだろう、だが、何と云われようと、時代の先端を行く航空運輸、日本を代表する国民航空の組合運動は、この時代の要請に応じる民主的労働組合を理想とするものでなければならん、われら新生労働組合は、時代の要請から生れるべくして生れたものであります。その前途には光明が差している！　あらゆる障害を乗り越え、国民航空に働く者すべての幸せを達成する不退転の決意を、ここに披瀝《ひれき》し、委員長の挨拶とします」

畑辰造が熱弁をふるった。耳を傾けていた出席者の中には、自由意思ではなく、上司の強制によって、十人、二十人の脱会届をまとめて従来の組合執行部に出してから、委任状を代筆して新労の大会に参加した者も少くなかったが、勢いに呑まれるように、シロ犬の仲間入りをした。

間仕切りの襖をはずした千代田区三番町の国民航空役員寮の座敷に、銚子と盃が次々と、運ばれて来た。新労結成準備大会を恙《つつが》なく終えた主だったメンバーが盃を交して、今日の成功を祝っていた。

「畑さんがのっけから、お前らは犬じゃと云った時は、仰天しましたよ、〝会社の犬〟と云われるかもしれないと心配しながら出席した者もいますからね」

「僕もあの一言に、心臓がとまりそうだった、というのも、恩地さんがテヘランから帰って来ている時だけに、沢泉執行部が、僕らの大会を察知して、〝ハイジャック〟するんじゃないかと心配していたので、もしや畑さんが寝返ったのかとさえ、思ったんですよ」

成功裡に終った安堵と解放感から、組合員たちは、酔いの廻った口調で喋った。

「君らは、わしの苦労が解っとらんな、会場へ来た面々のへっぴり腰を見て、こりゃあ最初に活《かつ》を入れんと、及び腰の質問が出て来んとも限らんと見た苦肉の策じゃよ」

九州訛《なま》り丸出しで、畑が云った。

「畑さん、どんどんやって下さい、何と云っても、今日の功労者は畑辰造、千両役者だったよ」

ジョージこと、美原譲治が、盃に酒を満した。新労きっての論客で、今日の旗揚げの原稿を書いたのも、美原譲治であった。

「いやいや、ジョージの作もよかったが、甘粕の演出、振り付けも、さすが知恵者らしく、よかった、もちろん若い組合員の信望厚いロマンチストの盛田が、議長役を引受けてくれたことも、客寄せの看板男として大成功だった」

畑は赫《あか》ら顔をほてらせ、自分を神輿《みこし》に担いでくれた面々を持ち上げた。

「ようよう、諸君、新組合結成おめでとう」

労務部次長の八馬が、いつの間にか姿を現わし、声をかけた。

「これは八馬次長、今日のために何かとお心配り戴いて、御礼申します、大阪や札幌から来てくれた者もいますので、一言、頂戴したいものです」

畑が云うと、

「諸君、国民航空新生労働組合の旗揚げは、健全な労使関係に心を砕いて来た労務部として、これほど嬉しいことはない、会社の将来は良識ある社会人としての諸君の双肩にかかっている、諸君がさらに発展的組織作りのために必要とする時間、費用は、今後とも惜しまないので、遠慮なく申し出てほしい、もちろん君たちの将来についても、充分な配慮を以て報いることは云うまでもない」

八馬が昂揚した語調で云うと、拍手が起った。

「遅れて来て、すまない」

「盛会でよかったね」

三人の課長が、盛田や、甘粕、美原の間に坐った。いずれも営業本部、経営企画室など、社内きってのエリートで、新労結成に当っての陰の参謀であった。

「お名前はかねがね伺っておりました、私、大阪支部で、アカ執行部のスト指令を返上した支部長です」

どこよりも早く、沢泉執行部に反旗を翻した元大阪支部長が、銚子を持ち、三人の参謀の前に進み出た。

「いやあ、こちらこそあなたのお名前は聞いていますよ」

それぞれ、愛想よく盃を受けた。

その間に八馬忠次は一同に、これから銀座のバーへ繰り出すのだと、景気をつけて廻っていた。

同じ夜、国航労組の事務所に、組織部長、教宣部長をはじめ、執行委員たちが集っていた。沢泉委員長が、

「まんまと、やられた、脱会届がこのところ集中し、今日の午後には、どっとまとめて届いたと思ったら、抜き打ちの旗揚げ大会とは――、委員長として責任を感じる」

沈痛な面持で云うと、組織部長は、

「それは、私の責任ですよ、『高士会』の動きを封じるために、各職場での懇談会を日常的に行って、組織固めをしていたのに、第二組合の旗揚げを察知できなかった」

と肩を落した。執行委員の一人が、

「旗揚げ大会間際に、二百名近い脱会届を組合にぶち込んで来るなど、やることが、プロ並みだ、さっき大会に出席した一人から聞き出してみると、表向き一人百円のカンパなどと云っているが、実際は各地方から東京への出張費と宿泊費は会社持ちのようだ、それに参加者一千名と云っているが、実際に出席したのは三百名足らずで、あとは、委任状で、それも強引に集めたものらしい」

と云うと、また別の執行委員が、

「委員長はお祭り男で有名な畑辰造、副委員長は策士の甘粕一夫、書記長に至っては、口八丁手八丁で、黒を白と云いくるめるペテン師の美原譲治、この三人を見れば、会社に舁《かつ》がれた臆面もない御用組合であることは明らかだ」

こっぴどく、こき下した。教宣部長は、

「今は、議論している時ではない、直ちに地方支部へ電話を入れて、第二組合の不当性を訴え、組合員の動揺を抑えることだ、これから、組合員に訴えるビラ作りをする、腹ごしらえは出前の丼にしよう」

と云った。届いた丼物をかき込むと、それぞれ、受話器を握って、地方支部への連絡にかかった。

直ちにビラを書き、急を知って駈けつけて来た組合員たちが、貼り出しにかかり、曾てのスト前夜に似た緊迫感が漂った。

恩地は元書記長の桜井と、そうした組合事務所の一隅にある応接用の椅子に坐り、同じように出前の丼を食べ、久しぶりに組合に戻ったような心の昂《たかぶ》りを覚えていた。

一頻《ひとしき》り、地方支部への連絡が終ると、沢泉委員長が恩地の向い側に坐った。

「遂に、組合分裂の重大事に至って、申しわけありません、思えば、恩地さんのカラチ赴任の時、断乎として不当配転反対の抗議デモを実行すべきでした、あの時点で、恩地さんを守れなかったことが、今日の事態を招いたと思います」

沢泉は、声を詰らせた。

「いや、それなら、私にも責任がある、桧山社長の二年限りという約束を信じて赴任したこと、それに昨年、労務部の八馬次長が、巡回視察に来た時の私にも問題があったんだ、会社が期待した悔い改めた態度を見せなかったからね、さらにテヘラン支店の開設委員を命じたのは、私と組合が、どう騒ぐかを見るための、観測気球だったと思う、ところが、私は社長宛に手紙を出し、組合は度重なる不当配置転換だとして抗議文を出したものの、闘争はやらないのを見て、これは行けると、会社側は自信を持ったのだろう」

恩地が云うと、桜井は頷いた。

「そう考えたのでしょうね、会社側は、現組合を脱会する者には昇給、昇格を約束し、脱会しない者には、一切なしと、『高士会』の連中を通して利益誘導で、手懐《てなず》けたようです、しかし、羽田空港の現場部門、千人のうち四十三人しか動かなかったのは、恩地さんの時、現場を大切にし、陽の当らない職域の労働条件を改めた成果によるものですよ」

「それは桜井君の力だ、君には大へんな苦労をかけた、航空工学専門の技術者で、社長賞まで受けた君が、私と組合をやっていたばかりに、元の専門部署に戻れず、資料室の翻訳係とは、ほんとうに申しわけない」

「つまらない翻訳の中にも、参考になるものがあるのです、それをもとに、安全運航のためのレポートを作成して、機長たちに喜ばれているので、私のことはご心配なく」

淡々と云ったが、自分をカラチに追いやり、桜井ほどの人物を資料室に押し籠めて、安易に第二組合を発足させた会社のやり方が、恩地は、許せなかった。

「今回の組合分裂は、決して会社側の力だけではない、これだけのことをやるからには、自由党、日経連、公安関係などが総力を挙げて後押ししているのだろう、われわれも、全力を挙げて立ち向わねばならない、明日、直ちに緊急集会を開こう、在京支部だけでもいい、組合員を集めて、第二組合の不当性、実態を訴え、組合員相互の信頼を強めることだ、人間は利益だけで、そう簡単に切り崩されるものではない！」

檄を飛ばす恩地の姿は、往年の委員長そのものであった。沢泉は思わず、

「恩地さん、スピーチをお願いします、久しぶりの恩地さんのスピーチに、どれほど組合員たち

は勇気づけられることか」

「よし、やろう」

恩地が張りのある声で答えると、桜井は、静かに首を振った。

「いや、止めて下さい、恩地さんは、母上の葬儀のための休暇中です、そんな時に組合の緊急集会に出て、スピーチをすれば、会社側に付け入る隙を与え、為になりません」

「こんな大へんな時に、私自身のことなど――」

「いいえ、恩地さん、あなたは今、いわば流刑の身なのです、ここは耐えて、予定通り明日、テヘランへ戻り、支店開設の仕事をすませて帰任することです、これ以上、付け入られてはなりません」

桜井は、強い眼ざしで制した。

深夜、帰宅した恩地は、経机《きょうづくえ》に置かれている母の遺骨の前に坐って、手を合せた。母を茶毘《だび》に付した日のことを思い返した。柩を竈《かまど》に入れ、扉が閉ざされてから暫《しばら》くすると、火葬場の煙突から白い煙がたちのぼり、曇天の冬空に、はかなく消えて行った。母の遺影を見上げると、生前の慈母のように優しい眼ざしで、自分を見詰めている。母が臨終の間際に、「話しておくことが――」と、云ったのは、何だったのだろうか。叔父は「会社にお詫びして、安心させてほしいという意味だ」と云ったが、皮肉にも、母の葬儀に帰国した自分は、偶然、組合分裂という重大な事態に居合せてしまったのだ。

「あなた、明日、出発なのに遅かったですね」

「うむ、ちょっと組合事務所に寄っていてね」

りつ子は、テヘランからの長途の帰国、通夜、葬儀、会葬御礼と疲れが溜《たま》っている夫の体を案じながら、

「私たちも、テヘランに行くことになるのでしょうか」

「まさか——、桧山社長はテヘランへ就航し、開設業務が終れば、必らず帰すと言われたのだ、二度も約束を違《たが》える人ではないよ」

母の遺影の前で、云った。

*

テヘランに束の間の春が、訪れた。

真っ白な雪で掩われていたエルブールズ山脈は中腹から、樹一本、生えていない山腹が剝き出しになり、パーラビ通りのプラタナスの街路樹も若葉艶やかに、茂りはじめた。道路脇に掘られた幅一メートル弱のカナール（溝）に、一定時間ごとに放流される雪解け水が、溢れんばかりに流れて行く。

「ごめん——」

オフィス代りのホテルのスイートルームに、中折れ帽を冠《かぶ》ったがっちりした中年の日本人男性が、不遠慮に入って来、

「島津君に取り次ぎ給え」

近くにいた恩地に、云いつけた。

「支店長は只今、外出しております、どちら様でしょうか」

「わしを知らんのか、浜田だ」

浜田——、そういえば島津から名前を聞いたことのある、芳しからぬ評判の人物であった。

「支店長は、いつ戻るか解りませんので、戻り次第、ご連絡致します、どちらのホテルへ？」

「ここで待つ、紅茶《チャイ》は好かんから、ソフトドリンクを取ってくれ」

横柄な口ぶりで云い、ソファにどかっと坐り込んだ。恩地は、店次長と眼を見交し、ルームサービスを頼むと、席へ戻った。電話帳のように分厚い世界の航空会社の時刻表から、テヘラン支店に必要な分を書き出すのであった。拡大鏡を使わなければ間違うほど細かい数字を読み取っていくのに、薄暗いホテルの部屋では読みづらく、最近、視力の低下を感じるようになった。

島津支店長が、帰って来ると、

「ようよう、待っていたよ」

浜田が馴れ馴れしく、声をかけた。侍支店長で通っている島津は、ちらっと一瞥《いちべつ》し、

「もう東京に帰っていたんじゃなかったのですかね」

「誰がそんなことを——、テヘランは、私のビジネスの場なんだよ」

「ほう、で、ご用件は？」

島津は、自席に坐って聞いた。

「総代理店のことに決っている、総代理店の場所さえ、未だ決らずでは、東京本社がどんなに就航を急いでも、不可能だ、ここは一つ、私に任せ給え、新興の国民航空には、ロイヤル・ファミリーに強力に働きかける人脈がない、それが進展しない最大の原因だよ」

浜田は、訳知り顔で云った。

国民航空がテヘランに就航するに当っては、通常の両国間相互乗り入れではないことから、総代理店を作って、航空券の販売をイラン側に任せ、売上げの五パーセントを渡すという協定にな

っていた。

その総代理店のトップに、パーラビ国王の姉婿であるブサリーが就任することは、イラン側との商務協定締結の過程で、取り決め事項になっていたが、営業カウンターを備える店舗も、人員も、今に至るも、何一つ決められていなかった。そこにつけ込んできたのが浜田万治で、日本では政治家を最大の顧客先《とくい》とする石油利権屋であった。

「云うことは、それだけですかね」

黙って、浜田の話を聞いていた島津が、云った。

「何だい、その口のきき方は」

浜田は、むっとしたように、肩を揺った。島津は動じず、

「その件なら、お断りしたはずだ、こんなテヘランくんだりで、うろうろしていないで、東京へ帰り、本業に戻った方がいい」

淡々と云うと、浜田の態度が豹変した。

「私を誰だと思って、そんな失敬な口のきき方をするんだ！　誰の意を受けて来ているのか、知らんはずがないだろう」

自由党の大物議員の名前を持ち出し、声を荒げた。

「そう云えば、中東の石油鉱区に関心をお持ちの前通産大臣と昵懇《じっこん》とか聞いているが、航空会社にまで口出ししないで貰いたい」

島津が、いなすように云うと、浜田万治は、

「今のうちに、せいぜい大きな顔をしていろ、後悔するぞ！」

捨て台詞《ぜりふ》を吐き、オフィスから姿を消した。息をひそめて、やりとりを聞いていた恩地たちは、

「支店長、後で祟《たた》りがあるんじゃないですか」

口々に心配した。

「日本からの利権屋など気にしていたら、ますます仕事がやりづらくなるばかりだ」

島津は、こともなげに云った。

「しかし、本社はこんな人物がつけ込もうとしているのを、知っているのでしょうか」

「本社の経営企画室や業務部の幹部連中が、商務協定を締結するに当って、当地にもっと来て勉強すれば、われわれ実働部隊は、こうまで苦労せずにすむのだ、気にする必要なし」

と、締め括った。

翌週、突然、パーラビ国王の姉婿のブサリーから、マルマル宮殿（大理石宮殿）の執務室に来るようにという呼出しの使者が訪れた。島津支店長は、恩地を伴い、使者の車の先導で、王宮へ向っていた。

パーラビ一族の宮殿は、山手とテヘラン大学近くに二つあるとのことだったが、王宮に呼ばれるのは、今回がはじめてであった。車はパーラビ通りから、西北の古い街並みに入り、さらにヒヤバネ・カッハ（王宮通り）を徐行した。プラタナスの街路樹が続く昔ながらの風情のある通りだが、車も人影も殆んど見られないのは、秘密警察が警護しているからだろうか。

やがてプラタナスの片側の並木の背後に、コンクリート塀が現われた。

「ここがマルマル宮殿なんでしょうか」

恩地が、後部座席の島津支店長に向って聞いた。

「私だって、はじめてなんだから、よく解らんよ」

ものに動じることのない島津も、さすがに緊張気味であった。

警備兵が立哨している鉄柵の正門を通過し、五百メートルほど先の通用門らしいところで、先導車が停まり、通行許可を取った。

鉄扉が開けられ、車を乗り入れると、芝生の広い庭が広がり、噴水が春の陽光に燦《きら》めいていた。その向うに、時代を偲《しの》ばせる大理石で建築されたマルマル宮殿が、乳白色に輝いている。

車は手前の大理石の建物の前で停った。そこから先は執事の案内で、幾つもの部屋を通りぬけ、ブサリーの執務室へ向った。どの部屋も天井が高く、家具や装飾品の類いは目だたず、目を射るのは、イスファハンで織られた最高級のペルシア絨毯と、大きなシャンデリアであった。

ブサリーの執務室周辺には、四、五人の従者と覚しき男たちが、直立している。日頃、テヘラン市内では見かけない色の白い人たちであった。

「ようこそ」

口髭を蓄えた意外に若いブサリーが、ゆったりと執務机の前からたって来、手を差しのべた。島津と恩地は敬意を表して、鄭重に挨拶し、勧められたソファに腰を下した。二人の坐った位置から、金縁の写真たてに収められた、ブサリーの妻であるアシュラフ妃の写真が見えた。アシュラフ妃が、ブサリーの権勢の後ろ楯であった。

アシュラフ妃は、パーラビ国王とは双児の姉弟で、父、レザー・シャーをして、男女が逆であったならと嘆息させるほど男勝りの性格で、四十六歳の現在も、ロイヤル・ファミリーの利権を取り仕切る中心的存在として、腕を振っているというのが、専《もっぱ》らの噂であった。アシュラフ妃にとって、ブサリーは三番目の夫であり、十三も齢下のツバメのような存在であった。

銀の紅茶セットが運ばれて来ると、ブサリーはまず自分が紅茶カップを手にしてから、形ばか

り勧め、

「用件は、他でもない総代理店のデポジット（保証金）の件です」

わざとらしいフランス語訛《なま》りの英語で、切り出した。

「は？　デポジット――」

総代理店の場所が、ようやく決ったとばかり思い込んで来た島津支店長は、訝しげに聞き返した。

「ウィ」

ブサリーは頷き、

「五万ドルのデポジットは、高過ぎることに気付いたので、二万五千ドルとして貰いたい」

しれっと、云った。

「それは殿下、不可能です、五万ドルという金額は商務協定によって、契約、サインされた事項です」

島津が、云った。恩地も一旦、契約された金額を、悪びれるふうもなく半額に値切って来る神経を疑ったが、ブサリーは、

「私が残念に思うのは、国民航空がテヘランへ就航しても、欧米の航空会社の後塵を拝するばかりで、大した収益を上げられないということですよ、よって五万ドルもの価値はなく、二万五千ドルが妥当という考えに至ったわけです」

「殿下がどうお考えになろうが、一旦、契約、サインしたことは、変更出来ません、それが契約というものです」

島津は、臆せず云った。

「ムッシュ・シマズがノンと云われても、東京のヘッド・オフィスはウィと了承しましたよ」

「まさか、そんなことは考えられません」

島津が押し返すと、

「では、自分でヘッド・オフィスへ確めてはいかがですか、用件は以上です」

ブサリーは話を打ち切り、あとは取りつくしまもなかった。

恩地は、テヘラン支店長であり、中近東地区支配人の島津の頭越しに、そんな取り決めが行われるはずはない、ブサリーが五万ドル惜しさに、島津支店長に圧力をかけ、本社へ取り次がそうとしているのではないかと思った。島津は、金縁の写真たてに収まっているアシュラフ妃の写真を睨んだ。何百万ドルもの資産を持ちながら、ツバメ同然の夫には、殿下と呼ばれるにふさわしい金を渡していないのだろうか。そのためにブサリーにふり廻される腹だたしさを、ぐいと呑み込み恩地を促して、席をたった。


島津支店長は、ホテル内の事務所に帰るなり、東京本社への電話を申し込んだ。

一時間ほどして、電話が繋がると、経営企画室長を呼び出した。

「もしもし、聞えるか、テヘランの島津だよ」

「はい、ちょっと聞えにくいですが、わざわざテヘランから何でしょう」

「解ってるだろう、テヘラン総代理店の保証金の件だ、さっき、ブサリーに会うと、本社と交渉した結果、二万五千ドルになったと云うので、私は聞いていない、駄目だと、突っ撥ねて帰って来たが、当然、そんな話はないだろうな」

「実は、ブサリー殿下の云われる通りなんです」

「なんだって？　現地の支店長に、事前に何の連絡もなく、頭越しに決めたのか」

島津は、相手によく聞えるように声を大きくして云った。

「これは、桧山社長、担当役員も入って、決められたことなんです」

「誰が入ろうと、一旦、五万ドルで契約書にサインしたものを変更するとは、由々しき問題だ、理由は何だ」

電話の向うで、答えに窮している気配が感じられた。

「電話で話しにくいことなら、今夜の便ででも、東京本社へ出かけて行くよ」

海外経験が豊富な島津は、緊急とあれば、さっと行動を起すのが常であったから、経営企画室長は慌て気味に、

「ブサリー殿下の代理人が、日本へ来て、石油利権をちらつかせながら、政財界工作をあれこれやりましてね、そのとばっちりがうちへ来たのです、たまたま本国会で、航空関係の法案を国民航空に有利に通そうと努力している最中ですので、トップの政治的判断とご理解下さい」

言葉丁寧ながらも、押しつけるように云った。

「日本では、ロイヤル・ファミリーに対して幻想を持ち過ぎだ、ロイヤル・ファミリーの名のもとに、利権を貪る魑魅魍魎《ちみもうりよう》の集団にすぎない、そんな実態を知らず、妙な政治的判断を下す前に、なぜ、現地支店長たる私に知らせなかったんだ、ここから先は、現地で一切取り仕切るから、本社で勝手な決定をしないで貰いたい」

ぴしりと釘を刺した。

電話をきってから、島津は苦々しい思いで、煙草に火を点けた。一向に改らない本社上層部と、政治家との癒着ぶりが、忌々《いまいま》しかった。如何《いか》に政府出資の特殊法人といえども、自ずから節度が

あるべきであったが、その節度を失いつつある会社の将来を憂えた。

恩地が島津に、本社人事担当役員からの電話がかかっていると告げた。

「今日は、珍しく東京と電話が繫がる日だなぁ」

と云い、支店長席に廻させた。

「おう、島津君か、私だよ」

人事担当役員の大きな体軀に相応《ふさわ》しい太い声が、雑音混りに聞えてきた。

「さっき、経営企画室長から話は聞いた、私は、別件で君に用事がある、実は例の浜田万治という男から、社長宛に、君を罷免しろという直訴状が届いたんだ」

「え？　ひめん」

「そうだ、大物政治家の意を受けて行った自分をこけにするような無礼なテヘラン支店長は、即刻、罷免しろと云って来たんだ、驚いたよ」

そう云われても、島津はさして驚かなかった。浜田万治はそういう男だった。

「で、私への用件というのは」

また数秒、雑音が入り、

「……何しろ……先生と繫がっているうるさ型だから、今後、そこそこにつき合ってくれ……危険な目にでもあったら、どうするんだ」

「ああいう手合いは、そこそこにやっていると、増長する一方だから、現地の情況に即して、私流にやらせて戴きます」

「君の硬骨漢ぶりは、承知しているが、相手が悪い、この際、本社も事情があるらしいから、頼むよ」

「それには、私は甚だ不適任だと思います」

と答えると、人事担当役員の声が、変った。

「君、本社の立場が解らんのか、解らんのなら、東南アジア地区支配人……」

「よく聞えませんが、東南アジア地区が、どうかしたのですか」

「君がそう頑なに突っ張るのなら、東南アジア地区支配人を命じるかもしれん」

「結構です、東南アジア地区支配人なら、香港駐在ですから、今からでもすぐに赴任しますよ、しかし、国民航空たるもの、社外からの中傷で、テヘラン支店長を更迭したとあっては、世間のもの笑いになるでしょう」

びくともせずに、電話をきると、席にいる駐在員たちが、耳を欹《そばだ》てていた。

店次長は顔色を変え、

「更迭って、穏やかじゃないですが、まさか支店長のことではないでしょうね」

「いや、私のことだよ」

平然と云った。駐在員たちは、固唾《かたず》を呑んだが、先刻、王宮まで島津のお伴をし、ことの経緯《いきさつ》を知っている恩地は、

「戦前に中近東をくまなく歩かれた社内きっての中近東通の支店長に向って、よくもそんな暴言を——、今、支店長がここを離れられたら、テヘラン支店開設は、さらに遅れ、国民航空の就航の成否にもかかわって来るではありませんか」

先行きを危ぶむように云った。

その後も恩地は、支店の現地採用職員の面接準備に追われていた。セクレタリー、セールス担

当、会計担当、一般事務の計五名の求人に対して、四十倍以上の応募があり、履歴書の書類審査で絞り込んだあと、筆記試験を行い、最終的に残った十名を面接することになっていた。

その中でも、重要な会計担当者は、既に内定していた。停年退職したばかりの、イラン石油公社で会計責任者を務めた人物で、真面目な人柄ゆえに、他社にスカウトされないよう話をつけておいたのだった。

「遅いな、〝ファルダー、ファルダー（明日になったら）〟で、今日は来ないつもりか」

銀髪の島津支店長が呟いた時、ブサリーのナンバーワンの代理人が、英国製のぱりっとしたスーツ姿で現われた。

四十歳そこそこだが、ロイヤル・ファミリー顔負けの風格を漂わせ、恩地たちには一瞥もくれない。元々、回教の高僧の家系で、宗教指導者の道を進むはずだったところ、アメリカ留学中に覚えた水上スキーの腕を上げ、帰国後はパーラビ国王夫妻の水上スキーのトレーナーとなったのだった。それを機にロイヤル・ファミリーに喰い込み、アシュラフ妃の夫であるブサリーの代理人を務めているのであった。

代理人は、島津支店長に慇懃《いんぎん》に挨拶して、向い側のソファに腰を下し、

「宮殿で、ブサリー殿下と会われたそうですね、殿下はどなたとも、市内のブサリー・オフィスでしか会われないのに、よほどミスター・シマズに好感を持っておられるのでしょうね」

得意の社交辞令を並べた。

「それはテヘラン支店の総代理店の保証金を半額の二万五千ドルに値切るための舞台装置だったんじゃないのかね、君は、日本へ行って、うちの本社に値切らせたらしいね」

「ミスター・シマズ、それは誤解ですよ、私はたくさんのビジネスを抱えての出張で、保証金の

件は、ワン・オブ・ゼムに過ぎません、もっとも国民航空へ表敬訪問した折には、手厚いもてなしを受けましたが」

「本社の誰に会って、国民航空とイラン側の間で決定済みの事項を、ひっくり返したんだね」

「そんなことは、関知しません、私はただプレジデント・ヒヤマをはじめとするお歴々に、パーラビ国王が両国の友好、取りわけ経済面での今後の交流を重要視されていることをお話しし、テヘラン支店の総代理店業務も、その一つだと申し上げると、驚くほど感激されましてね、日本は、皇室を大事にするお国柄のせいか、わが国の王室に理解が深く、国民航空がテヘランへ第一便を飛ばす就航式には是非、ブサリー殿下ともども、アシュラフ妃にご臨席賜わりたいと、プレジデント・ヒヤマから懇請されました、五万ドルが二万五千ドルになったのは話の流れからして、ごく自然なことです」

しゃあしゃあと、弁じた。

「ところで、保証金の支払い小切手を持って来たんじゃないのかね」

と促すと、

「そうでした、お収め下さい」

代理人は、内ポケットから小切手を取り出した。ペルシア文字が、右から左へ記されている。島津が判読出来るのは、ペルシア数字の下に併記されているUS$25000の八文字だけだった。

「二、三日、預からせて貰う」

島津は、小切手を手にして云った。

「おや、他ならぬブサリー殿下振出しの小切手ですから、信頼度、百パーセントですよ」

「ブサリー殿下とは、はじめてのビジネスだ、はじめての相手の場合、必らずチェックするのが、私のやり方だ」

有無を云わさず、預かりとした。

「では、納得されたら、ブサリー・オフィスへご連絡下さい」

代理人は、思惑はずれの顔で、たち去った。


「恩地君、車の用意を頼む」

島津支店長が、恩地に声をかけた。

「どちらへお出かけですか」

行先によって、契約しているタクシー会社に車種を指定しなければならない。

「バンク・イラノ・ジャポンだ、代理人の持って来た小切手を見て貰うので、目だたない車にしてくれ」

島津はそう云い、店次長には面会の電話をかけさせた。

バンク・イラノ・ジャポンは、イラン石油公社、大手外国企業、アメリカ大使館が並ぶタクテジャム・シット通りに、自前の五階建ビルを構えていた。頭取はイラン人で、副頭取は日本の東都銀行から、次長クラスが出向していた。

役員室のある階でエレベーターを下りると、秘書が出迎えた。

「突然、お時間を取らせまして」

島津が副頭取の江藤に会釈すると、

「いえいえ、お出向き戴き恐縮です」

四十代半ばの江藤は、挨拶を返した。

「これが件《くだん》の小切手です」

淡いグリーンのバンクカラーに、ペルシア文字が綴《つづ》られた小切手をさし出した。

「ちょっと拝見――」

江藤は、東京本店から、語学研修生としてテヘラン大学へ留学して、ペルシア語を習得した後、バンク・イラノ・ジャポンの初代副頭取として赴任し、テヘラン駐在が既に五年に及んでいた。

「振出人はアーマッド・ブサリー、振出地はフェルドゥシィー通り六八〇　サーフテマン・ホマーユン（ホマーユン・ビル）六階ブサリー・オフィス、振出日は一三四五年二月十日、支払人はバンク・ホマー（鳳凰銀行）、金額二万五千USドルとなっています」

江藤は右から左へ読み上げた。振出日の一三四五年二月十日とはイラン暦で、西暦から六百二十一を引くと、ほぼイラン暦の年代になる。月日は、三月二十一日がイラン暦の一月一日に当り、その日からおおよそが弾き出される。島津は、中近東事情に通暁しているとはいえ、今でもイラン暦には馴染めなかった。

「この小切手は受け取らない方がいいですよ」

江藤が云った。

「ほう、何か信用が置けないことでも――」

もしやという勘が当り、島津は体を乗り出した。

「振出人のブサリーには、西ドイツの製薬会社が不渡りを摑まされたり、とかく芳しからぬ風評がありますし、その上、この銀行はパーラビ・ファンデーション（パーラビ財団）の息のかかったところですから、ブサリーの資金不足の時は、彼の肩を持って支払いを引き延ばす危険性がなきにしもあらずです」

パーラビ・ファンデーションの設立趣旨は、一族の資産管理にあったが、実態はイランの石油輸出に絡んで三パーセントから六パーセントのマージンが振込まれるという噂に象徴されるように、ロイヤル・ファミリーの資産形成の隠れ蓑であった。

「さすが江藤さん、よくぞ鑑定して下さいました、五万ドルの総代理店の保証金を、半額に値切って来る相手なので、臭いとは思いましたが、そんな曰《いわ》く付きの小切手を持ち込んで来るとは、全くあくどい連中だ」

島津が呆れ返ると、江藤は灼《や》けた浅黒い顔に、笑いを浮かべた。

「島津さんには、釈迦に説法ですが、ここではアメリカもよく引っかかっているのですよ、アメリカがテヘラン空港の拡張工事を請負った時、当初の予算の四倍の資金を注ぎ込まされたのです、まして日本企業は、イラン人から見れば、絶好の鴨ですよ、ついこの間も取引先に、テヘランで引っかかる四つの条件を話したばかりです」

「ほう、四つの条件とは？」

「第一は語学力——、こちらのちょっとした上流階級は、子弟を中学を了《お》えたあたりからヨーロッパへ留学させるので、二ヵ国語くらい出来るのはざらです、外国語の不得手な日本人はまずこれで引っかかる、第二は風采——、見てくれは皆、りっぱです、第三は大邸宅——、自宅に招待され、二十五メートルのプールが二つ、テニスコートが二面、大理石の床に目を見張ります、第四の止《とど》めはロイヤル・ファミリーのお出まし——、豪華ホテルでパーティを開き、予め金を払って出席を依頼したロイヤル・ファミリーが登場して、〝この会社は、わが国が国を挙げて期待する事業の先駆者です〟などというお墨付きを戴く——、イラン事情に疎い日本企業はこれですっかり信用し、大火傷を負うわけです、島津さんのような強者《つわもの》にとんだお話を——」

江藤は、照れるように笑った。

島津はなるほどと頷き、小切手鑑定の礼を述べると、ホテル内のオフィスへ戻った。

店次長に、ブサリー・オフィスへ電話をさせ、代理人を呼出すと、

「さっきの小切手は受け取れない、わが社は、アシュラフ妃の個人名義の小切手しか受け取らない」

島津はそう云い渡し、電話をきった。

一週間後、代理人が再び現われた。悪びれた様子もなく、島津の前にアシュラフ妃の個人名義の小切手を、あたかもはじめて支払いに来たかのように、差し出した。

支払人（銀行）がどこであれ、アシュラフ妃の小切手が、不渡りになることはなかった。島津は、自分の頭越しに本社との間で行われた保証金の値切りに、一矢を報い、ようやく溜飲を下げた。

その晩、島津支店長は、久しぶりに駐在員たちと共に、食事をした。

カスピ海で取れた新鮮な鱒《ます》が手に入ったので、塩焼きにし、キャビアと味噌汁も食卓にならんだ。

「ほう、魚の塩焼きに、白米とはご馳走だな」

小切手の件が片付いたせいか、島津は寛いだ様子であった。店次長はビールを注ぎながら、

「全く小切手の件には、驚きました、ロイヤル・ファミリーが振り出した小切手でも危いとは

――、戦前から中近東での経験が豊富な支店長ならばこそで、たいていの人は、ひっかかりますよ、しかもブサリーとは、王宮の執務室で会われたのですからね」

「それが、彼らのやり口なんだな、戦前、二十代で、中近東を横断し、骨と皮になった体験を持っていたから、未然に防げたのだろう」

日頃、口数の少ない島津がはじめて、自分のことを口にした。

「お噂には伺っておりますが、是非とも、私たちに聞かせて下さい」

恩地は、島津の人間形成の因となっているものを知りたかった。島津は、天井を見上げ、記憶を辿るように話し出した。

ちょうど日支事変がはじまる前年、昭和十一年（一九三六年）、アフガニスタン、イラク、イラン、現在のパキスタン、シリア、レバノンなど中近東を一年がかりで、単身、横断した。

当時、わが社の前身である大東亜航空にいて、東京―ベルリン間を相互乗入れしようという計画が出来、東京、上海、北京、シルクロードの要衝、蘭州から、アフガニスタンのカブールを経て、テヘラン、ベルリンへ飛ぶ航路が打ち出された。それで中近東諸国の通信、交通、宿泊施設の情況、また、どの国に空港があるのか、その規模はどの程度か、飛行機はどんな機種を使っているのかなどを、調査するために出発した。

まず東京から日本郵船で、インドのボンベイに行き、有名なトーマス・クック旅行社で、アフガニスタンと国境を接するペシャワールまでの一等切符を買うと、「切符だけでは行けないよ、ボーイを一人傭え」と頻《しき》りに勧めるので、未知の土地のことだしと傭って、一等車に乗り込んで驚いた。

同じ値段にもかかわらず、白人と有色人種とでは客車が違うんだ。コンパートメントの席は、他に客がなく、私とボーイの二人だけなのは幸いだったが、気温四十度の中で、扇風機があるだけの車内は蒸し風呂同然で、これだけは、白人も同様だった。これでペシャワールまで二十四時間、体が保つかと心配したよ。だが、次の駅に停まると、ボーイは、駅で売っている氷柱とブリキの盥《たらい》を買って来て、コンパートメントの中にたてた。白人専用客車も同じようにボーイが氷柱を運んでいる。しかし、二時間もたつと溶けて、盥が一杯になる。ボーイは窓から、ざっと水を捨て、次の駅でまた氷柱を買う。これを二十四時間繰り返すのだから、「ボーイを備え」と云った意味がようやく呑み込めた。

こうして、ようやくアフガニスタンとの国境に着いたが、税関吏がいない。あまりの暑さに、彼らは下の川原で涼んでいるというので、下りて行くと、川原に机が置いてあり、素足にサンダル履きの官吏が、入国スタンプを捺してくれた。

列車を降りて、山間《やまあい》の田舎ホテルで風呂に入ると、すぐ湯が出る。日中の暑さで、水が湯になっていたのだ。食事はビスケット以外のものは何もなく、夜も、その翌朝も、同じだった。ここには乗用車などないから、トラックをチャーターして、アフガニスタンの首都、カブールへ向った。

カブールは首都といっても、砂塵にまみれ、がらんとした殺風景な町だったが、それでも、日本公使館があったので人ごこちがついた。だが、ホテルの食事には参った。ミルク、肉、油、すべて羊で、咽喉を通らない。さすがに泣きごとを云っていると、陸軍の駐在武官が「部屋が一つ空いている、インド人のコックがいて西洋料理ができるから来い」と誘ってくれたので、渡りに船とホテルを出て、武官用の空き部屋へ移ったが、これが後に、思いがけない災難を招くことになった。

突然、アフガニスタン政府から、駐在武官以下、武官室にいる全員に「国外退去」命令が出た。各自、定められたルート、駐在武官は陸路でボンベイへ出て、そこから飛行機で日本へ。私はたまたま、英国領事館へテヘラン入国のビザを申請していたことと、全くの民間人であったことから、カブールからインドのクエッタへ出るように指示された。

クエッタからカラチを経て、イラクの首都、バグダッドに辿り着いた時は、体には自信のある私も、酷暑のあまり骨と皮になった。気温四十四、五度、特に四月から十一月までは雨が一滴も降らない。何しろ、夜ともなれば、ホテルの平たい屋根にベッドを列べ、夜間に五時間ほど吹く、砂漠からの風で一息ついて眠るだけで、みるみる痩せ細ってしまった。だが、バグダッドは中東の交通の要衝であったから、逃げ出すわけにはゆかない。四ヵ月ほど滞在して、体をやすめた。

当時の中近東諸国には、民間航空はおろか、国営の航空会社さえ、無かった。アフガニスタン、イラク、イラン、シリアには、空港はあったが、ヨーロッパの航空会社に貸して空港使用料を取り、管制も外国の指導で行う情況だった。乗り入れていたのは、エール・フランス、オランダ航空、ルフトハンザで、機種はオランダ航空がダグラスＤＣ３、ルフトハンザがユンカースＪｕ52、乗客はいずれも二十人程度のものだった。その上、週一便ぐらいしかなかったから、せっかく空路があっても、待つ日数を考えると、陸路の方が便利で早い。私も空港の視察をしながら、陸路の移動の方がはるかに多かった。

バグダッドから、中近東の最後の視察地、テヘランへは、エール・フランスで入った。

飛行機は週に一便あるか無しかで閑散とし、国として空への関心が薄いとの印象を持った。

その頃は、イラン・コサック軍将校出身のレザー・シャー・パーラビが王位に就いていた時代で、通りをロバやラクダがのんびり歩いているような砂漠の町だった。昔からペルシア商人とスムーズにビジネスが出来れば、世界のどこででもやっていけると云われている。要は彼らは〝砂漠の民〟なんだ。砂漠で往き交う隊商は、一度の出会いで物事が決まり、二度と出会わないから、相手を倒すか、倒されるか、死力を尽す、それがペルシア商人のルーツなんだ。

そう考えれば、今度の小切手の件も、解りやすい。われわれが契約の、何のと騒いでも、彼らは〝砂漠の民〟以外の何ものでもないのだ。

話は、まだまだ先がありそうだったが、島津は、そこでぷつんと切った。恩地の脳裡に〝砂漠の民〟という言葉が、強烈に灼きついた。

下町のバザールに近い家具屋で、恩地は社宅用の家具の下見をしていた。家屋のみならず家具類の選定も、総務担当者の仕事であった。

「ともかく六世帯分の家具一式を注文するのだから、このリストにある品物と数について、見積りを出して貰いたい、別の家具屋にも見積らせているので、納得のいく価格を示してほしい」

恩地はそう云い、店を出ようとした。天井は高いが、展示してある家具類で扇風機の風が行き渡らず、体の水分が蒸発して行くような暑さであった。

「ムッシュ、ちょっとお待ちを——、ソファの肘掛けが、何で三インチ幅以上の木製でないといけないんです？」

店主は、二十歳ぐらいの息子に英語で通訳をさせながら、聞き返した。

「何度も云っているように、灰皿や紅茶カップを載せるには、それくらいの幅が必要なんだ」

「ですから、何でそんなものをソファの肘掛けに置くんです？　センターテーブルが不便なら、サイドテーブルを置けばいいでしょう、その方がずっとバランスがとれるのに、ジャポンじゃ、ソファの肘掛けにカップを置く習慣でもあるんですかい？」

店主が、首をひねった。

「ともかく、このリストの家具のサイズ、色などを記した欄をよく読み、注文に沿うようにしてくれ」

と云い、くたびれ果てて店を出た。

灼けつくような通りには、太陽が照り返し、恩地の皮膚はますますかさつき、黒くなる一方だった。タクシーを拾って、ようやく冷房の効いたホテル内のオフィスへ戻り、熱い紅茶にスプーン山盛りの砂糖を入れ、ふうふうさましながら飲んでいると、

「何をそんなに苛々している」

島津支店長が、声をかけた。

「実は社宅の家具の件で……、我社《うち》には肝腎の現地職員を採用する基準はないのに、社宅の家具設定には、細かな取り決めがあります」

「前にも聞いたな、一体、どんな基準なんだね」

「応接セット一組、食堂セット一組、食器棚一つと、数え挙げればきりがありませんが、面倒なのはその一式の内訳です、応接セットの場合ですと、三人掛け椅子一脚、一人掛けが二つ、センターテーブル一つというように」

恩地はそう説明すると、さっき、下町の家具屋で訝しがられた話をした。

「馬鹿げた話だ、君は細かな規定など考えず、せっかく日本では住めないりっぱな社宅を決めた

のだから、それにふさわしい家具を入れたまえ」

「そう云って戴くと助かります、では食堂の椅子の数も、規定では四つとなっていますが、子供二人の四人家族では、来客の時、困りますので、六つにさせて戴きます」

「当然だ、万一、本社から細かいことを云って来たら、私が指示したと答えたまえ」

いつものように、自分が責任を持つという態度だった。

「支店長、緊急のテレックスです」

営業担当者が、通信の契約をしているエール・フランスのオフィスから持ち帰ったテレックスを手渡した。

島津は、英文のテレックスに眼を通した。イラン航空局の長官からであった。

国民航空のロンドン発南廻り便の出発時刻を二時間、遅らせられたし。万一、受入れられない場合はテヘランへの乗り入れを拒否する。

突然の申し入れに、さすがの侍支店長も驚き、すぐ空港ターミナルビル内にあるイラン航空局へ出向くことにした。就航を一ヵ月先に控えて、青天の霹靂《へきれき》の申し出は、総代理店の保証金を半額に値切られた一件とは、比較にならぬ重大事であった。

タクシーを飛ばし、空港ターミナルビルの航空局長官を訪れると、パーラビ国王の肖像写真を背に、イラン人にしては温和な眼ざしの長官が、執務机から顔を上げた。

「ミスター・シマズ、アポイントはなかったはずだが」

「アポイント？　長官からたった今、緊急のテレックスを受け取ったところで、取るものも取りあえず、こうして駈けつけて来たのですよ」

島津は、テレックスを示した。

「私はテレックスを、打っていない」

長官はそう云い、受け取ったテレックスを読むと、

「なるほど、私が発信人になっているが、全く知らない、多分、私の名前を使ったのだろう」

さして驚くふうもなかった。

「では、誰が長官の名前を無断で使って、こんな非常識な申し入れをして来たのか、心当りはありますか」

「さあ、思い浮かばんね、次長にでも聞いてみるがいい」

日常茶飯事のように、云った。

島津は、すぐ次長室を訪れ、理由を聞くと、イラン航空に依頼されたと悪びれることなく答えた。その足で市内の中心街にとって返し、イラン航空本社の副社長に挨拶もそこそこに、テレックスを示した。

「このテレックスを、航空局次長に打たせたのは、あなただそうですね」

「ウィ、頼みましたよ」

けろりとして頷いた。

「一体、どういうつもりで一旦、決定した出発時刻を二時間、遅らせてほしいと云うのです」

「現状ではロンドン発のわが社の便は、国民航空より一時間遅い、そうなると、わが社のお客の積み取りが、断然、不利になり、わが社のような中東の小国の航空会社が受ける損失は大きい、国民航空は、経済大国の国営企業だから、二時間くらい遅らせる度量を示して貰いたい」

「副社長、このロンドン出発の時刻表《タイム・テーブル》はイラン航空と国民航空の二社間で決めたものではなく、IATA《イアタ》（国際航空運送協会）で夏と冬の、年に二回のタイム・テーブル委員会で決められたものですよ、その委員会には、あなた自身も出席しているのですから、ご承知のはずでしょう」

島津が云うと、

「そう云えばそうだが、赤字削減がわれわれ弱小航空会社の至上命題なのだから、ここは一つ、大国日本の意向を打診してみようと思ったのですよ」

言い訳がましく、云った。その程度の気持で、〝テヘラン乗り入れを拒否〟とは、何事であるかと、島津は云いたかったが、止めた。世界で最も誇り高い民族の一つであるイラン人は、恥辱を受ければ、相手の咽喉元に合口《あいくち》を突きつける民族であった。それにしても、自国の都合によって、日本が大国になったり、対等になったり、自在に変り、その度にきりきり舞いさせられる。酒でも飲まなければ、神経がずたずたになってしまうと思いながら、オフィスへ戻ると、店次長が、蒼白な顔で待っていた。

「今度は、何だ」

「実はシリアから、ダマスカス近郊の新空港が、完成真近なので、是非、国民航空に、乗り入れて貰いたいという申し入れです」

一難去って、また一難である。

「テヘランを出発し、カイロへ向う国際線が、三時間もしないうちに着くダマスカスにいちいち離発着していてはコストが嵩《かさ》むばかりか、乗客にとっても迷惑だ、向うから返事を催促して来るまで、放っておきたまえ」

「それが、そうもいかないのです、もし新空港に乗り入れないなら、シリア上空の飛行は、許可しないと、強気なのです」

島津は、二の句が継げなかった。中東では青天の霹靂は一日に二度も、起るのか。暫時、がくりとしたが、

「やむを得ん、明日、ダマスカスへ行き、シリア航空局と掛け合って来る、用意をしておいてくれ」

店次長に命じた。

テヘランからダマスカスへは、どの航空会社も就航しておらず、ベイルート経由でなければ行けない。テヘラン—ベイルート間は、所要時間三時間半の飛行で、ベイルートからダマスカスまでは、車でレバノン山脈を越えることにした。空の便はあるが、飛んでいるのはものの五分足らずなのに、乗り継ぎが悪く、陸路の方が便利であった。

翌日、島津支店長は単身、出発し、翌々日にはテヘラン支店へ戻って来た。

格別、疲れた様子もない島津に、店次長や恩地たちは、

「シリア航空局の言い分は、如何《いかが》でしたか」

心配して聞くと、

「航空局長官はこちらが慌てて飛んで来るのを、待ち構えていた様子だった、はじめは高圧的な口振りだったが、話していくうちに、やはり新空港の使用料欲しさの通告であることが解ったよ」

「その程度の思惑で、ダマスカスの新空港に乗り入れなければ、シリア上空の通過は許可しないなど、よく云えますね、もちろんお断りになったのですね」

店次長が、聞いた。

「いや、その場で断ってては、面子《メンツ》を潰すことになるから、保留にした上で、わが社はテヘラン就航が精一杯で、ダマスカスへ寄港する余力はないでしょうと、云い添えておいた」

「そんな無理無体を云われても、相手の面子を大切にしなければならないのですかねぇ」

店次長と恩地は、顔を見合わせた。

ダメ元で、要求するだけはするという強欲さと、異常なまでの誇り高い性格を併せ持つ〝砂漠の民〟は、日本人にとって、手強い相手であることを、恩地は実感した。

突然、予想も出来ないことが、次から次へと起る日々であったが、国民航空のテヘラン就航の期日は、ひたひたと迫っていた。


六月一日午前一時十五分、日頃は薄暗い空港ビル内の照明が明々と点き、慌しい人の動きがあった。

国民航空初のテヘラン就航便が遂に、到着するのであった。この便は記念とPRを兼ね、主だった財界人、運輸官僚、大手旅行代理店関係者、文化人、新聞記者たち四十八名の招待客が搭乗し、国民航空からは、小暮《こぐれ》副社長をはじめ、営業、運航、広報部門の役員、部課長が随行していた。招待客を接待するために、カラチ、カイロ、ベイルートなど近隣諸国の駐在員も応援に来ていたが、テヘラン支店開設委員の恩地たちは、ここ数日、受入れ準備のために徹夜続きの忙しさであった。

定刻より二十分遅れで、日本とイランの国旗をつけた国民航空機が滑走路に着陸すると、待ち受けていた在留邦人たちも、拍手で迎えた。僻地に自国の航空会社が乗入れることは、感慨ひとしおのものがあった。

恩地は、顔には出さなかったものの、複雑な思いで、滑走路からゆるゆると空港ビルの方に近付いて来る機体を見詰めていた。

初飛行便には、国民航空側の代表として、桧山社長が搭乗して来ることになっていたが、急遽《きゅうきょ》、取り止めのテレックスが入っていたのだった。恩地に就航が一段落したら、君を帰国させると約束した桧山と直《じか》に顔を合わせる機会を失ったのだった。

招待客は、出入国管理、税関をフリーパスで通過し、恩地たちがテヘラン市内を奔走して揃えたハイヤー、マイクロバスに順次、乗り込み、山手に完成したばかりのヒルトン・ホテルへ向った。

「なんだ、お歴々はハイヤーで、俺たちはマイクロバスか」

一人の記者が、不満げに云った。

「あ、気が利きませんで――、どうぞこちらのハイヤーへ」

三日前から、受入れ準備要員として来ていた本社広報部員が、目だたぬようにハイヤーへ案内し、深々と一礼して見送ると、恩地たちに、

「君らが知らないのも無理はないが、あの人は有名な航空記者なんだ、粗相のないよう頼むよ」

中近東地区の駐在員を小馬鹿にしたように命じ、一同を怒らせた。

夜は、ヒルトン・ホテル一階の宴会場で、就航記念パーティが盛大に催された。夫人たちの訪問着姿に、イランの運輸大臣、イラン航空の社長ら要人は珍しげに目を見張り、オランダ航空、エール・フランス支店長夫妻も、お祝いの言葉をかけながら、キモノ姿を賞讃した。

七時半には、広い宴会場が立錐《りっすい》の余地もないほど、招待客で埋まり、小暮副社長が日イ親善の

ための新航路が開けたことは喜びであり、皆さまのこれからのご協力をお願いしますと、スマートに短くスピーチを切り上げると、日本大使が音頭を取り、シャンパンで乾杯した。

イランのロイヤル・ファミリーたちは、国民航空テヘラン支店の総代理店の権利を、パーラビ国王の姉婿のブサリーが獲得したことを話題にし、日本は大国ですからと、大使や商社の社長らと社交辞令を交わしていた。

ふと、さんざめく声が止んだかと思うと、ブサリーが姿を現わした。

島津支店長がブサリーに、小暮副社長を紹介すると、小暮は日本の皇族に対するように恭しく、

「国民航空のテヘラン支店の総代理店が、殿下のお力添えで開設できたことを、光栄に存じます、本日は、殿下ご夫妻にもご臨席戴けると伺い、恐縮しております」

と挨拶すると、ブサリーは、

「妻のアシュラフ妃は警護が大へんで、出席を見合わせましてね」

アシュラフ妃の出席を約束しておきながら、平然と云った。一瞬、座が白けかけたが、再び賑々《にぎにぎ》しくなり、本社から来ている役員、部課長たちはほっと安堵の色を浮かべた。

パーティの中で恩地だけが、桧山社長の突然の欠席に心を暗くし、自分の先行きに不安を覚えていた。

＊

飛行機は、漆黒の闇の中を、飛び続けていた。

りつ子は、二人の子供を連れてテヘランへ向っていた。二十数時間の長旅で疲れた子供たちは、ぐったりとして寝入っている。りつ子も、出発前の渡航手続や連日の荷造りで疲れていたが、妙

に眼が冴えて眠れない。

カラチでの任期を終えて、日本へ帰れるものとばかり思っていた夫が、さらに西へ流されて行き、家族もそれに随いて、遥けき僻地へ赴かねばならぬ侘しさが、りつ子の胸を塞いでいた。

半年前、母の葬儀で帰国した夫は、桧山社長と会い、テヘラン支店開設後は必らず帰国させると約束して貰い、その言葉を信じて任地へ戻ったのだった。にもかかわらず二度にわたって約束を反故《ほご》にされるとは——。それを考えると、どんな思いで家族を迎えに来ているのか、夫の胸のうちが推し測られ、再会の喜びより、辛さの方が先にたった。

午前一時三十二分、飛行機はテヘラン空港に着いた。薄明りの中に見える空港ビルの正面には、パーラビ国王の肖像写真が掲げられていた。

税関へ入る手前で、真っ黒に陽灼けした夫の顔が見えた。二人の子供の姿を見るなり、抱きかかえるようにしたが、小学四年生になった克己は、カラチの時のように、父の首にしがみつこうとはせず、照れるように俯《うつむ》いた。一年生の純子は、

「お父さん、ねむい——」

父の胸に頰を押しつけた。恩地はりつ子に、

「子供連れで、大へんだったろう」

とだけ声をかけた。

通関は夫が手伝い、スムーズに終えた。空港ビルには、出迎えの人たちの姿だけしかなく、早々に車に子供たちを乗せ、夫とドライバーが荷物を積み込んだ。

四十分後、車はパーラビ通りから東へ折れたガンジィ通りの社宅の前で停った。平屋のゆったりした作りで、カラチの時のように門番も、使用人もおらず、ひっそりと静まり返っている。

「お父さん、今度は誰もいないの」

「明日、メイドさんが一人来て、手伝ってくれるよ」

「ふうん、五人からたった一人に減ったの」

「そんな言い方をしてはいけない、その国の事情で違うんだよ」

窘《たしな》めると、りつ子は、

「私は、この方が気が楽でいいけど、ペルシア語しか通じないというのは、ほんとうなの？」

夫との手紙のやり取りで、テヘランの事情を知らされていたりつ子は、一番気になっていることを聞いた。

「ここでは、メイドさんはもちろん、商店、タクシーでも英語はまず通じない、ペルシア語が解らないと、日常生活がままならないから、一日も早く覚えなければならないが、それは明日の話にしよう」

時計はもう二時半を廻っていた。子供たちにシャワーを使わせ、糊のきいた清潔なシーツのベッドに眠らせた。

りつ子もシャワーを浴び、夫とともにベッドに入った。体を寄り添わせると、支店開設のための不規則な仕事とホテル住いとで、瘦せたことが感じられた。

「また苦労をかけることになってしまった」

「私たちの力ではどうしようもないことだわ、親子が揃ったのですもの、どこにいても倖《しあわ》せと思わなくては」

優しく云うと、

「りつ子……」

夫の声とともに、胸の中に抱き入れられた。

翌朝、眼を覚すと、克己が窓を開けるなり、

「うわっ、プールがある！　すぐ泳ごう」

興奮して叫んだ。純子も兄に随いてプールの方へ、飛んで行った。

「駄目だよ、ここのプールは家の中を冷やすためのものだから、水が清潔じゃないんだ、泳いではいけないよ」

「なんだ、泳げないプールなんて、つまらない」

がっかりしたように、口を尖《とが》らせた克己だったが、りつ子が不馴れなキッチンながらも、手早く朝食を作り、皆で食卓を囲むと、久しぶりに笑い声がたった。

突然、聞き馴れない声がし、食堂の入口に、黒いチャドルを頭からかぶったイラン人女性が姿を覗かせた。

「ムッシュ　サラーム（お早うございます）」

恩地に向って、挨拶した。恩地はりつ子と子供たちに、

「この人が、手伝いをしてくれるメイドさんだ、一週間前から来て貰っていて、いつもは八時からだけど、今朝は皆が到着したので、早く来て貰ったんだよ」

と紹介した。りつ子は、

「サラーム、お名前は？」

英語で名前を聞くと、女性は困惑した顔をした。

「この人の名前は、ハトメというのだよ」

りつ子は、夫からの手紙に、メイドには身元がしっかりした会社の運転手の妹を雇うことにし

たと書いてあったことを思い出し、

「ハトメ、これで仕事をして下さいな」

サロン・エプロンを手渡すと、

「メルスィ　マダム」

メイドは笑みをうかべ、退《さが》って行った。

りつ子は、冷たい水が飲みたいという子供のために、冷蔵庫のあるキッチンへたって行くと、メイドはこの暑いのに髪を黒いスカーフで掩い、長袖ブラウスとズボンに着替えていた。女性は人前では肌を見せないという回教の戒律を守っている信心深い人だった。

朝食はまだだったらしい。キッチンの小さなテーブルに向い、平べったく丸い形をしたナン（パン）を千切って口に入れては、紙に包んだ白い塊を齧《かじ》り、紅茶を飲んでいる。食卓に戻って、夫に話すと、その塊はガンドといって、砂糖だと云った。ナンを食べ、ガンドを齧って、その甘味が口に残っているうちに、濃い紅茶を飲むのが庶民の朝食の仕方だと説明し、夫は急いで出勤して行った。

メイドは、一家の朝食のあと片付けをすませると、掃除に取りかかった。りつ子は、一週間前から磨きたてられている床の掃除よりも、日本から着て来たものの洗濯をしてほしかった。試しに、ランドリーと洗濯ものをさし示したが通じない。大柄で彫りの深い顔だちは誠実そうだが、このペルシア語しか通じないメイドを使って、夫と二人の子供を抱える日常生活を、滞りなくやって行けるだろうかと、不安になった。

一週間後、家の中の片付けが一段落すると、りつ子はペルシア語教室が開かれていると聞いた大使館に近い在留邦人の婦人会を訪れた。

早目に出かけると、国民航空の駐在員夫人たちも来ており、りつ子の姿を見るなり、

「まあ、恩地さん、やっと落ち着かれましたのね、ご主人のお蔭で、お宅より一ヵ月半も先に到着しながら、ペルシア語も、車の運転もままならず、お引っ越しのお手伝いにも伺えなくてすみません」

「うちもご主人には、メイドの紹介から、子供が入学するアメリカン・コミュニティ・スクールの申込みまでお願いし、どんなに助かったかしれませんわ」

りつ子が到着後、間もなく開いてくれた歓迎パーティで感謝されたことを、また重ねて云われると、総務主任の仕事柄、駐在員の家族が全部、到着するまでは我慢してくれと云った夫の言葉が、改めてよく解った。

やがて、他の企業の夫人たちも集って来、レッスンを前にメイドの話で持ち切りとなった。

「私、テヘランへ来るまで、人を使った経験がないので、言葉の通じないメイドには、神経を使いますわ、手のかかる子供がいて、化粧する暇もないのに、メイドはしっかりメイク・アップしてご出勤でしょ、変な恰好をしていては舐められると思い、彼女のご出勤前に慌てて化粧をしながら、どちらが使われているのやらと、情けなくなりますわ」

若い夫人が嘆いた。

「でも、奥様のところはまだいいわよ、うちのメイドときたら、去年の冬、ミンクのコートを着て現われたのよ、私自身、ミンクのコートどころか、ストールさえ持っていないのに、ショックだったわ、家事仕事にミンクを着て来るなんて、どういう神経なんでしょう」

「それは奥様、イラン人の見栄っ張り――、いくらテヘランの冬が寒いからといってもねぇ」

中年の夫人が、云った。

やがてペルシア語の講師が入って来た。イラン人と結婚している中年の日本人女性であった。まず初級のグループに向い、

「ペルシア語の文字は、ラクダを象《かたど》った『象形文字』と云われ、一字一字は意味を持たず、英語のアルファベットと同じ、音だけを表す『表音文字』です、ペルシア語のアルファベットからはじめると、時間がかかり過ぎますから、皆さんの日常生活に真っ先に必要な数字からお教えします」

と云い、黒板に向って、チョークで書きはじめた。

0 ۰ セフル　　6 ۶ シェシュ
1 ۱ イエキィ　　7 ۷ ハフト
2 ۲ ド　　8 ۸ ハシュト
3 ۳ セ　　9 ۹ ノホ
4 ۴ チャハール　　10 ۱۰ ダハ
5 ۵ パンジュ

「これが0から10までのペルシア数字です、カタカナで表記した発音は、丸暗記して下さい、太く書いた字は強く発音するしるしです」

と云い、発音した。りつ子たちは、きき耳をたて、何度も繰り返し発声した。

言葉が通じないことは、陸の孤島にいるのも同然であるからだった。

大型車の止まる気配がし、りつ子は、テラスから庭を横切り、通用門を開けた。

スクール・バスが停ったのだった。二人の子供が、イラン人が通う地元の小学校へ初登校した日であった。

最後の生徒なのか、バスには他に誰も乗っていなかった。四年生の克己と一年生の純子が、バスから降りて来るなり、わっと泣き出した。りつ子は驚き、急いで家の中へ二人を入れた。

「二人とも、どうしたの」

りつ子は、怪我でもしていないか、眼を配りながら、しがみついて泣く二人に聞いた。

「僕の文房具も、ノートも全部、取られちゃったよぉ」

克己が悔しげに泣くと、純子も、

「鉛筆も、消しゴムも、みんな取られたの」

つぶらな瞳に、涙をためて訴えた。

「文房具を取るなんてひどいわね、先生に云わなかったの」

「云ったけど、皆、知らないって、平気で嘘をつくんだ、そんな学校へは行かない！」

克己が大声で云うと、

「純子も、おうちで、お母さんに教えて貰った方がいい」

口々に、泣きじゃくりながら云った。

子供たちの訴えを聞いて、りつ子は、夫の意見に従い、アメリカン・コミュニティ・スクールではなく、地元の小学校へ行かせたことを後悔した。地元の小学校とはいえ、生徒は上流階級の子女が多く、国語以外の科目は英語で行い、レベルも高いと聞いて入学を決めたのだ。また子供なりに、イランという国から、何かを吸収させようとの考えもあってのことだった。それが、登校初日に、子供の文房具が取られてしまうなど、想像も出来なかった。

りつ子は、メイドが作ってくれたクッキーと紅茶を出しながら、

「お母さんが明日、学校へ行って、先生に話をして来るわ、クラスの子供たちは、きっと克己や純子が持っていた日本の文房具が珍しくて、ちょっと使ってみたかっただけなのよ、あなたたちから、むしり取るような気はなかったと思うの」

と宥《なだ》めると、克己は、

「あんな太っちょの女の先生なんか、僕のような外国人に親切にしてくれないよ、僕は学校へ行かないからね」

あくまで行かないと、云い張った。

二人の子供を地元の小学校に入れるに当って、夫とともに授業参観させて貰ったが、担任の教師は、ふくよかで優しそうで、周りを生徒たちが取り囲むように机を並べ、整然と授業が行われていた。あれは、見学者用に装った授業だったのだろうか。ともかく、二人の子供を説得して、日本人学校が出来るまで通わせるより方法はないと、思い直した。

テヘランに、大使館付属の日本人学校を設立するため、夫は、在留邦人の世話役として奔走している。りつ子は、一日も早い開校を望んだ。

国民航空テヘラン支店は、ホテル住いから、タクテジャム・シット通りの総代理店に近いビルの三階に移って、三ヵ月になっていた。

支店長室は、奥の別室になっているので、店次長以下、営業、総務、市内運送、通信の市内オフィス勤務の駐在員が五名、他に現地採用職員が五名、広いオフィスに真新しい机を並べている。

現地採用の職員は、コネ抜きの厳しい選考をくぐり抜けて来ただけあって、皆、予想以上によく働く。

中でも、恩地の下で働く会計担当のムバラクは、イラン石油公社の会計責任者を勤め上げただけあって、知識が豊富で助けられることが多い。イラン人にしては生真面目すぎて融通がきかないところが難点といえば、難点だが、会計という職務上、それに越したことはなかった。

総務主任の恩地は、仕事の傍ら、日本人学校設立に奔走していた。

テヘランに日本人学校を、との声は、以前からあり、外務省と文部省の予算も下りていたが、その時の駐イラン日本大使は、わざわざ海外に来て、日本人学校などつくらなくても、英語が吸収できるアメリカン・スクールで学ばせた方がよいという意見であった。

その点、現在の大使は国家の将来を担う子供は、どこにいても日本人としての教育が大切であるという考えの持主だった。たまたま、日本人会会長に新しく就任した島津支店長も、同様の考えを持っており、日本人学校設立の気運が、盛り上っていたのだ。

恩地は、島津から自分の手足となって動いてほしいと云われ、大使館や日本の文部省と連絡を取りながら、まず校舎の確保からはじめた。運よく、日本大使館の近くに、三階建、プール付きの大きな住宅が見つかり、賃貸契約に漕ぎつけたのだった。

今は教室で使う備品、その他について細々と、文部省に問い合せている最中であった。

奥の支店長室から、島津が出て来、秘書に、航空局長官とのアポイントメントを取るよう指示してから、

「恩地君、学校の先生の方は、まだかね」

と聞いた。

「残念ながら、まだです、何しろ、海外の日本人学校に赴任すると、その期間は勤続年数に加算されず、日本へ帰ってからの昇給、ひいては恩給にひびくとのことです、目下、都道府県の教育委員会で募集して貰っていますが、来て下さる先生がいないのです」

恩地は、海外で教職に携る派遣教員に関し、文部省にはいまだにきちんとした制度が設けられておらず、各地方自治体が研修出張、職務免除、休職扱いなど、まちまちの判断で募っている現状であることを話した。

「僻地の日本人学校であればあるほど、赴任する先生には、国内以上に厚遇して然《しか》るべきなのに、逆に不利益になるとは、文部省の役人たちの海外子女教育に対する無関心ぶりには呆れ果てる」

島津は、憤慨するように云った。

「もう一つ、捗《はかど》らないのは、中東では、日本人学校を設立した前例がないという文部省の言い分です」

「そんなことはないだろう、サウジアラビアのカフジに、日本人学校があるそうじゃないか」

「あれは、油田を掘り当てた日本アラビア石油が、駐在員の子女のために東京の私立学校と提携して作ったいわば、企業の学校だそうで、文部省の管轄ではないというのです」

「ほう、一企業で学校を作るとは、その見識というか、社是はりっぱだね」

島津は、感服し、

「社務以外に負担をかけるが、在留邦人の父兄たちが待ち望んでいることだから、骨を折ってくれ給え」

真底、頼るように云った。

念願の日本人学校が、ようやく開校した。

遥けき中東の地に赴任してくれる教師は、皆無《かいむ》かと危惧していたが、この春、金沢大学を卒業したばかりの二人が、国語と算数の担当として大学の呼びかけに応じ、また、理科兼教頭は石川県教育委員会の呼びかけに、勤務中の小学校を休職して赴任してくれたのだった。

学校づくりに奔走した恩地たち世話役、父兄の喜びもひとしおで、中東ではじめての大使館付属の日本人学校は生徒数二十一名ながら、大使自ら校長を務め、開校式から一ヵ月が経過していた。

クラスは、一年と二年、三年と四年、五年と六年の三つに分れての複式学級で、三人の教師がそれぞれ担任となっていた。

三、四年学級の国語の時間、若木先生は、四年生に教材文をノートに写させている間、三年生に向って、黒板に**林**と**村**の二文字を書き、

「漢字はこのように、旁《つくり》の下が止っているものと、撥ねているものがあります」

赤いチョークで、傍線を引くと、

「先生、どうして撥ねたり、撥ねなかったり、そんな面倒なことをするの」

生徒たちが不思議そうに、聞いた。先生は返答に窮しながらも、生徒たちの境遇が、不憫《ふびん》に思えた。日常生活で目にする機会が皆無に近いため、漢字が不思議で、理解しがたいらしく、上級生の中にも、偏《へん》と旁をばらばらに覚え、町を甼、畑を畂と書いている者がいる。アルファベットに馴染んで来た生徒たちに、単に間違いを指摘するだけでは、国語の時間を敬遠するようになるため、先生は生徒を惹きつける授業法に苦心していた。

「よし、皆、鉛筆を置いて——、先生がこれからこわーい話をしてあげる」

と云うと、生徒たちの鈍かった表情が俄かに好奇心で輝いた。

「先生、話して！」

体を乗り出した。先生はしんと静まった教室で、わざと声を潜め、話しはじめた。

「むかし、武蔵の国に、茂作《もさく》と巳之吉《みのきち》というきこりがいました。茂作はおじいさん、巳之吉は若者のきこりでした。ある日、森に木を伐《き》りに出かけ、夜になってしまいました。帰り道、吹雪に遭い、道が分らなくなったので、小さな小屋へ避難しました。二畳の板の間には火鉢もなく、二人のきこりは蓑をかぶって横になりました――」

「先生、二畳の板の間って、何のこと？」

唐突に一人の生徒が質問した。他の生徒も、

「火鉢って、何のことなの？」

「蓑って、ブランケットの日本語？」

次々に、質問責めにした。生徒の思い通りの反応に、先生は黒板に、質問のあった言葉を漢字で書き、仮名をふって、意味を説明することで、日本の家屋や生活様式を教えた。

「日本では部屋の広さを、畳の数で表わすんだよ、二畳は、畳が二枚分の広さだ、火鉢は陶器のストーブと考えなさい」

「続きを話して――、それからどうなったの」

生徒たちが、催促した。

「茂作じいさんと巳之吉はぐっすり眠り込み、夜はしんしんと更けていきました。真夜中、若者の巳之吉がふと目を醒ますと、小屋の戸が音もなく開き、全身、真っ白な女の人が入って来て、茂作じいさんに白い息を吹きかけました。その途端、茂作じいさんは凍って死んでしまいました。

それは雪女だったのです。雪女は、巳之吉を見ると、『お前も殺そうと思ったが、許してあげる。そのかわり今、見たことは生涯、誰にも話してはいけない』と云い、吹雪の中へ消えて行きました。

その翌年、巳之吉が寂しい道を歩いていると、きれいな娘さんが泣いているので、わけを聞きました。名をおゆきといい、両親に死に別れ、見知らぬ親戚の許へ行くところだと云うので、巳之吉はそれなら私のお嫁さんになって一緒に暮そうと云いました。すると、娘さんは喜び、二人は夫婦になって、十人の子供をもうけ、それはそれは幸せな毎日を送りました。ある雪の晩、子供たちは寝入ってしまいましたが、お母さんのおゆきは行燈《あんどん》の灯りで針仕事をしていました。巳之吉はおゆきに『お前を見ていると、若い頃の不思議な出来事を思い出すよ』と云い、吹雪の晩に現われた雪女のことを話します。おゆきは突然、針仕事を投げ出し、私がその時の雪女だと云うなり、真っ白な姿になりました。雪女は『生涯、誰にも話さないと約束したのに、何故、話したのか。お前を殺してやりたいが、子供たちがかわいそうなので生かしておく』と云ったきり、外の雪の中へ消えて行きました」

先生が声を押し殺すように話し終えると、女の生徒は恐しそうに顔を伏せたが、男の生徒は強がって、

「弱虫だなあ、先生、あんどんって、昔の日本のライトのことでしょ、でも針仕事って何なの」

大真面目に聞いた。先生は黒板に針仕事と書き、説明すると、終業の時間になった。

「今日はこれでおしまいだ、今日の宿題は、教科書で習った漢字をノートに書いて来ること、テストをするからね」

「次の授業でも、恐い話をしてくれる?」

「宿題をきちんとしてくれれば、だ、さあ、スクール・バスが迎えに来る前に、掃除をしなさい」

先生が云いつけると、

「前から思っていたんだけど、僕らがなぜ、掃除をするの」

「なぜって？　自分たちの教室を掃除するのは当然だろう」

「掃除なんて、サーバントのすることだ、以前、通っていたアメリカン・スクールだって、掃除はサーバントがしていた、僕らはやらない」

クラスのガキ大将的な生徒が、頑として云い出すと、他の二、三人も同調した。

「だら！　君らは日本人じゃろ！」

あまりのことに、二十二歳の若木は激怒し、つい金沢弁で怒鳴ってしまった。だらが、〝ばかもの〟のこととは解らなかったが、生徒たちはその語気に圧《お》されて、黙った。

「掃除をしないと云った者は、廊下にたっておれ！」

若木は、廊下を指さした。

学校の授業が軌道に乗ると、恩地は本来の総務主任の仕事に追われた。

先月来、社宅の家賃の値上げを要求してきている家主に電話をかけ、明日、こちらに来るよう伝えてから、上衣のポケットにしまっていたエアメールを取り出した。朝、配られた郵便物の中に、組合の沢泉委員長からの手紙があり、目だたぬようにしまっておいたのだった。

前略、テヘラン支店の開設業務も一段落して、少しは落ち着かれたことと拝察します。開設委員として赴任された方の中には、そろそろ帰任の話もあるようで、恩地さんのご帰国の日をお待ちしております。

さて、第二組合である新生労働組合が、このほど大々的に結成大会を開きました。準備大会は委任状で員数を揃えていましたが、結成大会には、在京組合員と全国の支店の代表者総計千百十七名が羽田ビル講堂に集結し、組合員総数は千六百五十名と発表されました。全組合員三千名の過半数が、第二組合に流れたわけです。

新労の三役は、常任準備委員会の畑辰造委員長、甘粕一夫副委員長、美原譲治書記長がそのまま横すべりし、大会の議長は準備大会までリーダーとして動いていた盛田保が務めました。敵ながら絶妙な嵌《はま》り役で、その背後に労務部次長の八馬さんをはじめ、強力なOBたちが控え、次は全組合員の三分の二以上の獲得を目標として、われわれのところに残っている組合員の締めつけにかかってくると思われます。対策を考えねばと焦りつつも、会社側と一体となった攻勢には、目下のところ抗す術《て》もなく、毎日、組合事務所へ行くのが怖しいほどです。

会社側と新労がどんな術で攻撃して来るかの一例をお伝えするため、脱会届の写しを同封します。

仲間の皆さん、私は今日まで国民航空労働組合員であることに、自信と誇りをもって来ました。しかし新労結成によって、われわれ組合員のシフト勤務が大幅に組み替えられ、不利な時間帯にされました。そのため、二等整備士の資格を取るための勉強時間が減り、試験の合格もおぼつかなくなりました。組合に残っている者に対する嫌がらせと解りつつも、資格の取れない下積みの仕事が続くかと思うと、希望が失くなります。資格が取れなければ給与やボーナスにひびき、年老いた両親を扶養している私の場合、生活は成りたって行きません。

仲間の皆さんを裏切って申しわけありませんが、第二組合の新労へ移らざるを得ない事情をお汲み取り戴き、お許し願います。

一字、一字、刻むように、丁寧な字でしたためられていた。恩地は、整備士の脱会届を読み、あまりに悪辣な労務政策に、許し難い怒りを覚えた。

恩地の背後で声がした。店次長がただならぬ様子でたっている。

「恩地君、大ショックだ、島津支店長宛に、帰任のテレックスが入ったんだ」

「えっ、本社のどの部門へ帰られるのですか」

「本社ではなく、子会社の空港管理サービス会社の役員なんだ」

恩地は、茫然とした。社内きっての中近東通が、本社へ役員として戻らず、関連会社の役員とは、不条理過ぎる。一体、何があったのか知りたかったが、島津は人事のことは一切、口にせず、平常通り淡々としている。支店長を〝お父さん〟と慕っていた駐在員たちは、帰任を悲しみ、送別会を開きたいと申し入れると、「そんなものは、私の性《しょう》に合わんから」と断った。

だが、駐在員たちは、単身赴任の支店長宅で、各々、酒やおつまみを持ち寄って集りたいと申し入れ、

「せめてお別れに〝侍支店長〟の中近東を単身で横断調査された時の先日の続きを聞かせて戴き、われわれへの置きみやげにして下さい」

と頼み込むと、

「あの時はついうかうかと喋ってしまった、〝ほんとの侍〟というものは語らないものだよ」

と云い、あくまで送別会を受けつけなかった。

＊

恩地一家は、二度目の砂漠の厳しい冬を迎えていた。

一月も半ばの朝、一晩に三、四十センチの雪が積もり、辺り一面、銀色の世界となった。

「バルフィー、バルフィー（雪掻《か》きぃー、雪掻きぃー）」

早朝の表通りから、雪掻き人の声が聞えて来る。

朝食を終え、出社の支度をしている夫に、りつ子は、

「この雪では、メイドの出勤は遅いでしょうね、今のうちに屋根の雪掻きを頼んで来ますわね」

鉄骨の入っていない煉瓦を積み重ねただけの家屋は、雪の重みに弱いから、メイドを待ってはいられない。

りつ子は通りに出、

「ビヤー　マンゼレマン　アーガー（おじさん、うちへ来て下さいな）」

と呼んだ。熊手のような雪掻き棒を担いだ男が入って来、屋根の雪を見上げてから、

「五十リアルでどうかね」

と云った。

「ちょっと高いわね、三十リアルでどう？」

りつ子が押し返すと、雪掻き人は三十五リアルと云い、それで折り合った。

恩地は、チェーンを巻いた車のエンジンを温めながら、りつ子のペルシア語と値段の交渉も板についた来たものだと、苦笑した。

「お父さん、行ってらっしゃい、僕らは、スクール・バスが危いから休みだって」

「学校へ行きたいのに、つまらないわ」

克己と純子が、ハイネックのセーターに顔を埋めながら、不満げに云った。昨年の初冬、はじめて雪が積もった時、金沢出身の日本人学校の教師は、十センチ程度の雪など、積雪のうちに入らないと、普段通り授業をして、テヘラン中の学校の話題になったのだった。

「じゃあ行って来る、屋根から落ちる雪に気をつけるんだよ」

恩地は子供たちに注意し、除雪された道路に車を乗り出した。

支店に出ると、交通機関の乱れで現地職員は誰も出社していなかったが、三ヵ月前に、単身赴任して来た若い通信主任が、恩地の出社を待ち受けていたように、朝の挨拶をしてから、

「恩地さん、すみませんが給料の前借りをお願いしたいのですが」

身を縮めるようにして、頼んだ。

「どうかしたのかい」

「実は、昨日の昼過ぎ、会社の近くでトルコから出稼ぎに来たという三人連れに、『イランの紙幣の種類が解らず困っているので、教えてほしい』と云われ、何気なく自分の札入れから五百リアル紙幣、二百、百、五十、十と教えているうちに、手品のように訳のわからない紙幣とすり替えられ、札入れの中味も抜き取られて、やられたと気付いた時は、散りぢりに逃げられてしまったのです」

「君ね、その三人連れと、何語で話したんだい？」

「英語です」

「普通、英語は通じないと話していただろう、それに、トルコからテヘランへ来るまでに、一度もイランの紙幣を見ずに来たと思うかい」

「そう云われますと、お恥しい限りです」

通信主任は、しょんぼりした。

「大したことがなくてよかった、これを教訓に、公私とも注意しなくちゃいけないよ」

恩地は、出勤して来た駐在員たちに目だたぬよう、金を用だてた。

朝のミーティングが終ると、久米《くめ》支店長が恩地を支店長室に呼んだ。島津の後任である久米は、ホノルル、サンフランシスコ駐在が長く、赴任して来た当初は、何かと戸惑っていたが、フランクに部下に助言を求めるタイプで、一年半経った今は中近東事情にほぼ通じていた。

支店長室で向い合うと、久米は、

「昨夜、商社会のメンバーと飲んでいて、税金の話になってね、商社は現地法人化が進んでいるから、法人税はイラン政府に納めるわけだが、イラン政府は、ここ数年、日本企業の急激な取引量の増大に、よほど儲けていると睨み、口銭《マージン》の薄さなど考慮せず、年々、〝見なし課税〟で一方的に税額を上げてくるらしい、商社側も対抗上、タックス・コントロールに苦慮しているということだ」

「私も、商社の会計担当者からイラン人の会社では、税法があってなきに等しい脱税が罷《まか》り通っているのに、外国企業に対しては、骨の髄までしゃぶるような厳しさで、呆れ返るという話を聞いています」

「その点、うちは総代理店制を採り、航空券や貨物料金は代理店に任せて、営業活動はしていないのに、法人税の納付書が来るのは、どういうことかね」

「ダメ元《もと》精神なんでしょうか、毎年、イラン暦の年末に当る三月二十日までに納付の通知を送りつけて来る上に、督促状まで寄越しますが、無視しています、そのかわり社員の給料に関する所得税は、会計責任者のムバラクにきちんとやらせ、些細なことで付け込まれないよう、気を配っています」

　恩地が詳しく説明した。

「それを聞いて安心した」

　久米は云い、

「ところで君は、秘書課長の行天君と同期入社で、組合では委員長、副委員長として二年も一緒にやってたんだって？」

　と聞いた。

「それが、何か——」

　今さら、何を切り出されるのかと、恩地は訝った。行天四郎は、恩地がカラチ支店へ左遷されて半年余り後に、サンフランシスコ支店に赴任し、次いでニューヨークの米州総支配人室付となり、つい最近、本社秘書部へ戻っていた。

　久米は、煙草をふかしながら、

「僕は若い頃から海外支店を歩いているので、組合のことはよく知らないんだが、サンフランシスコ支店へ、行天君が赴任して来た時、なかなかスマートなやり手という印象で、組合の活動家だったとは、夢にも思わなかった」

「そうですか」

　恩地は、やはり短く答えた。

「僕が行天君のことで感心したのは、例のサンフランシスコ湾上空で起きたエンジン火災事故の処理だ、あれは誰にも真似出来んよ」

と云い、あの一件を処理した行天の対応ぶりを、問わず語りに話した。

ちょうどランチをすませて、支店の席についた時だった。空港事務所から事故の第一報が入り、一同が事の成行きに釘付けになっている時、あとになって解ったことだが、行天君は、空港事務所から乗客名簿をテレックスで取り寄せ、現地職員に一覧表を作らせる一方、自分は東京の広報部長宅へ電話を入れたのだ。日本時間の午前七時に直属の上司でもない部長宅へ緊急電話を入れるとは度胸がいいというか、機を見るに敏な奴だよ。

死傷者なしと解り、僕らはほっと胸を撫で下したが、行天君の素早い連絡で、本社から運航、整備、広報の連中がすっ飛んで来、対応策を協議して記者会見に臨んだ。その時、マスコミ各社に配られたのが、火災で黒焦げになったDC8の翼をバックに、機長、副操縦士、航空機関士、オークランド空港管制官らの、握手している写真だった。その写真一枚で、なぜ事故が起きたのかという問題は吹っ飛び、いかに機長以下の沈着な判断で墜落を免がれたか、アメリカのヒロイズムを利用して、感動的な美談に仕立て上げた。その見事な演出をしたのが行天君で、支店長の頭越しに広報部長宅へ第一報を入れながら、支店長はアメリカの運輸安全委員会との交渉に忙殺されているのでと、支店長の顔をたてることも忘れなかった。広報部長もその辺りはお見通しで、一層、行天君の評価を高めたらしい。それでいて、サンフランシスコ赴任前は、わが社はじまって以来、初のストを打った組合の副委員長だったというのだから、いやはや大したタマだよ。

恩地は、DC8のエンジン火災の原因は、トルク・リングの付け忘れにあることを、沢泉からの手紙で知っていただけに、行天の巧妙なやり口が、手に取るように解った。

「恩地君、何か理由《わけ》がありそうだな」

黙り込んでいる恩地に、支店長は云い、煙草を灰皿に揉み消しながら、

「同時期に、組合活動をしながら、片やカラチ、テヘラン、片やサンフランシスコ、ニューヨーク、本社秘書部と、両極端に分れている、君ら二人はいわば宿命のライバルというところかな」

興味深げに、云った。

＊

恩地元――、本社人事部長の清水は、カラチからテヘランへ向う機内で、人事労務調査表の中に記されている名前を、感慨深げに見詰めていた。

六年半前、自分が予算室長であった時、支店勤務から、本社予算室へ抜擢した人物の名前であった。予算室は、国民航空の収入、支出ともに予算を管理する会社の枢要部門で、社内でも選りすぐりの人材を集めた少数精鋭の部署であった。恩地は、予算室への配属が決った直後に、突然、組合の委員長に選出されたのだった。

清水は、組合の委員長になるのなら取らなかったのにと思いつつも、前委員長の八馬に一方的に推薦され、おしつけられた事情を考慮し、見守って来た。それが二期二年に及んだ。その間、恩地は委員長としての責任を果しながらも、予算室の日常の仕事は残業してでも、きちんとこなした。清水には、強靭な意志をもった有能な部下と見えたが、当時の時代背景の中で、組合運動が過激になり、いつの間にか〝左翼分子〟にでっち上げられてしまったのだ。自分がフランクフルト支店長に転任した後の予算室長に用いられず、カラチ支店に飛ばされたいきさつは、聞き知

っていた。

組合活動をやらなければ、おそらく同期のトップをきって、今頃は予算室の課長になり、将来を嘱望される一人であったろう——。組合の委員長を二期務めたことで、人生の一齣《ひとこま》が狂い、カラチ、テヘランと流されている元の優秀な部下に対する思いがあった。清水は、シートの読書灯を消して、眼を閉じた。


翌日、午前十一時すぎに、恩地は、ヒルトン・ホテルへ清水人事部長を迎えに行った。深夜の空港への出迎えは、支店長、店次長が行っていたのだった。

清水は、恩地の顔を見るなり、

「元気にしていたかい」

温かい声をかけた。

「空港へお迎えにあがれず、失礼致しました、本社からの指示で、ペルセポリスの遺跡を案内しなければならないお客さまがあり、先程、帰って参ったばかりです」

「本社から指示があったというと、国会議員筋か」

「そういうところです」

「ご苦労だったな、気疲れしたろう」

と犒《ねぎら》い、随行の労務課長補佐と共に、早目の昼食をとりながら、まずテヘランの庶民生活を見学したいと云った。現地の庶民生活を知ることによって、駐在員の生活環境を理解し、その上で、駐在員たちの個人面接を行おうとしているのだった。

恩地は、テヘランの下町のバザールへ案内した。パーラビ通りを南へ下って行くと、車が混み、地面から人が湧くように犇《ひし》めいている。

車を降りると、蒸れるような人いきれと喧騒に呑まれるように、中近東最大のバザールへ歩いて行った。幾つもの出入口があり、中は迷路のように狭い道が交錯し、マッチから鍋釜などの日用品、食料品、衣類、絨毯、金製品に至るまで、二千数百の店が、ぎっしり軒を並べている。

恩地は人混みの中を案内しながら、

「このバザールの特徴は、二千数百店の中で、正札をつけている所が、一店もないことです」

清水部長と労務課長補佐は、訝しげな顔をした。

「たとえば、中華鍋を買おうとすると、売る側は、この客は普通の鍋でなく、特殊な鍋を買うのだから、どうしても必要としていると見当をつけ、おそらく元値千リアルぐらいのものを、三千リアルとふっかける、買う方が慣れていれば、向うの言い値の五分の一からスタートして、四、五割のところでおさめれば上々、つまり、限られた場所と時間で値段が大きく異るだけに、エネルギーを消耗するきつい駆け引きになります、われわれの相手は、それに輪をかけた海千山千揃いですから、この国でのビジネスは、極めて厳しいのです」

と云い、絨毯の専門店の前で、恩地は、

「一つ、実地見学なさいますか」

と、中へ入った。店主は外国人客とあって、すぐ奥へ案内した。そこには絹の高級ペルシア絨毯が、堆《うずたか》く積み上げられ、壁にもびっしり掛けられている。

恩地は、その中の一つを指すと、

「おお、ムッシュの好みはすばらしい、六十万リアルにしておきますよ」

それは外国人相場であった。恩地は、

「産地はイスファハンだね」

と聞くと、店主は、産地が解る客とあって、

「いよいよお目が高い、五十万リアル」

と、十万リアルも値下げした。恩地は、メジャーを出させて、一センチ角に縦糸何本、横糸何本かの打ち込みを測り、

「二十万リアルなら考えよう」

と云うと、店主はノンと顎をしゃくった。

「では、いらない」

恩地も首を振り、扉の把手《ノブ》に手をかけると、

「三十万リアルにしよう」

とすり寄って来たが、他の店を見てからと断り、呆れている清水を促して、外へ出た。

「あれが、ペルシア商法です、俗に、扉の把手《ノブ》に三回、手をかけなければ、ほんとうの値段は出ないと云われています」

と説明すると、労務課長補佐が、

「そういえば、前のカイロ支店長は、その癖がぬけず、日本へ帰っても、部下にその術《て》でやれと云い、皆、辟易《へきえき》しているそうです」

清水も傍らで苦笑した。


午後四時すぎ、支店へ戻った。

久米支店長と店次長が、揃って出迎え、

「いかがでしたか、バザールの見学は」

応接室へ案内し、紅茶《チャイ》を出させてから、支店長が聞いた。

「恩地君の説明が、的を射ていたから、短時間で、この国の庶民生活に触れることが出来たよ」

清水は咽喉を潤しながら、一服すると、労務課長補佐を傍らに坐らせ、

「じゃあ、早速、駐在員諸君の個人面接をはじめたい」

と切り出した。久米支店長は、

「今夜、一堂に会して、社宅で夕食会を催しますから、その席では如何ですか」

この時期、人事労務調査は、ヨーロッパと中近東地区を、人事、労務がペアで手分けして行うのだ。たまたま、テヘランは人事部長の担当であったから、支店長は、気を遣っているのだった。

「いや、私はここの方がよい」

「では、どうぞ、よろしく」

支店長は、まず市内オフィスの駐在員から呼び出した。

清水人事部長は、一人一人と、向い合ってじかに話した。『着任以来、何年になり、馴れて来ているか』『健康状態はどうか』『現在、仕事の上で最も苦労していることは何か』『日常生活で不自由している点は』『今後の希望について』などを、相手に威圧感を与えぬように柔かな口調で聞き、労務課長補佐が書き取って行った。最後に恩地の番になると、ほっと一息つき、

「君には、改めて聞くことはないよ、それより、こちらから話したいことがある」

と云い、労務課長補佐に席をはずさせて二人だけになると、

「君のことは、予算室で君を使った私が一番よく知っている、海外でいつまでも総務主任とは名ばかりの、万《よろず》承りのような仕事をしているより、能力に相応しい仕事をすべきだ、そのためには

今後、組合活動に関わらないと約束しさえすれば、済むことなのだよ」

長い僻地勤務で疲労が澱《おり》のようにたまり、黯《くろ》ずんでいる恩地の顔を、まじまじと見た。

「私は今さら日本へ帰って、組合活動をしようとは考えていません、しかし、ここで組合と関わりませんと約束して帰国することは、結果として同じであっても、私の信条としては出来ません」

「恩地君、社内外の情勢から、君が何らかの約束をしないことには、日本へ帰すことは困難だ、桧山社長も難しい立場にたっておられるのだ」

清水は言外に、桧山社長が、日経連から労務対策のために送り込まれた呉植《ごうえ》専務や外部の圧力で、板挟みになっている苦衷を匂わせた。恩地は、二度も、自分との約束を反古にした桧山が、曾て予算室長であった清水に、己れの意を托したのだろうと、推測した。

長い沈黙の後、清水が口を開いた。

「会社に約束しろとは云わない、私に約束してくれとも云わない、君の帰任については、私が全責任をもって保証する、つまり、私の保証で帰任するということで、承知して貰いたいが、どうか」

自らの進退を賭けるような言葉であった。恩地は返答に窮した。今や第二組合は全組合員の三分の二に迫る勢いらしかったが、それでもまだ三分の一の組合員が、差別に耐え抜き、踏んばっている。それを知る恩地に、妥協は許されないことであった。恩地は、苦渋の末に決断した。

「そこまで私のことをお考え戴き、心に沁みて有難く存じます、しかし、私を信じて耐え、待ってくれている組合員のことを考えると、僻地の海外支店勤務は二年という規定通りにして戴く以外ありません」

詫びるように頭を下げた。

「君は惜しい男だ――」

清水は、一言云い、頷いた。

＊

鏡の前でりつ子は、メイドの手を借りて、訪問着の着付けをしていた。日本大使が帰国することになり、大使館で歓送会が催されるのだった。各国の駐イラン大使、イラン政府の要人がミスター・アンド・ミセスで招待されているから、日本人女性は訪問着を着用のことというお達しが在留邦人の婦人会から来ていたのだった。

薄紫の訪問着に、四季の花が刺繍された袋帯を結ぶ時、りつ子はうしろ手で持ったお太鼓のところを、メイドのハトメに押えて貰い、帯締めをきゅっと強く締めて、ようやく着付けを終えた。

「マダム　ヘイリー　ガシャンゲー（奥様、とても美しいです）」

ハトメが、薄紫の訪問着がよく映える、色白のりつ子に見惚《みと》れていると、克己が入って来た。

「お母さん、どこへ出かけるの」

やや眩《まぶ》しげに、母を見た。

「大使が日本へ帰られるので、その歓送会へ行くのよ、昨日も話したでしょう」

日本人学校の校長も務めていた大使は、先日、学校を訪れ、三十一名に増えた生徒に「よく勉強し、世界に通じる人になって下さい」と励まし、拍手を送られたばかりだから、克己は知っているはずだった。小学六年になり、そろそろ難しくなった息子の胸の内を、りつ子は推しはかった。

「大使の校長先生が代ると、先生たちも、新しい先生と交替して、日本へ帰って行くんだろうな、お父さんの会社の人も、はじめから一緒だった人は全員、帰ってしまったんだから、今度こそお父さんの番だろうね？」

「そうだといいけれど、こればかりは、お仕事次第だから――」

りつ子は、当り障りなく答えながらも、夫の任期が内規を越え、あと数ヵ月で三年になろうとしているのに、一向、音沙汰がないことに焦っていた。小学三年の純子はともかく、克己は、そろそろ日本の学校へ入れ、人並みに勉強をさせてやりたかった。

車の気配がした。夫がダークスーツに着替えるために、社から帰って来たのだった。

りつ子の傍にいた克己に、恩地は、

「今晩はハトメに特別に泊って貰うが、お父さん、純子を頼むよ」

ぽんと肩を叩き、着替えにかかった。

「解ったよ、それよりお父さん、僕んちはいつになったら、日本へ帰れるの」

母を戸惑わせたのと同じ問いを繰り返した。

「早く帰りたいか」

恩地はネクタイを締める手を止め、克己の顔を真っすぐ見た。

「そりゃあ、帰りたいよ、友達は全部、帰ってしまったんだもん……」

あとは、泣くまいと、俯いた。家族を巻き添えにしていることを実感し、恩地は胸を衝かれた。

「お父さんも、早く仕事を片付けて、帰りたいのだが、思うようにいかなくてね、もう暫く我慢してくれ」

と云うと、克己はこくりと頷いた。

恩地は、ほっとし、ネクタイを結び終えると、ハトメに後を託し、車の助手席に妻を乗せ、華やかな装いとは裏腹の思いで、大使館へ向った。

それから一ヵ月経ち、俄かに秋が深まった。早朝の葡萄畑に人影はなく、時折、鳥の啼《な》き声がするだけで、辺りは静まり返っていた。

テヘラン市街から車で三十分ほどのこの辺りは、地下水脈が通っているため、葡萄畑が連なっている。収穫前までは、マスカットを細くしたような形の粒が一房にたわわに実り、棚から垂れ下っていたが、それから僅か一週間で葉が枯れかけ、穫り残しの葡萄も変色している。

畑の間のでこぼこ道を通り抜け、灌漑用の水路が切れたところで、恩地は脇道に車を止めた。ここで会社の運転手のアリと待合せ、はじめて兎狩りをやることになっていた。

穫り残しの葡萄を口に含み、丘陵を眺めながら、恩地の思いは、つい任期のことになっていた。大使の交替と前後して、テヘランの日本人会のメンバーも新旧大きく入れ替り、企業の駐在員では、恩地は古顔になっていた。

今年に入って、清水人事部長がテヘランへ人事労務調査に訪れ、日本へ帰るための手段を、元の上司らしい心遣いで説いてくれたが、その清水は役員として残ることなく、関連会社へ転出して行った。

中近東地区支配人兼テヘラン支店長であった島津といい、清水といい、自分に対して理解を示してくれる上司はいなくなり、日々、鬱々とした思いで、万承りのような仕事に明け暮れていた。任期を一年近くもオーバーし、早く帰してくれと申し入れたいが、会社が自分の我慢の限界を待っているのだと思うと、焦燥の気振りは見せられない。

そんな鬱屈を募らせている恩地を、運転手のアリが猟に誘った。当初は退屈しのぎのつもりで、アリの銃で的撃ちをはじめたが、アリから「ミスター・オンチは筋がいい」と褒められて、テヘラン市内に一軒だけある銃砲店へ案内され、つい、安いスペイン製の散弾銃を買ってしまったのだった。銃の所持と狩猟免許は、警察で簡単に入手出来た。外国の航空会社の社員であることは、絶大な信用となった。

葡萄畑の向うから車の音がし、ポンコツに近いアリの軽四輪が近付いて来た。

「グッドモーニング、狩りにはいい日和《ひより》ですよ」

アリはドアをロックすると、二丁の散弾銃を肩にかけ、恩地の車に乗り移って来た。ポンコツ同然とはいえ、近くの農家の顔見知りが、車の番に来てくれるということだった。

助手席の窓枠に肘をかけ、アリは狩場への道を案内した。小さな岩で、車は大きくバウンドするが、車体の下に鋼板が張ってあり、部品を、傷める心配はない。

「ストップ、ほら、あの小川の川っぷちにいますよ」

アリの指す方へ眼を向けると、茶色に灰色の斑《まだら》の野兎が数羽、草を食《は》んでいる。長い耳を欹てながら、草を食んでいる兎はいかにも敏捷そうで、車を下りる人間の気配だけで、逃げ去りそうに思えた。

「大丈夫かな」

はじめて自分の銃で、動く獲物を撃つ段になると、恩地は自信なげに呟《つぶや》いた。

「撃ってみなくては、解りませんよ、弾は4号が入ってますね」

アリは、念押しするように云った。

「うむ、ちゃんと装塡してある」

「じゃあ、まず近いのを狙って――」

軍隊調で云った。恩地は、今まで手《て》解《ほど》きを受けて来た通り、肩と腕で銃身を固定し、六メートルほど先の獲物に銃口を向けた。途端、長い耳がピクリと動いたと思う間もなく、兎は一目散に岩場の下へ逃げ隠れた。

「脱兎の如くとは、まさしくこのことか、動く獲物は難しい」

恩地が、拍子抜けすると、

「体に力が入り過ぎなんですよ、練習通り、もっと自然に構えなくては気付かれます、場所を変えましょう」

岩場の先へ車を進めるように云った。地面にせり出した岩に乗り上げそうになるのを、恩地はハンドルを素早く切って先へ進むと、視界が広がった。

「ここで止めて」

アリが云い、視線をめぐらせた。砂嵐で荒れるに任せた葡萄畑の間の草を、十羽近い兎がせっせと食んでいる。早朝、狩猟に出かけるのは、日中を避けるためというより、動物が餌をとる時間に合せるためであった。

車を下り、兎のいる叢《くさむら》にしのび寄った。向い風があり、獲物を狙うにはまずまずの状況であった。その場で待つこと暫し、十メートルほど先で、せっせと草を食んでいる横向きの兎が視野に入った。

「距離よし、前肢付け根を狙って」

恩地は云われた通りに、動いている頭部より、動きの少い前肢に狙いを定め、引き金を引いた。散弾が飛び出す際の衝撃で体が後方へ倒れそうになると同時に、原野に銃声が轟いた。

「お見事！」

アリが云った。恩地は、はじめて生きものを撃った無我夢中の状態から、我に返った。撃ちとった兎の傍へ歩いて行くと、散弾がめり込んだ兎は、ぐしゃりとした形で、倒れていた。可哀そうにと思う半面、仕留めた喜びが湧いた。

「私の見たて通り、ミスター・オンチは筋がいい、はじめての猟で一発で仕留めたのは、兄貴とミスター・オンチだけだ」

我が事のように喜び、すぐ血抜きをするように云った。ナイフはポケットに入れてあったが、すぐには兎の咽喉笛をかき切れなかった。アリは、〝アラーの神は偉大なり、アラーの神をおいて他に神はなし〟とコーランの経文を三回、早口に唱え、頸動脈を切った。

血抜きした兎をすぐ麻袋に入れ、車の後部座席へ置くと、恩地の体の奥底から、熱い火柱のようなものが湧きたった。つい先程、感じた、獲物を仕留めた喜びとは異質の猛々しいこの高揚感は一体、何なのであろうか。

心の奥に三年近く、いやカラチ左遷から数えて五年にわたって渦巻いていた遣り場のない憤りが、出口を求めるマグマのように、噴き出したのだろうか。

恩地は、触れてはならぬものに触れ、のめり込んで行きそうな自分を怖れた。

「恩地君、ちょっと——」

仕事が終り、帰りかけようとする恩地を、久米支店長が呼び止めた。他の駐在員も、現地職員も帰ってしまっていた。

支店長室へ入ると、煙草を灰皿にもみ消しながら、

「君、このところ、狩りに凝っているそうだね、鉄砲撃ちが好きなのかい」

「いや、まだはじめたばかりです、何しろ、マージャンやゴルフはやらないものですから、何の楽しみもなくて――、たまたま、運転手のアリに手解きを受けて、やってみたのですよ」

「そりゃあ結構だ、ところで内規も超えていることだし、そろそろということで、本社から君の人事について、連絡があったんだよ」

恩地の胸に、ようやく、日本へ帰れるという喜びが、こみ上げて来た。

「それがねぇ……」

支店長は、云い澱むような口調だった。

「では、日本は日本でも、東京から遠く離れた地方支店なのですか」

それでもよい、日本へ帰れればと思った。

「それどころではない、私を恨まんで貰いたい」

「一体、どこなんです」

「アフリカなんだ」

「えっ、ア　フ　リ　カ……」

恩地は、絶句した。

「ケニアのナイロビだ」

支店長は云ったが、恩地は、まだ信じられなかった。

「そんな馬鹿な……、なぜ、私が、アフリカへ……」

驚愕のあまり、声が震えた。ナイロビは、未就航《オフライン》で、オフィスもないところであった。

「飛行機が飛んでいないところで何をするのです、他に誰か行くのですか」

「いや、君一人だ」

「それじゃあ、私をアフリカへ配転するために作る名ばかりのオフィスではありませんか」

「実は、本社には以前から、アフリカへの就航計画があり、その拠点としてケニアのナイロビにオフィスが必要なのだ、まず君を先遣駐在員として出す、君をおいて他に、適任者がいないというわけだよ」

「その伝で行けば、中近東、アフリカと、次々に新路線を飛ばす度に、私が行かされることになる、これでは、いつまでも日本へ帰れないに等しい――」

恩地は、胸が抉られる想いがした。

「支店長、誰がみても、納得のゆかない、不条理な人事です、そんな内示は受けられません」

怒りで取り乱しそうになる気持を抑え、はっきりと断った。

「君の気持は解る、だが、君の人事は、われわれ支店長クラスの出る幕ではないことぐらい、解っているだろう」

「では、本人が社の内規に反する不当人事だとして拒否したというテレックスを是非、本社へ打って下さい」

詰め寄るように云うと、

「本社の内示を伝えるのは私の役目だが、それで君がどうこう云っているとは伝えられない、ノット・マイ・ビジネス」

ドライな口調で云い、支店長は先に席をたった。

恩地は、まっすぐ家に帰らず、パーラビ通りを山手に向って車を走らせた。

支店長の前では取り乱さなかったが、アフリカと云われた途端、体が凍りつくようなショックを受けた。妻子にそんな自分の姿を、見せたくなかった。だが、夜道を独り歩くには、この国は治安が悪く、かといって治安のよい租界のようなホテルのバーでは、在留邦人の出入りが多過ぎた。

恩地は、エール・フランスの総務担当者と行ったことのある山手のレストランの前で車を停めた。外見は目だたぬ建物だが、内へ入ると、フランス風の調度とフランス料理を楽しむ、イラン人の上流階級が利用する高級レストランで、フロアの一角にはバーがしつらえられている。西欧風に着飾った客たちが、キャンドル・ライトの灯りで料理を楽しみ、外国人もいくらかいたが、日本人の姿は見当らなかった。

恩地は、バーへ入り、窓に近いカウンターに坐った。そこからテヘランの下町の灯が見える。家族揃って団欒し、或いは、眠りにつこうとしている家々の灯りの一つ一つが、恩地の胸に沁みた。

前に置かれたスコッチの水割りを飲み、ナイロビという地名を口にした。ケニアの首都であることしか知らない未知の土地である。一体、自分が何をしたというのだ。組合の委員長として、二期二年、職場間の不平等を正し、空の安全を守る組合員のために、公正な賃金を要求しただけではないか。それを、会社は〝左翼分子〟〝アカ〟のレッテルを貼って、僻地を盥廻しにし、今また、遠く海を隔てた、アフリカの大地へ押し流そうとしている。まさに流刑に等しい。明らかに会社に楯つく者への見せしめの人事に他ならない。

二杯目のグラスを空けると、これ以上、どうしろというのだ！　大声を上げて、喚きたい衝動に駆られた。会社側は、アフリカ行きを内示すれば、自分が、怒り心頭に発し、辞表を叩きつけて、退職すると期待しているのかもしれなかった。こうまで執拗に、一人の人間を追い詰めようとは、恩地には考えも及ばなかった。何という卑劣な輩《やから》！　新たに注《つ》がれたグラスを、ぐっと握りしめた時、恩地の眼に、日本人らしき人影が映った。

眼を上げると、傍らのソファで、テヘラン支店の総代理店開設の際に、本社へ島津支店長を罷免しろと働きかけた利権屋の浜田万治だった。脂《あぶら》ぎった顔を酒気でほてらせ、

「たしか、恩地君じゃないか、珍しいな、あんたが独りで酒をがぶ飲みとはねぇ」

馴れ馴れしく、声をかけて来た。

「浜田さんこそ、お珍しいですね、また、イランにおいでになったのですか」

国民航空のテヘラン総代理店業務に首を突っ込もうとして、当時の支店長、島津に拒否され、思惑はずれとなって、とうにイランのビジネスから手をひいたと、聞いていたのだった。

「今はクウェートで、ビッグ・ビジネスをやっていて、その関連でこちらへ来ているんだよ」

胸をそらすように云い、

「聞けば、またぞろ、ブサリーからテラ銭の積み増しを要求されているようだが、それが通れば、あいつは笑いが止まらんだろうよ、君んところの島津は、中近東通をもって任じていたが、肝腎のロイヤル・ファミリーと、日本の有力筋との繋がりが解らず、俺に楯つくから、態よく罷免されたんだ」

鼻先で、せせら笑った。

「あなたのおかげで、私たちは随分、迷惑を蒙りましたよ」

恩地が、ぴしゃりと云うと、

「島津は、空港管理サービス会社などという、ちっぽけな子会社の役員じゃないか、俺に楯つく

奴は、ただではおかん、様《ざま》を見ろ！」

嘲《あざけ》るように云った。恩地は、思わず、グラスのウイスキーを、浜田万治の顔にぶっかけた。


テヘラン支店総務主任・恩地元　ナイロビ営業販売駐在員を命ず。


本社人事部からテヘラン支店長宛に送られて来た人事異動のテレックスであった。

久米支店長は、辞令を恩地に示し、

「こういうことだから、赴任してくれ給え」

と告げた。久米支店長から内示があって十日後のことであった。そのあまりに残忍な人事を、一片の紙切れで片付けようとしていることに、恩地は憤った。

「未就航のうえに、事務所もないところで、何を販売しろというのです、アフリカの市場調査なら、テヘランよりカイロの駐在員の方が、ずっと相応しいではありませんか」

「前にも話したように、君の人事は私の権限外のことだから、理屈を並べても時間の無駄だ、間違っていようが、いまいが、辞令が出てしまえば、従うより他ないね」

引導を渡すように、云った。

「支店長、東京までの往復航空券を出して下さい」

恩地が迫ると、さしものアメリカ流のドライな久米も、その気勢に怯んだ。

「人事が不満だからと、本社へ掛け合いに行くようなチケットは出せんね、出張の適当な名目でもあるのかね」

「……そうですね、イランの急激なインフレに伴う来年度の予算案作成について、営業管理部と緊急打合せということでいかがですか」

テヘラン支店の特殊事情を織り込んだ名目を口にした。

「うむ、それならいいだろう」

久米は、出張を許可した。

自席に戻り、恩地は出張する前に、目処《めど》をつけておかねばならない総務の仕事をチェックした。ここ二年ほど前から定着しつつある現地職員の年末手当の査定、社宅の二年毎の契約更新に伴う不動産業者との交渉、クリスマスカードの送り先のリスト・アップ、大事から小事まで考えはじめると切りがない。恩地は一週間後に出発と決め、滞りのないよう仕事の配分をしていると、

「君、本社へ出張だって？」

二代目の店次長が、声をかけて来た。

「勝手ですが、よろしくお願いします」

「中東では、あまり仕事が出来すぎると、便利屋扱いされ、想像もつかないところへ廻されるようだね、くわばら、くわばら」

と云った。他の駐在員たちは、ナイロビ赴任という人事に同情を寄せながらも、知らぬ振りで接した。

その日のうちに、恩地の人事は日本人会に知れ渡り、夜の誘いがぴたりと止んだ。

出張までの一週間、仕事に忙殺されながらも恩地は、生殺しも同然の状態に堪えていた。

テヘランを出発し、カラチ—ニューデリー—バンコクと飛行している間は、眠ろうとしても目が冴え、一睡も出来なかったが、香港の啓徳空港を離陸し、あと六時間と思った途端、恩地はシ

ートベルトをしたまま、いつしか眠りに落ちていた。

いつの間にか、夢を見ていた。

テヘランの北に連なるエルブールズ山脈の麓の森へ、案内人の猟師と、運転手のアリたちと、鹿撃ちに出かけていた。平原での兎撃ちは卒業し、ライフル銃の射撃訓練を積んで、山麓に棲息する熊、猪、鹿などの大きな獲物を撃ちに行っているのだった。

森の中には清流が流れ、みずみずしい樹々が茂っていた。恩地たちは茂みに潜み、水場に現われる獲物を待ち伏せた。早朝のしじまに小枝がかすかに擦《こす》れ合う音がしたかと思うと、大きな角を持った雄鹿がすっくと現われ、水場の方をうかがっている。憂いを漂わせた澄んだ目、胴は茶褐色だが、短い尻尾の裏の毛は白く、か細い華奢な四肢が雄鹿の姿を一層、優美に見せている。用心深く水場へ寄った雄鹿は、僅かに一口飲み、次いで両耳を神経質に敧てながら、清らかな水を含むと、天を仰ぐように首をもたげる。その一瞬を逃さず撃つのだった。手負いにして、苦しみを与えないよう、正確に一発で仕留める——、これが恩地が自らに課した狩猟の礼節であった。他人《ひと》の何倍もの練習を重ね、狙撃力をつけたのもそのためであった。

陽が昇った空に、首をもたげた雄鹿の心臓目掛けて引金を引く。と同時に、耳を聾《ろう》せんばかりの銃声が轟いた。

ズドーン！　恩地は、はっとして目を覚ましたが、夢の続きに身を委ねるように瞼を閉じた。もはや夢へは戻れず、雪を頂いた山並みだけが、堂々めぐりするだけだった。

恩地は体を起し、窓の下を見た。おだやかな藍色の海が広がっている。東シナ海のようであった。

「何かお持ちしましょうか」

スチュワーデスが、小腰をかがめて聞いた。

「すっかり眠ってしまった——、ロールパンとコーヒーをお願いします」

と頼んだ。エコノミークラスの前方は埋っていたが、後方はがらんとしており、旅慣れた乗客が、座席の肘掛けを上げ、二席をつなげて眠っている。

軽い食事をすませ、コーヒーを飲みながら、桧山社長は自分の人事異動を知っているのだろうかと、考えた。カラチ赴任を「二年だけだ、保証する」と約束しながら、期限が過ぎてもそのままに置かれ、テヘラン支店開設委員として押し出された。母の葬儀で帰国した折、悲憤のあまり桧山社長に面会を求め、約束の履行を迫ると「就航までは我慢してくれ、そのあとは今度こそ必ず帰す」と頭を下げて云った。その場凌《しの》ぎの口実とは思えない真実味を感じたのは、気のせいだったのだろうか。

万一、人事部長との話合いがつかない場合、桧山社長に面会し、二度破られた約束を今度こそ履行して、日本へ帰して貰うまでは退《ひ》かない——、恩地は固く心に決めた。


午後二時、羽田に到着したその足で、恩地は丸の内の本社へ向った。

東京は高層ビルが増え、人間のぬくもりが欠けていく国際都市へと変貌を続けている。

本社へ着くと、七階の人事部へ上り、フロアの奥の部長席へ視線を向けたが、空席だった。

「恩地さんですね、私が、課長補佐の美原譲治です」

まるでホテルマンのように洗練された身のこなしで、云った。美原譲治——、国民航空新生労働組合の結成に向けて旗を振り、初代の書記長を務めた美原譲治とは、この男か、課長補佐は、年齢からして二階級特進で、第二組合結成に対する露骨な論功行賞人事であった。

「テヘラン支店から部長宛に打たれたアポのテレックスは私が預っています、何でしたら、ご用件を伺いますよ」

美原譲治は、前委員長の恩地を意識した言い方をした。

「君に話す用件ではない、部長はどちらへ？」

「会議です、どうしても部長でなければと云われるなら、日を改められてはいかがですか」

「いや、待たせて貰う」

取り仕切ろうとする美原を無視した。待つ間、お茶一杯、運ばれて来なかった。

人事部長が席に戻って来たのは、午後四時過ぎであった。挨拶すると、一見、茫洋とした摑みどころのない表情で、恩地を見た。

「今回の人事に不満らしいが、六、七年、海外へ出たきりの社員は、君に限ったことではないよ」

「それは、どの支店のことでしょうか」

「ホノルル、ロサンゼルス、ブラジルのサンパウロ――、結構いる」

「部長があげられたその社員たちは、もともとその地に生れ育った日系人ではありませんか、その上、カラチ、テヘランのような生活環境の厳しい僻地ではありませんから、私のケースとは全く異ります」

「それなら何故、君はカラチ、テヘランでの人事労務調査の時、日本へ帰らせてほしいと申し出なかったんだね、君自身の対応がなっていなかったことを棚に上げて貰っては困る」

人事部長は、恩地の泣きどころを突いた。

「それは私の場合、帰すかわりに労働組合と手を切るという一札を入れるのが、条件だったからです、一札入れなければ帰国させないなど、こんな差別が何年にもわたって罷り通るのでしょうか」

「差別ではないよ、君は曾て〝首相フライトを阻止した〟組合の委員長だ、打診する方としては、二度とそういうことをされては困るという思いから、念押ししただけなんだろうよ、まあ、こういう話はいつまでしていても切りがない、社の将来のためにアフリカで頑張ってくれれば、君への評価は変るはずだから、もう一汗、かいてくれ給え、話は以上だ」

人事部長は、冷たく話を打ち切った。

覚悟はしていたものの、一旦、出された辞令は、いかに不当であろうとも変らなかった。この上は桧山社長に面会するより他に、道はなかった。

十階の役員室ゾーンへ上り、受付の手前で恩地は足を止めた。この時間に、いきなり桧山社長に面会したいと申し出ても、取り次いで貰えないかもしれない。本意ではないが、秘書課長の行天四郎を頼るしかない。

受付で行天への連絡を頼むと、

「課長は外出されています、お約束でも——」

女性秘書は用心深げに、聞いた。

「おや、恩地君じゃないか」

戸惑っている恩地の横を、颯爽と通り抜けて行く人の気配を感じた時、声がした。振り向くと、行天だった。全身、自信に満ち溢れているように見える。

「今、外出中と聞いて困っていたんだ」

恩地が云うと、

「テヘランから着いたんだね、三十分、待っていてくれ、緊急の報告を抱えているんでね」

行天は云い、女性秘書に空いている部屋へ案内させた。

恩地は運ばれて来たお茶で咽喉を潤し、目に灼きついた行天の輝くような姿を思い浮かべた。

秘書部には、部長の下に三人の課長がいる。政策担当、役員担当、文書担当で、行天が、運輸省や国会議員とのパイプ役として動く政策秘書課長であることはほぼ間違いない。

行天が戻って来た。

「四年、いや五年ぶりか——、元気で何よりだが、お母さんのことは心残りだったろうな」

母の通夜には、行天の妻が、たまたま里帰りしており、焼香してくれたのだった。

「サンフランシスコへ帰る前というのに、丁寧に弔問を有難う」

「ところで、用件というのは桧山社長に面会か」

行天は、察しをつけるように聞いた。

「そうだ、何とか今日中に……、どうしても無理なら明日にでもお会いしたいのだが、やりくりをつけて貰えないか」

恩地は強く頼んだ。

「ナイロビ赴任の件なら、もう遅いよ」

と云った。

「遅いって、どういうことだ」

「辞令が出てしまったじゃないか」

云い澱むようにして、眼を逸した。

「しかし、それは通常の人事の話だ、僕の場合は、中東を五年、盥廻しにされその間、桧山社長は帰国させると約束して下さったのに、今度の人事だ、社長の今日の予定は——」

恩地が云うと、行天は唇の端に薄笑いを滲ませた。

「いつまでも組合の委員長のつもりで社長、社長と気易く云うのは、みっともないよ」

恩地の胸に、冷酷に響いたが、引き下れない。

「非常識は心得ている、だが、頼む」

「頼まれても、どうしようもない、僕の立場上、口にしてはいけないことだが、社長は今、入院中だ」

「……そうか、かなりお悪いのか」

行天は、無言だった。

「お見舞に行きたい、病院を教えてくれ」

「君、ほとほと中東呆けしているな、病院を聞いてどうする気だ、病院まで押しかけて、約束の履行でも迫るつもりなのか、いい加減にしろよ」

いつの頃から身につけたのか、妙にどすのきく口のきき方だった。

「時間をとらせて済まなかった、失敬する」

恩地は、部屋を出た。

新宿の信濃町《しなのまち》への道を、恩地は重い足どりで歩いた。足もとの銀杏《いちょう》の葉が、かさかさと音をたてて風に吹かれて行き、晩秋のもの哀しさが、一層、募った。

行天の口から、桧山社長の入院先は聞けなかったが、組合の委員長として、団交を重ねていた当時、「遂にわしを病気にしおって」と入院したのが、信濃町の病院であった。一週間後に退院した桧山が、あそこは、わしのかかりつけの病院だと話していたことを思い出し、電話で問い合せて、解ったのだった。

正面玄関は閉まっており、脇の通用門からエレベーターホールに向った。

七階南病棟で降り、個室の名札を見て行くと、突き当りに、桧山の名があった。だが、把手《ノブ》には「面会謝絶」の札が掛っている。

面会謝絶――、それほど病状が重いのだろうか、或いは見舞客を断るための札なのか、恩地は、扉の前で足を止めた。

どうしたものか躊躇していると、中から配膳のお盆を持った老婦人が現われた。くたびれきったように佇《たたず》んでいる恩地に、老婦人は訝しげな眼ざしを向けた。

「失礼ですが、桧山社長の奥様でしょうか」

恩地は、思いきって声をかけた。

「ええ、どちらさまでしょうか」

「テヘラン支店の者で、恩地元と申しますが――」

「まあ、組合の委員長だったあの恩地さんですか」

桧山夫人は、かすかな微笑をうかべた。通りかかった看護婦にお盆を手渡すと、

「お噂は、主人からかねがね、伺っておりました、今、眠っていますが、ともかく」

夫人は、テヘランから遠路はるばる訪れた恩地を気の毒に思ったらしく、内へ招じ入れた。

恩地は、ベッドの上で眼を閉じ、かすかに寝息をたてている桧山社長の姿を眼にし、愕然とした。二年半前、社長室で会った時、体がやや小さくなり、幾分かの老いは感じたが、病床に伏している桧山は、げっそりと痩せこけ、皮膚が黄ばんでいる。あまりの変り様に息を呑み、病人を

起さぬよう低い声で、

「実は、今日、日本へ帰って参ったばかりで、ご病気とは、少しも存じ上げませんでした、それにしても……」

あとは、言葉が、継げなかった。夫人は頷き、

「肝臓を悪くして、一進一退を繰り返していたのですが、このところ、容態が思わしくなくて」

心細げに云いかけた時、桧山が寝返りをうとうとして、顔を顰《しか》めた。

「あなた、床ずれが、痛みますの」

夫人が聞くと、桧山は苦しげに頷き、布団をのけようとして手を出した。枯木のように痩せ細り、老いの染みがある腕であった。

「あなた、恩地さんが、お見舞に来て下さいましたのよ」

夫人が桧山の耳に、顔を寄せるようにして云ったが、反応はなかった。

「テヘランから、恩地さんが、わざわざ、来られたのですよ」

夫人がもう一度、囁くと、薄く眼を開いた。恩地は思わず、

「社長、恩地です、お久しぶりでございます」

と云うと、桧山はゆっくり眼を見開き、恩地の顔を認めると、

「おお……おお……」

と云い、枯木のような両の手を出し、宙にうかせた。恩地はその手を自分の掌《たなごころ》の中につつみ取った。

「社長……」

充分に、血の通わない指先は、ひやりとしていた。桧山は、恩地の掌に手を委ね、じっと顔を

見上げたかと思うと、その眼から、はらはらと大粒の涙を零《こぼ》した。言葉にはならないが、「すまん、すまん」と詫びている眼であった。

恩地は、もはや云うべき言葉もなく、自分もいつしか涙を流していた。桧山といえども、自分同様に、外部からの何らかの圧力に押し潰され、今日、死の床にあるのかもしれない。弱い者は撃てない――、恩地は涙を流しながら、自分の運命を受け入れざるを得ないことを知った。

翌日、恩地は、浜松町からモノレールで、羽田整備場に向った。

沢泉たちに会うために、組合事務所へ電話をかけると、沢泉委員長は専従ではなくなりましたからと、羽田の売却資材倉庫への道順を教えられたのだった。テヘラン出発以来の疲労は堆積していたものの、早く組合員たちに会いたかった。

羽田整備場の広い敷地には、エンジン工場や整備工場、機装工場などがずらりと並んでいる。そうした一角から離れたところに小さな建物が並び、その中で一際《ひときわ》、古ぼけた木造モルタルの建物があった。それが売却資材倉庫であった。

薄暗い倉庫の中には、使われなくなった機内用のシートやカーペット、毛布、ラウンジ用のソファ、テーブルなどが堆く積み上げられ、埃っぽい。

「恩地さん、こちらです、事務所から連絡があったのでお待ちしていました」

声のする方を見ると、沢泉委員長はじめ、副委員長、書記長の三役が顔を揃えている。

「ここで、何をしているんだい？」

恩地は、訝しげに沢泉に聞いた。

「ここが、私たち国航労組三役の新しく配属された職場です、まあ、お坐り下さい」

旅客機のエコノミークラスの、三つ並んだ椅子を向い合せにした。坐ると、埃がたち、黴臭《かび》かった。

「恩地さん、私も沢泉君の連絡を受けて、駈けつけて来ましたよ」

元書記長の桜井が、姿を見せ、

「こんなところで恩地さんとお会いするのは申しわけないのですが、これが組合の現状なんですよ」

と云うと、沢泉が、

「実は一ヵ月前、突然、資財管理部から、売却資材倉庫というのが分離して設けられました、古くなった機内の備品を集めて整理し、中古品として売却するために、われわれ国航労組三役が配属されたのです、といっても、実質的な仕事は無きに等しいのですが、それでも勤務時間中、第二組合員の係長がいて、われわれが外部と接触を持たないよう、監視しているんですよ、今日は運よく午後から、新生労組の会合があるとかで出かけていますが」

憮然《ぶぜん》として話した。恩地は、もう一度、倉庫内を仔細に見渡した。埃をかぶり、布が裂けた機内用の座席が乱雑に積み重なり、壁面の棚からは古いカーペットの端が垂れ下って、もう何年も処分しないままのようであった。その古物の山が窓から射し込む陽を遮り、倉庫は薄暗く、陰惨であった。

「これはひどい、もう少し人間らしいやり方がありそうなものだが——、これでは組合三役を閉じ込めておくための隔離部屋じゃないか」

憤りを込めて云うと、桜井は、

「全く、よくこんな陰湿なことを考えつくものですよ、こうした隔離部屋は他にもあるのです、組織部長をはじめとする九名の執行委員たちは、資料管理室へ入れられています、これまで私がいた資料室を大きくして資料管理室と名前を変え、執行委員をまとめて隔離したわけです、ところがここも何の仕事もないので、羽田空港の出入国管理の統計をとる作業を手伝わされています。私の場合は、外国の航空会社の安全運航に関する報告書や、ＩＡＴＡの分科会の議事録の翻訳をしていますから、パイロットや運航関係者と接触があり、出入りは比較的自由ですが、他の執行委員は、第二組合員に監視され、厳しく離席をチェックされているので、せっかく恩地さんが帰って来られても、駈けつけられないのです」

「どうして、こんな大へんなことを、報せてくれなかったんだ」

詰《なじ》るように云うと、沢泉は、

「何しろ突然のことでしたので――、第一組合員には見せしめ人事を、第二組合員には論功行賞人事を、機構改革を名目として露骨にやって来たので、その対応だけで、手一杯だったんです、それに、われわれにこれだけのことをやる限りは、恩地さんにも何らかの弾圧があるはずだと懸念して、敢《あ》えてお報せしなかったんです」

と云った。桜井は、

「恩地さん、われわれより、あなた自身の方が大へんじゃありませんか、アフリカへの赴任の件、桧山社長との話合いは、いかがだったんです？」

「一歩も退かぬ覚悟で、東京まで談判に来たが、どうにもならなかった」

「社長は、一体、どう答えたんですか」

「外部には伏せているらしいが、社長は入院中で面会謝絶だ、それでも会って下さって、私と顔を合せるなり、社長は病床から、恩地君、すまん、すまんと、涙を流された――」

「そんな無責任な！　二度ならず、三度までも、約束を反古にしておきながら！」

桜井も、三役も口を揃えたが、恩地は、桧山が既に死の床にあるとも云えず、押し黙った。

「どうして徹底的に交渉して、社の内規に反する不当人事、アフリカ赴任を撤回させられなかったのですか」

「桧山社長は病気の上、もはや社内的に強い力を持っておられない様子だ」

と云うと、桜井は情況を察したらしく、頷いた。

「曾て団交の場で激しくやり合ったとはいえ、桧山社長なら、何とかわれわれのことを解って貰えただろうし、こんなひどい組合潰しはやらなかったでしょう、桧山社長の力が及ばないとなると、運輸省からの天下りや、日経連の指金で、今後も見せしめ人事がとどまるところを知らず、になりそうですね」

唇を噛んだ。恩地は、

「同じ会社の人間を、売却資材倉庫や資料管理室へ隔離するなど、職場間島流しに等しい、こんな情況で、よく三百人も組合員が、残っていてくれるね」

感無量の面持で云った。沢泉は、

「この三百人の中で、私たちよりも、もっとひどい扱いをされ、一人で耐えている仲間がいるんですよ、八重洲支店支部の書記長の八木君です、信望の篤い彼を見せしめにするため、支店入口の脇に、案内カウンターと称して、小机を置き、彼一人だけを坐らせているのです、お客さんは正面のカウンターへ真っすぐ行き、用をすますと、入口の脇にスーツ姿でぽつんと坐っている彼を怪訝そうにじろじろと見るんです、まさしく晒し者ですよ、その上、ちょっとでも姿勢を崩そうものなら、正面カウンターにいる第二組合の連中が、きちんと背筋を伸ばしていろと、みんなで監視しているそうで、私たちは到底、正視できず、彼のことを思うだけで……」

言葉を詰らせた時、足音がし、そっと中を窺《うかが》うような人影があった。

「八木君、よく来られたな、今、君の話をしていたところだよ」

沢泉が云うと、八木は眼鏡をかけた澄んだ眼に、照れたような笑いをうかべ、恩地の方へ会釈し、

「恩地さんにアフリカ赴任の辞令が出たと聞き、今日、会わないと、私たちの〝輝ける委員長〟だった方にお会いできないと思いましてね、時計を睨みつつ、五時になるのを待ち構えて、飛び出して来たんです、間に合ってよかった」

爽やかに云った。恩地は自分の委員長時代、言葉を交すこともなかった若い組合員が、今も自分を慕ってくれていることに、喜びを嚙みしめつつ、

「若い君が、私の指導した組合に随《つ》いて来たばかりに……、こんなひどいことになっても、私は何の役にもたてない」

詫びると、

「いえ、私は自分の職場で許せないことがあるのです、支店の総務課長は、曾てストのために、何回か団体客を失ったことを恨んでいて、暴力団風の男を使い、私を闇討ちし、死にそうな目に遭わせました、この事実は絶対、許せない。直ちに会社に抗議文を出しましたが、それが逆にまた恨みを買い、常軌を逸した嫌がらせになっているのです、毎日、案内カウンターに坐っている私に、お客さんが声をかけることといえば、トイレはどこか、トイレに行っている間、荷物の番をしていてくれといった類いのことばかりで、侘しい限りです、そんな中、守衛さんが巡回の名目で、私のそばへ来、世間話をしてくれるのが唯一の慰めですよ」

と語った。

「毎日、晒《さら》し者にされながら、なお信念を貫いて、耐えている八木君のことを思えば、僻地とはいえ、海外にいる私の方が楽をしているようだね」

「そんなことはありません、われわれには、互いに励まし合う同志があり、家庭があります、その点、恩地さんはたった一人、アフリカへ放り出されようとしている、酷《ひど》いですよ」

切々と云った。

「いや、譬《たと》えてみれば、江戸の小伝馬町の牢屋で毎日、箸の上げ下しまで云われるより、いっそ、鳥も通わぬ八丈島へ流された方がましだよ、君たちの方がずっと辛いだろう」

恩地はそう云い、言葉を切ってから、

「おめおめと引き下がれないと思って来たが、君たちのことを知り、私はアフリカへ赴任することに決めたよ」

覚悟を決めて、云い切った。桜井は、

「恩地さん、オフィスも、駐在員もいないアフリカへ、一人流されるのです、体だけは気をつけて下さい、私たちにとって、恩地さんはどこにいても、私たちと共に在る、存在していて下さるだけで充分なのです……」

搾り出すような声で、云った。恩地は自分が存在しているだけでいいと云ってくれたその言葉に、心の中で泣いていた。

*

恩地は、妹の紀子と連れだって新幹線の熱海駅で乗り換え、三島駅で下車した。駅前の花屋で色とりどりの菊の花を求め、タクシーで五、六分の菩提寺へ向った。

「兄さん、二人揃ってお墓参りなんて、久しぶりね」

スーツ姿の紀子は、自分の膝の上に菊の花を抱えていた。

車を降り、菩提寺に続く細い坂道を歩いた。幾重にも重なり合った丘陵は、濃い緑に掩われ、富士山の湧水の水路がそこここに流れているせいか、せせらぎの音が聞えて来る。

恩地は、十一月とは思えぬ温暖な気候と、豊かな緑、清らかな水、生垣をめぐらせた家々の中に身をおき、五年近くもの間、中東の砂漠の街で乾ききった心身が、甦えるような潤いを覚えた。

山間《やまあい》の菩提寺には、両親が眠っている墓があるのだった。思えば、母の存命中は、仏壇の父の位牌に手を合わせるだけで、久しく郷里への墓参りはしていなかった。

鄙《ひな》びた山門をくぐり、掃き清められた庭で二人は足を止めた。遥か斜面に茶畑が連なり、秋の陽ざしの下で濃い緑の帯が広がっていた。

「戦争中、私とお母さんが、先にこちらへ疎開していた時、茶畑で、皆、お芋を作っていたわ」

「そうだったな、たまに帰って来ても、芋ばかり食べさせられた、あの頃、世話になった伯父さんに、戦死したお父さんのことを、よく聞かされたよ、『お前のお父さんは、村一番の秀才で、東京の大学へ行く時は、鼻が高かった、それにあれは人の面倒見がよく、相手によってお辞儀の角度を変えるようなことはしなかった』ってね、僕もお父さんから人によってお辞儀の角度を変えてはいけないと、よく云われたのを覚えている、それに躾《しつけ》も厳しかった、お父さんは東京の叔父より、こっちの伯父さん似だったな」

その伯父も間もなく亡くなり、高校、大学と、専ら東京の叔父の世話になっていた。一人息子を特攻隊で失った叔父は、恩地に大きな期待を寄せていた分、組合活動には反対で、テヘランから母の葬儀にようやく間に合った時「お前のような親不孝で、恩知らずは縁切りだ」と、義絶されたのだった。

寺の本堂の横が、広い墓地になっている。

恩地と紀子は、墓地の一角にある井戸の水を汲み上げて、木桶に満し、杓《ひしゃく》を手にして石畳みの道を歩いた。

墓地の南面にある両親の墓碑の前にたつと、紀子は菊を供え、恩地は線香の束に火をつけ、両親の墓をはじめ、先祖の墓に手向けた。

両親の墓の前で、恩地は合掌した。遥かアフリカの地に赴かねばならないことを報せ、別れを告げた。特に母は、自分のカラチからの帰任を指折り数えて待ちながらも、テヘランへ追いやられたことに思い悩んでいたのだった。死の間際まで心配し、「話しておきたいことが……」と云い続けて息を引き取ったと聞かされているだけに、胸が詰った。

紀子も長い間、手を合わせていたが、

「お祖父《じい》さんや、伯父さんたちにもお参りしておきましょう」

墓石に、水をかけて歩いた。

井戸のところで木桶と杓を置き、恩地は空を仰いだ。そこから遥かに連なる山並みの上に、長く裾をひいた富士の山容《すがた》が望まれ、頂きに積った新雪が、眩《まば》ゆいまでに銀色に輝いている。視線を巡らすと、遠くに駿河湾が真っ青に拡がっている。明日は、この美しい日本の山や海に別れを告げて、太平洋、インド洋を渡り、砂漠の地へ戻るのかと思うと、今さらのように惜別の思いが募って来た。

「本堂の広縁で、少し休んで行きましょうか」

去り難い思いでたたずんでいる兄の様子を見て、紀子が云った。本堂からはなだらかな山々も、海も望まれるからだった。

本堂の前で拝み、広縁に坐ると、恩地はそれぞれの山々を眺めながら、夏休みの度に、妹と過した三島での幼少期を思い返した。いとこたちも一緒になって、山へ虫採りに行き、川で泳ぎ、めだかを掬《すく》うのに明け暮れた。夜ともなれば祖父たちに連れられ、蛍狩りもした、懐しい思い出が詰っている。

障子が開き、若い僧が茶を運んで来た。

「これは恐れ入ります」

二人は礼を云い、紀子は用意していたお布施を渡した。

「さすが本場のお茶は、いつ飲んでも美味《おい》しいわねぇ」

「そうだな、またいつこんなお茶を、ゆっくり飲めるか……」

恩地が、しみじみと云った。

「兄さん、昨夜、うちの夫《ひと》と話し合ったこと、どう思うの？　アフリカまで行かされるようなら、この際、国民航空を辞めることも考えてみては——、東都大学卒の学歴と、まだ三十七歳という年齢《とし》を以てすれば、どこかいい就職先はあるでしょう、地方の大学の講師の口ぐらいなら探せると、云っているじゃないの」

「秀雄君の気持は、有難いが——」

「叔父さんだって、口では義絶の何のと云っているけど、恩地の家では、男は兄さんだけなんだから、心配しているのよ、この間、訪ねたら、会社が急に大きくなって、人手不足のせいか、元《はじめ》がまともだったら頼りに出来るのにと、継いでほしそうな口ぶりだったわ」

兄を思う一途で、云った。恩地は茶碗を置き、

「もうアフリカへ行くことに、決めてしまったんだよ」

努めて、穏やかな声で答えた。

「どうしてそう一人で勝手に決めるの、テヘランで待っている義姉《ねえ》さんの意見をまず聞くべきでしょ、義姉さんはどうおっしゃっているの」

「内示があった時点で、話している、テヘランでの任期が異常に長いので、心配していたようだが、次はどんな地方都市であれ、日本に違いないと思っていたらしい、アフリカ赴任の内示が出たと話した時は、暫く口がきけないほど驚いていたよ、だが、本社の人事部へ掛け合ってくるとテヘランを発つ時は、家族のことで、後々、悔いを残さないよう、あなた自身が納得のいく道を決めて下さいと云ってくれた」

「義姉さんって、強い女性《ひと》なのね、それをいいことに兄さんは、甘えているのよ、克己君と純子ちゃんのことも考えてあげなくては――、まさかまた一家でアフリカへ行くんじゃないでしょうね」

紀子にそう云われると、恩地は内示を受けて以来、ずっと悩み続けてきたことだけに、答えられなかった。純子はともかく、克己は来年、中学生になるのだった。

「これまでと違って、子供の将来に関わって来ることなので、躊躇《ちゅうちょ》うばかりでなかなか決心がつかないんだ、帰ってからよく話し合うよ」

恩地はそう云いながら、自分の節を全うするために、これ以上、妻子に犠牲を強いることは出来ないと、自らに云いきかせた。

羽田空港の国際線出発ロビーは、混雑していた。日本の秋を楽しんで帰国の途につく外国人の団体客も、近年、目だつようになっていた。

恩地が、テヘラン支店の駐在員たちの喜ぶ日本の新聞や週刊誌、月刊誌を何部も買い込み、レジまで来た時、

「おう！」

同時に、声が上った。相手は大学の同級で、山岳部でも一緒だった運輸省の東山宏だった。

「久しぶりだな、恩地君」

「全くだ、こんなところで会うとは、奇遇だな、どこへ出張なんだ」

「ワシントン——、海運局から航空局へ異動になったと思ったら、日米航空交渉のために、徹夜、徹夜で書類を書き上げ、重い鞄を持たされて——、宮仕えは、やはり僕の性に合わないよ」

学生時代から楽天的な野人で、もともと新聞記者志望だった東山は、未だに官僚らしくない官僚であった。

「それで、課長補佐までとんとん拍子で来たのだから、大したものじゃないか、僕は相変らず中東の僻地勤務だよ」

「その代り、僕が地方の海運局廻りをしている時、君は〝輝ける委員長〟とかで、新聞などにも載って、結構、いい思いをしたじゃないか」

「いい思いとはひどいな、職場間の不平等を正すための真剣な組合活動だったんだよ」

と云うと、東山は、

「そんな青くさいことを云っているから、中東の僻地を盥廻しされるんだよ、同じ同級生でも行

天四郎なんか、ちゃんと巧くたち廻って、秘書課長だろう、彼のことだから、今日も担当役員とともに、僕らの出発を見送りに、今頃はもうＶＩＰルームで待機していると思うよ」

歯に衣着せぬ言い方をし、

「僕が上司より遅れてはまずいから、失敬するけど、君は？」

「南廻りで、テヘランへ帰る」

「だが、そこからまたアフリカだろう？」

「どうして、そんなことまで――」

驚いて、聞き返すと、

「君は、霞が関では、ある意味で有名人なんだよ、君の動静は不思議なほどちゃんと入って来る、だが、くよくよするなよ、アフリカ赴任は、組合から足を洗ういいチャンスじゃないか」

と云い、鞄を抱え直し、

「うちから天下った小暮副社長の、社長昇格の日も、そう遠くない様子だよ、じゃあ元気でな」

さり気なく恩地に情報を与え、すたすたとＶＩＰルームへ向った。

恩地はそのうしろ姿を見送り、南廻りロンドン行きの出発便のゲート近くの椅子に腰を下した。

霞が関では有名人――、東山の云った言葉を反芻《はんすう》した。桧山社長が二度ならず、三度まで約束を違《たが》えた背後には、やはり運輸省と日経連の圧力があったのだった。監督官庁からの天下りの小暮副社長が社長になれば、第一組合員に対する差別はさらに増すだろう。

売却資材倉庫や資料管理室に隔離されている組合三役や執行委員たち、八重洲支店入口の片隅で、晒し者にされながらも、耐えている若い八木の姿を思いうかべると、信念を貫き通すことの苦しさを痛感した。

やがて南廻りの搭乗案内があり、恩地は重い荷物を手にして、たち上った。

*

テヘランへ戻って来た恩地は、新たに赴任して来た後任者を伴い、毎日、不動産屋、自動車修理工場、クーラー修理店、ガソリンスタンドと、次々に廻っていた。気象の特殊性などを引き継げば、ほぼことが足りる運航主任と異り、総務の仕事は多岐にわたっているから、これで終りという目処は、なかなかつかない。

二ヵ月前、東京から帰って来た当初は、会社からこうまでされるならと、引き継ぎなど放り出してしまいたかった。しかし、駐在員たちの当惑する姿を思うと、結局、今迄以上にきめ細かく仕事を見直し、後任者に引き継いで行くことになってしまった。

帳簿のつけ方や、本社へ定期的に出す書類の書き方を説明していると、いつの間にか外はとっぷりと暮れ、皆、帰ってしまっていた。支店長室で、ベイルートの中近東地区支配人と何事か長時間、電話をしていた久米が肩の凝りをほぐすようにして出て来た。

「何もそうしゃかりきになってやることはないよ、一生懸命、資料を作って提出しても、本社の連中はパラパラと繰る程度で、お蔵入りなんだから」

「せっかく意気込んでいる彼に、そんなおっしゃりようでは、身も蓋もないじゃありませんか」

恩地が云うと、久米は、

「仕事というのは、自分でひどい目に遭って覚えていくものだよ、今日はそれくらいにして、食事に行こう、君もあと一週間なんだから」

と誘った。

恩地と後任者は机の上を片付け、しっかり鍵をかけてから、外に出た。駐車場の車には既に、久米が乗っていた。運転手のアリは、恩地の姿を見ると、車のドアを開けながら、

「引っ越しが大へんだと、妹から聞いていますが、手は足りていますか」

と恩地に声をかけた。アリの妹が、メイドとして来てくれているハトメだった。

「有難う、ハトメには子供たちがとてもなついているから、今から別れが辛いと云っているよ」

恩地が云うと、アリは大きく頷き、車を発進させた。

パーラビ通りへ出、南下してほどなく、赤いネオンサインの輝いている店の前で停った。『マイアミ』、テヘランでは名の通ったナイトクラブであった。

「テヘラン駐在三年で、こういうところを知らないのでは、ヤボだからな」

久米はそう云うと、さっとドアを開け、マネージャーにテーブルへ案内させた。

百席ほどある広い店内の正面にステージがあり、パリのムーラン・ルージュを模して、カンカンを真似たダンスが繰り広げられている。

「厳しい回教のお国柄で、こんなことが許されているのですねぇ」

恩地の後任者が、眼を丸くした。

「どこの世界にも、本音と建前はあるんだ、よく覚えておき給え」

久米は、恩地に聞えよがしに云い、ビールと雛鶏《ひなどり》のカバブー料理を注文した。照明を絞った客席には特権階級のイラン人が二十組程、あとは、白人、東洋人が酒に酔い痴れ、音楽や踊りに興じている。

まずイラン産のピルスナーが運ばれて来ると、久米は、

「さて、何に乾杯かな、まあ、恩地君の健康を祈って、と行こう」

とグラスを合せた。

「これは私の送別会ですか」

恩地が云うと、

「ちゃんとしたのは明後日、やるよ、今晩は支店長として、君にこういう仕事のやり方もあるということを教えるためだ、営業販売駐在員として、一人、アフリカへ行くからには、どんな客に出くわすか知れないし、もてなさないといかん場合もあるだろう、そんな時に、ホテルのダイニングルームやバーに連れて行って、げんなりされては、国民航空の損失だからな」

「アフリカにも、こういう店があるのですか」

恩地の後任者が、云った。

「アフリカ大陸を制しているのは、ヨーロッパの列強だから、自分たちの楽しみのために、当然、作っているだろう」

「それは北アフリカのことじゃありませんか」

恩地が云うと、

「そう云えば、そうかもしれないな」

久米が曖昧に頷いた時、フランス語と英語で何かが告げられた。さんざめいている客席がしんと静まり、ステージに白人との混血らしい肌の白いベリー・ダンサーが現われた。豊満な乳房と、下腹部から下を、スパンコールの衣装で掩ったただけのダンサーは、胡弓とドラムの調べに合せて、くびれた腰を振った。ピンクのライトが、形のいい臍《へそ》に当ると、客席の男たちはその一点に吸いつけられるように息を呑んだ。ゆっくりした腰の振りが、次第に激しくなり、しなやかな腕や、乳房も揺れ、震えた。

ドラムと太鼓が強く叩かれると、ダンサーは、さらに狂ったように全身をくねらせ、はらりとほどけた髪を振り廻すようにして踊った。

客席から、興奮した声がかかった。恩地は魅せられながらも、カイロ、ベイルート、イスタンブールと、中東の各地を巡業して廻るダンサーの流浪《さすらい》の哀れさを感じた。

カラチ、テヘラン、そしてナイロビ——、ダンサーさながら流されて行くわが身を思うと、いたたまれなくなり、恩地は目だたぬように、席を外した。

バルコニーにたつと、首のあたりに、砂漠の夜気がひやりと触れた。


家の中は、荷造り用の段ボールやガムテープ、細引きなどが散乱していた。

りつ子は、メイドのハトメに指図して、荷造りにかかっていた。絨毯や家具は、社宅の備品であるから、私物だけの荷造りであったが、駐在が三年にも及ぶと、結構、荷物が増えていた。

衣類の中から、ハトメと家族に合いそうなものを選んで、一抱えほど渡した。

「この間から荷造りでお世話をかけるわね、これ、あなたと子供さんたちに」

「マダム　メルスィ　メルスィ」

何度も礼を云い、

「いつも親切にして下さって……、子供さんもよくなついてくれたので、お別れするのは辛いです」

早くも涙ぐんだ。

「あなたは、この間、紹介した後任の方が使って下さることになったから、大丈夫よ」

心細げなハトメを優しく励ました。

スクール・バスの停まる音がし、克己と純子が帰って来た。ハトメはすぐ、おやつのクッキーとミルクを出し、台所で残っている片付けものにかかった。

克己は、クッキーを食べながら、

「今日、先生に、日本の学校へ出す書類は全部、ちゃんと送ったから安心して帰りなさいと、云われたよ」

と云い、荷造りで散らかった床に積み上げられている荷物を見廻し、

「お母さん、こんな荷造りをするのも、二回目だね、どうしてお父さんは、僕たちと一緒に日本へ帰れないの」

「そのことは、この間、よく話し合って、解ったと云ったじゃないの」

りつ子が窘《たしな》めていると、恩地が帰って来た。

「もっと早く帰るつもりが、遅くなった、荷造りでも手伝おう、克己も手伝いなさい」

と云うと、克己は、いきなり、

「僕はやっぱり、お父さんと一緒に日本へ帰りたい、よそのパパは皆、家族と日本へ帰ったのに、お父さんだけ、なぜ、アフリカなの」

恩地は、言葉に詰った。最初、カラチでの任期が延びた時は、「会社の大切なお仕事だから」と云い、テヘランへの転勤がきまった時には「お父さんでなければ、出来ない仕事だから」と云い繕って来たが、さすがに三度目ともなると、云うべき口実が見当らなかった。

傍らから、りつ子が、

「アフリカでも、ナイロビはケニアの首都なのよ、すばらしい国立公園が幾つもあって、ライオ

ンや象、キリンなど、野生動物が沢山いるそうだから、夏休みには観に行きましょうね」

子供たちの気持をひきたてるように云った。

「ライオンや象、キリンなら、上野の動物園に行けば見られるさ、お父さんは、いつも仕事、仕事と云うばかりだけど、今度こそ、一緒に日本へ帰れるようにして」

出発の日が近付き、急に家族が離ればなれになる悲しさを思ったのか、せがむように云い募ったが、恩地には答えようがなかった。

「お父さんは、させんされたの？」

「誰がそんな……」

りつ子は言葉を詰らせた。恩地は、テヘランの狭い日本人社会での心ない噂が、子供たちに伝わっているのだと察した。

「させんって、悪いことしたことなの？」

克己は、重ねて聞いた。恩地は思わず、拳を握りしめた。

「克己、お父さんに向って、何てことを云うのだ！　すぐ詫《あや》まりなさい」

烈《はげ》しく叱責すると、克己の眼に、大粒の涙が溜った。

恩地の胸が、塞がった。克己は、克己なりに、友人の父親が次々に、日本へ帰って行く姿を見て、傷ついていたのだ。だが、克己にその理由を説明し理解させることは困難であった。

「克己、お父さんはどんな場合も、誰に知られても恥しくないようにしてきた、それでもうまく行かないことが、世の中にはあるのだよ、それはお前が大きくなったら、解ることだ、今は、お父さんをひどい父親と思わないで、信じていてくれ」

と云ったが、克己は答えなかった。

「私も、お父さんと一緒に日本へ帰りたいの」

純子も云った。子供たちに縋《すが》られ、恩地は心が乱れそうになったが、日本で孤立している組合員のことを思えば、親子の情に流されることなど、許されなかった。

「克己、純子、お前たちの気持はよく解った、でも、お父さんはアフリカでの仕事をすまさないと、日本へ帰れないのだ、お前たちは、お母さんと、先に日本へ帰りなさい」

恩地は、子供たちに云い聞かせたが、二人とも黙りこくっていた。

子供たちが二階へ上って、恩地は、りつ子と二人きりになった。

「また、大へんな苦労をかけるが、子供たちのことはよろしく頼む——」

と云うと、りつ子は、

「あなたが日本から戻られた夜、お話を聞いた時は、会社の規則に従って六ヵ月後に、私たちも、アフリカへ行く覚悟をしました。でも、子供たちは絶対行きたくないと云うのです、これまでカラチ、テヘランとあなたに随いて廻り、他の家庭にはない負担と犠牲を子供たちに強いてきました、あなたが組合のために節を通されることはよく解りますが、これから少しは、子供たちの将来、家庭のことも考えて下さい」

静かな声で、訴えるように云った。

出発の日、テヘランは雪に見舞われた。エルブールズ山脈から吹き下す寒風が肌を刺し、雪を舞い上げた。

土漠に降った雪は、黒斑《くろまだら》になり、殺伐としていたが、夕方からは、雪が雨に変っていた。

恩地は、日本へ帰る妻と二人の子供と共にテヘラン空港まで来ていた。テヘラン支店の駐在員たちが見送りたいというのを、冬の深夜便であることを理由に辞退したのだった。

東京行きは二十二時五分発であった。薄暗い待合室には、観光客らしい姿はなく、ビジネスマンがところどころで新聞を広げ、家族連れは、恩地たちしか見当らない。

二人の子供は、ランドセルを背負ったまま椅子にもたれ、妻も帰国の荷造りで疲れきったように言葉少なだった。

恩地は、子供たちに、

「夏休みになったら、今度はナイロビで会おう、それまで日本の学校でしっかり勉強するんだよ」

別れ難い思いで云うと、子供たちは、夏休みになれば父に会えるという気持で頷いたが、りつ子は、夫が遠く海を隔てたアフリカの僻地へ飛ばされることの意味を承知し、一時間後には、東と南とに別れねばならぬ耐え難さに、口を噤《つぐ》んでいた。

恩地は、黙り込んでいる妻を見た。結婚以来、どんな辛いことがあっても愚痴一つこぼさなかった気丈なりつ子も、今回のアフリカへの転勤は、身にこたえている様子だった。

搭乗案内が、流れた。二人の子供は、ランドセルを背負ってたち上った。恩地は、子供たちのオーバーの衿をたててやり、

「じゃあ、二人とも元気で行くんだよ」

と声をかけると、

「お父さん、夏休みに会おうね、さようなら」

子供たちは手を振ったが、妻はこみ上げて来る思いに堪えかねているのか、足を止め、

「お体を大事に――」

一言、そう云い、雨に濡れる子供を庇《かば》うように傘をさしかけた。木造モルタルの古びた空港の建物から、飛行機が駐機しているところまで、二人の子供を連れて歩いて行く妻の背中は、ずぶ濡れになっている。

「りつ子！」

妻の名を呼んだが、聞えないのか、振り返らない。その背中は「解りました、あなたはどうぞ、ご自分の信じる道を歩んで下さい」と無言で答えているようであった。

「克己！　純子！」

二人の子供の名を呼んだが、降りしきる雨の中で、子供たちも振り返らなかった。飛沫《しぶき》で白く煙る中を妻と子の姿が、次第に遠ざかって行く。

駐機している飛行機の機体は、雨に煙って、定かに見えず、妻子がタラップを上って行く姿も、見届けることが出来ない。

妻子はやがて飛び発つ飛行機で東へ、自分は、後の便で南へと別れ、アフリカの未知の土地へ赴かねばならないのだ。

雨が小止《こや》みになり、妻子を乗せた飛行機が、濡れた滑走路をゆるゆると、動きはじめた。恩地は、搭乗口の窓枠に手をかけ、声を殺して嗚咽した。

第八章　ナイロビ

ナイロビの夜の闇に、夜鳥の啼《な》き声だけがしている。

居間のソファで酔い痴れていた恩地《おんち》は、頭ががくりとした瞬間、我に返ると、長い回想から覚めた。

床に転がり落ちていたウイスキー・グラスを取り上げると、ミネラルウォーターを注《つ》ぎ、渇ききった咽喉《のど》を潤してから、二階の寝室へ上った。今日も一日、無為に過ぎたことを忘れるために酒を飲み、後は寝るしかない。

サーバントがきちんと整えたベッドに入り、スタンドを消した。

みしっと、音がした。耳を澄ましたが、元通り静まった。そのまま、うとうとと眠りかけると、また、みしっ、みしっと音がする。

このところナイロビの街は、職を求めて地方から出てきた人々が、職にありつけず、犯罪が多発している。つい一週間前の新聞に、政府が犯罪者に対して出頭を呼びかける公示が掲載された。「出頭した者に対しては罪を減じ、職を斡旋する」という公示に対して、あっという間にナイロビ市内の各警察署に、二万人が出頭し、慌てた政府は「罪を犯していない者が、偽って出頭することを禁ず、虚偽の場合は、厳罰に処す」と二度目の公示を出したのだった。ナイロビに在住する外国人たちは、従来にも増して防犯態勢を強化したが、恩地は、格別なことはしていなかった。

昨今は、ナイロビ赴任当初、寝る時に、ベッドの脇に必らず置いていた小型の護身用のライフルさえも、しまい込んだままになっていた。三人のサーバントが夜、別棟のサーバント・クォーターへ引き上げてしまうと、誰と話すこともない。一人、ウイスキーを飲み、眠る日々のなかで、もはや失うものは何もないという荒《すさ》んだ気持で、銃もハンティングから帰って来ると、すぐにしまっていた。

みしっ、みし——、三度目の不気味な音で、さすがに恩地は体を起し、ベッドからおりて、クロゼットの扉を開けた。スーツやサファリジャケットがぶら下った奥に、壁をくり貫《ぬ》き、銃を収納する埋込み金庫がしつらえられているのだった。

恩地は僅《わず》かな灯りを頼りに、人間の背丈ほどの埋込み金庫のダイヤルを合せ、中型のライフル銃を手にすると、上段の棚に手を伸ばし、弾丸を取り出して装塡した。

その間にも、不気味な音は階段の方から聞えて来る。いよいよ二階へ上って来たのか——、恩地は、ハンティングで獲物に狙いを定めるような沈着さで、寝室の扉の前にたち、動く気配に対して、身構えた。

だが、音は止んだ。恩地は用心して扉を開け、薄暗い廊下と階段の方へ視線を巡らした。動く気配、潜んでいる気配はない。

銃を構え、二階の他の部屋とバスルームを見て廻ったが、すべてきちんと整頓され、荒らされた形跡はない。

恩地は、思いきって階下へおりた。廊下以外は消灯していたが、暗がりに目が慣れているから、広い居間のホームバーの横に並べてある動物の剝製——、ライオン、豹、レッサークドゥーや、象牙三対の淡い輪郭も見分けられた。

みしっ、みしっというあの音は一体、何だったのだろうかと、恩地はなおも用心しながら、カーテンの隙間から外を窺《うかが》った。外人居住区のこのあたりの屋敷は、おおむね一エーカー（約千二百坪）単位であるから、隣家は見えず、樹々のシルエットが僅かに揺れているだけだった。

居間から食堂、キッチンへと見廻って行くと、ガサゴソと音がする。やはり何かいる——。恩地の家も、雇っているマサイ族の夜警が、周辺の庭を一定時間毎に見廻ってくれている。だが、日本円にして月二千三百円の給料では、命懸けで守ってくれるとは思えない。

恩地は、銃を構え直し、キッチンの出入口の扉から、闇の中に出て行った。物音は、物干し台の近くでする。恩地はもしやと思い、その方へ近付いた。コンクリートの囲いの中にハンティングの帰りに捕まえた、陸亀を飼っているのだった。

思った通り、陸亀がコンクリートの壁をよじ登ろうとしては、囲いの底に敷いた枯れ草の上に甲羅を下にして落ち、四肢をばたつかせている。むっくり起き上ると、またコンクリートの壁をよじ登る動作を繰り返した。せめて犬でも飼いたかったが、ワンマン・オフィスでは不意の仕事が重なる。留守中に、サーバントが自分たちでも毎日は食べられない肉入りの餌をやってくれる保証はなかったから、キャベツやきゅうりなどの野菜屑ですむ、手間のかからない陸亀をペットとしていたのだった。

「ブワナ（旦那）、どうかしたのか」

槍を手にしたマサイ族の夜警が、近付いて来た。

「物音がしたので、見廻っていたのだ、何か変ったことはないか」

「何もない、あればこの槍で一突きにするから、心配はいらない、ララ　サラマ（よくおやすみなさい）」

「アサンテ（有難う）」

恩地は答え、キッチンの扉に鍵を掛け、念のため正面玄関へ廻って、施錠を確めた。いつものように、しっかり施錠されている。これでよしと踵《きびす》を返しかけ、鏡に映っている自分の姿に、愕然とした。ガウン姿に猟銃を持ち、不精髭を生やした顔の中で、眼だけが異様に光っている。

恩地は、その自分の姿から顔をそむけ、はじめて、ナイロビに到着した日の荒んだわが身を思い返した。


ナイロビ国際空港の入国管理所の前には、黒い肌と異様な体臭を発する人たちが、列《なら》んでいた。入国管理官は、まるで最高裁判所の判事が坐るような高い壇に坐って、入国者を見下し、パスポートにスタンプを捺していた。その仰々しさは、つい六年前までのイギリス統治時代の名残りであった。

テヘランを発ち、カイロで乗り換えた東アフリカ航空の到着が遅れたため、中東の他の航空会社の便と重なり、入国者は四百人近くに膨れ上っていた。恩地は、睡眠不足で疲労困憊《こんぱい》しながら、長い列に並んでいた。

カイロ空港で四時間、真夜中の待合室に待たされて、恩地は仮眠も取れなかった。その上、機内では、中近東からの出稼ぎ人が、鍋からコンロ、毛布に至るまで手荷物にして、機内に持ち込み、座席の下まで荷物の山だったから、ゆったり手足が伸ばせず、またサッカーの交流試合で帰国する学生選手団も騒々しかった。

機内での悪条件に加えて、テヘラン出発まで連日、仕事の引き継ぎ、引っ越し荷物のチェックに追われていた疲れと、妻子との別れの辛さが尾を引き、心身ともに打ちのめされた状態であった。

入国管理所を通り、ようやく荷物台のところへ来ると、東アフリカ航空の荷物は、まだ出ていなかった。その間にドルをケニアの通貨、シリングに交換に行き、戻って来たが、まだ出ていない。待つほどに、苛だち、神経がささくれだった。

ようやく荷物は出て来たものの、恩地のトランクは忘れられたかの如く、出て来ない。係りに調べさせ、二十五、六人分の荷物が纏《まと》めて運ばれて来た時には、取りに来てから一時間を超えていた。

恩地が二つのトランクを検査台に置くと、大柄な漆黒に近い肌の税関吏が、

「ユー　マスト　オープン」

威丈高に命じた。「ユー　マスト」の命令口調は、曾《かつ》てイギリス人がアフリカ人に四六時中、使った言葉であることをまだ知らなかった恩地は、不快感を覚えながら、トランクを開けた。当座、必要な衣類、日用品、医薬品などが詰っているだけで、問題になるようなものはない。

税関吏は、持ち込み申請書に眼を通し、

「煙草を持っているか」

横柄な態度で、質問した。煙草の持ち込みは、一カートン（二百本）までであった。恩地はアメリカ煙草のケントを一カートンと、他に八箱持っていた。袖の下を要求されているとすぐ感じたが、恩地は、

「一カートンと、私が喫った残りの八箱持っている」

と答えた。

「では、超過分の税金を支払え」

ここで三、四箱、握らせれば、そのまま通関できることは解っていたが、その気になれなかった。

「よし、超過分の税金は払おう、いくらだ」

と云うと、真っ黒な顔が感情的になり、白い歯をむき出しにした。

「一箱、二十シリングだ」

と云うなり、課税通知書兼領収書に、乱暴になぐり書きして、突きつけた。一シリングは、日本円に換算して約五十円。機内で一ドル、三百六十円で買ったケントに、三倍の千円とは、法外な額であった。

「高過ぎる、それでは払えない」

恩地が云うと、

「もう課税通知書は書いて、お前に渡したのだから、払うべきだ」

さらに威丈高に怒鳴った。

「超過した煙草は放棄する、この通知書にＶＯＩＤ（無効）の判を捺せばいいじゃないか」

煙草を没収した後、税関吏が喫うのも業腹で、恩地は喫えないように一箱ずつ、捻じ曲げ、押しつぶした。みるみる、税関吏の顔が歪《ゆが》んだ。

「何をしようと、お前の勝手だ、二十シリングの八箱分、百六十シリングを払え」

獰猛《どうもう》に嚙みつくように云った。

「放棄する物品に、税金を払えと云うのか」

「そうだ、既に課税通知書は発行してあるのだから払うべきだ、それが税関の規則だ」

規則を楯に取って、一歩も退《ひ》かない。恩地は、札入れから百シリング札一枚と、二十シリング札三枚を取り出すと、びりっと引き裂いて、台の上に置いた。途端にピィッと笛が鳴り、二人の男が飛んで来て、両腕を摑んだ。うしろに列んでいる乗客たちは、驚きの眼を瞠《みは》った。

「何をするのだ！」

腕を振りほどこうとした。

「空港警察だ、お前を通貨損壊及び元首侮辱罪で逮捕する」

恩地は意味が解らず、理由を聞くと、

「元首が印刷されているケニア共和国の通貨を破って、侮辱したから、警察に連行する、お前の荷物は税関に置いていけ」

と云うなり、手錠こそかけなかったが、衆人環視の中で、連行した。

空港から、原野を十分ほど、走ったところに、警察署はあった。木造平家の建物の周囲にはブーゲンビリアが咲き、警察というイメージとかけ離れたのどかさであった。

だが、小型トラックから降ろされた恩地は、一歩、建物の中へ入るなり、たち竦《すく》んだ。窓には鉄格子が嵌《は》められ、廊下には、手錠をかけられた男たちが、警官に怒鳴られたり、蹴飛ばされたりしながら、ひったてられている。

「おい、怯気《おじけ》づいたのか、奴らは空港の置き引きやかっ払い、麻薬密輸の現行犯だ、お前はこっちだよ」

恩地を連行している警官が、顎をしゃくった。鉄格子の窓の外には、一見して囚人と解る男たちが、汚れた囚人服に跣《はだし》で、煉瓦積みや中庭の掃除に使役されている。

「喜べ、お前は外国人だから、署長自ら、取調べて下さるってことだ」

廊下の突き当りの署長室へ押し込み、机の上に、恩地から取り上げたパスポートを置いた。

広いがらんとした部屋には、頑丈そうな机に向っている署長が一人いるだけで、入って来た恩地には見向きもせず、書類に視線を落したままであった。

恩地は、署長の机の斜め横に並べられた背もたれのない、木の椅子に坐らされた。紺の制服の肩章に金筋が光り、縮れた口髭をたくわえた署長は、ちらっとも顔を上げず、鉛筆を動かし続けている。

待たされている間に、恩地は冷静さを取り戻した。いかに疲労し、神経がささくれだっていたとはいえ、つまらないトラブルを起したことを悔いた。

万一、ナイロビの地元紙に、日本の国民航空の駐在員が、空港警察に勾留されたという記事でも出れば、本社に糾弾の口実を与えることになる。それがまた妻子に伝われば、どれほど嘆き悲しむことかと思うと、堪えられなくなった。一刻も早く、釈放してもらわねばならない。だが、一時間経っても、署長の仕事は終らなかった。

恩地は椅子から腰を浮かし、机の上を覗いた。粗末な紙に、犯罪統計表のようなものが英語で記されている。左端の枠に上から十二ヵ月の月数を入れ、上段の横枠には、順に殺人、強盗、窃盗、詐欺、暴行、その他の項目を記し、各項目ごとに数字を書き込んでは、縦と横の数字を合計しているらしかった。アフリカ人は、計算に弱いと聞いていたとおり、メモ用紙を横に置き、何度も筆算を繰り返している。

恩地は思わず、

「ノーノー、その計算は違いますよ」

と云うと、署長は、はじめて顔を上げた。

「その計算は、私がやりましょう」

と云い、月別に犯罪件数を出し、その年の総数を出してみせた。

署長は、驚いた表情で、

「私は、何時間もかかって出来なかったのに、たちどころに出来た、有難う、ところで君のようなジェントルマンが、何故、ここにいるのかね」

きちんとしたスーツ姿の恩地を見ながら聞いた。

「署長は、部下の方から事情を聞いておられないのですか」

「外国人を一名、逮捕して来たと報告は受けたが、その外国人とは、君のことか」

「そうです」

と答えると、署長は机の上にのっているパスポートを手に取り、頁を繰った。

「それで、どういう事件を起したんだね」

恩地は、空港での出来事を率直に述べると、

「なるほど、通貨損壊及び、ケニヤッタ大統領の肖像を破った元首侮辱罪に相当する」

いかめしい口調で云い、暫時、考えてから、受話器を取り上げた。相手が出ると、英語ではなく、スワヒリ語で話し出した。恩地は、スワヒリ語を解さない。警察権力を握る男が、全く知らない言葉で、長電話をしていることに、不気味な恐怖を覚えた。

このまま、勾留されるのかどうか、何を話しているのか、見当もつかず、万一の場合、連絡し

ようにも、何の手がかりも持っていない。

署長は、電話を切ると、

「君の宿泊先と、今日の予定は、どうなっているのかね」

「宿は、ニュー・スタンレイ・ホテルで、午後三時に、東アフリカ航空へ表敬訪問するアポイントメントを取ってあるのです、是非、寛容の精神を以て、釈放して戴きたい」

と頼み込むと、

「このパスポートと、税関に申告した入国カードの記載によって、君の国籍、氏名、職業、入国目的は証明されており、税関でのトラブルの内容、いきさつも、今の電話で解った」

署長はそこで言葉を切り、古びた回転椅子をぎいっと軋《きし》ませ、一回転させてから、

「署長として、君に一つ、質問することがある、今日と同じようなことを、これからも、やる気なのか」

恩地を睨みつけて云った。

「ノー、こんな大人気ないこと、そしていささかでもケニア共和国の法律に触れるようなことは、二度としないことを誓います、我ながら自分の行為に呆れ、恥じています」

と答えると、署長は徐《おもむ》ろに口髭を整え、

「よし、二度とやらないことを誓うなら、このまま釈放する」

と云い、机の上のパスポートを、ぽんと恩地の方へ返して寄越した。

「釈放して戴いたこと、心から感謝し、ケニア共和国の警察の寛大な処置に敬意を表します」

直立不動の姿勢で、礼を述べると、

「君は紳士だ、私の出来なかった計算も手伝ってくれた」

と云い、はじめて白い歯を見せた。

「ついては署長に、一つお願いしたいことがあります、帰っていいとおっしゃっても、私には車がありません、空港に荷物も残っていますし、できれば、空港まで送り返して下さる便宜を図って戴きたいのですが」

鄭重に頼むと、署長は、警官を呼び、

「このジェントルマンを、空港まで送ってくれ」

警官は、ついさっきまで容疑者であった男が、俄《にわ》かに、紳士になり替ったことに、納得がいかぬ様子だった。

用意された車は、連行された時の小型トラックではなく、警察の青い乗用車であった。運転手は紺のズボン、紺のセーターに、警官の肩章をつけている。

車が空港に着くと、恩地は運転して来た若い警官に、十シリングのチップを渡した。

「サンキューベリマッチ　サー」

と、サーを付けて礼を云った。恩地は笑顔で、

「ところで、頼みたいことがある、税関まで私をエスコートして、そこで、グッドバイ　サーと云って貰いたいのだが」

と頼み、また十シリングを渡すと、にっこりと頷《うなず》いて、車から降り、恩地をエスコートした。さっき争った税関吏は、警官に逮捕され、連行されたはずの男がなぜ戻って来たのかと訝《いぶか》しげな顔をしたが、若い警官は、靴の両踵をぴたりとつけ、

「グッバイ　サー」

と云い、敬礼した。敬礼まで頼まなかった恩地は驚いた。税関吏は、より驚いているようだっ

た。

　恩地は、税関吏に近寄り、

「先程は、騒ぎを起してすまなかった、私の荷物を受け取りに来ました」

と云うと、検査台に残っている荷物を眼で指した。

「じゃあ、これで諒解ですね」

「イエス　ミスター」

と、税関吏は答えた。恩地はにこやかに、

「私は、日本の国民航空の社員で、ナイロビに駐在することになった人間だ。今後もよく空港へ顔を出すので、今日のことは水に流して、よろしく頼みますよ」

と挨拶し、ポーターを呼んで、二個のトランクを運ばせ、タクシーでホテルへ向った。時計を見ると、ナイロビ空港に到着してから四時間経っていた。

　恩地は、運転手を急がせながら、窓の外を見た。空港から暫《しばら》く原野を走り、市街に入ると、イギリスの植民地時代に建てられた石造りの建物がいかめしく並び、街の中心には緑の公園もあった。

　官庁や外資系の会社が建ち並んでいる大通りには、明るい太陽の下を真っ黒な肌のアフリカ人が、ゆったりと歩き、白人の姿も意外に多かった。彼らには、家族も友人も、職場の同僚もいるが、恩地は、ただ独りであった。

　空港に出迎えてくれる者もなく、誰一人相談する相手もなく、アフリカの地に放り出されたことが身に堪《こた》えた。

*

ナイロビ営業所で、恩地は分厚いテレックスの束に目を通していた。年末年始の休暇で、日本人の海外旅行客が一挙に膨れ上り、臨時便や離発着の時刻など、ダイヤ変更が次々と報《しら》されて来る。

温かいハワイ、アメリカ西海岸のみならず、厳冬期のヨーロッパにも団体客用の臨時便が飛ばされるが、アフリカ方面はせいぜいカイロ止まりで、ナイロビにまで足をのばすツアーはない。それでも東京本社からは、全海外支店、営業所にダイヤ変更のテレックスが、機械的に流されて来るのだった。

普段、客の少いナイロビ営業所も、この時期には、何でも見てやろう式のヒッピー風の若者や、月並みな海外旅行に飽きた個人客がぽつぽつある。

「ミスター・オンチ、昨日届いた追加のカレンダーを、配りに行っても、いいでしょうか」

クラークのウイリアムが、云った。

「ああ、年内に配ってこそのものだから、行って来てくれ」

恩地は頷いた。国民航空のカレンダーはナイロビ在住の日本人のみならず、随所で引っ張り凧だった。航空券販売の挨拶がわりにと、本社から送って貰っていたが、割当てが少く、親支店のカイロで余った分を、廻して貰ったのだった。

一人になると、恩地は煙草に火を点け、今年もあと残り三日となったカレンダーを見た。テヘランからナイロビへ赴任して早くも一年十ヵ月が経ったことに、恩地は今さらのように感慨を深くした。

ナイロビ到着後のあの辛苦を乗り切れなければ、このオフィスを開くことさえ出来ず、会社の思惑通りに、辞めざるを得なかったかもしれない。

オフラインのナイロビで、恩地の唯一の足がかりとなるのが、東アフリカ航空であった。ナイロビ到着時に、たかだか煙草八箱のことで税関吏と揉《も》め、空港警察署へ連行されて、思わぬ足どめを喰ったことを悔い、ホテルにチェックインすると、身形《みなり》を整え、東アフリカ航空へ出向いた。社長への表敬訪問は、ぎりぎりで間に合った。

「はじめまして、私は国民航空のナイロビ営業所に赴任しました恩地元《はじめ》です」

と挨拶すると、二メートル近い大柄な社長は、鷹揚に革張りの椅子からたち上り、手をさしのべた。肌は黒いが、掌がなめらかなピンク色で、握手すると、ひやりと吸いつくような感触があった。

「極東《ファー・イースト》の日本から、ようこそ——」

開口一番、アフリカ人にファー・イーストと軽くいなされ、恩地はまごついたが、

「東京のヘッド・オフィスから手紙が届いていると存じますが、当分の間、御社の営業オフィスの一角を、拝借させて下さるよう、お願いします」

と頼んだ。

「はて、そのような手紙は、受け取っていない、担当マネージャーに聞いて下さい」

上辺《うわべ》は、ロンドン仕込みなのか、洗練されたもの腰だったが、そんな話にとり合っていられないと云わんばかりである。とりつく島もなく、恩地は教えられた担当マネージャーの部屋へ行くと、

「連絡は受けているが、わが社に、他社へ貸すスペースはない」

と繰り返すばかりだった。

「それでは机一つなりとも、置かせて下さい、営業所開設までスペースを貸して貰う話になっていると、本社から云われて来たので、ナイロビへ到着したその足で、真っ直ぐお願いに伺ったのです」

未知のアフリカで、頼るべきところはここしかないから、恩地は縋《すが》り付かんばかりの思いで、頼み込んだ。

「何と云われようと、ご覧のようにこの部屋は今でも窮屈で、ファイル棚が廊下にまではみ出している」

両肩を竦めた。確かに、室内には机が、ぎっしり並び、ファイルボックスは廊下にはみ出している。しかし、本社からスペースを借りるに当って、然《しか》るべき挨拶がなされていれば、この部屋でなくても、どこかに貸すぐらいのスペースはあるはずであった。おざなりな依頼状が一通、出されただけであろうことが、社長や担当マネージャーの冷淡な態度から察せられた。よくぞこんな手ひどい仕打ちをと、怒りを覚えながらも、航空会社のオフィスの生命線ともいうべきテレックスの確保だけは、話をつけておかねば、引き退れなかった。

「机を貸して戴けないなら、せめてIATAで定められているテレックスの使用を、ご諒承下さい」

恩地が再度、頼むと、担当マネージャーは苦い顔で、

「それはやむを得ないから、暫定的に貸そう、但《ただ》し、テレックスの受取り及び発信については、あなた自身、ここへ足を運んで貰いたい」

と云い、話合いはそれで終った。

ホテルへ戻って来ると、恩地はまさしく陸の孤島へ身一つで放り出された孤立感に陥った。テヘランを出発する時、支店長から手渡されたのは、一週間分の滞在費だけで、それも東アフリカ航空の一隅を借りるという前提での金額であった。

東アフリカ航空がオフィスとして使えないなら、このホテルをオフィスにするしかない。恩地は改めて部屋の中を、見廻した。

十九世紀、暗黒のアフリカ大陸に分け入ったイギリスの探険家の一人であるH・M・スタンレイの名前を冠したこのニュー・スタンレイ・ホテルは、ケニア独立後も数年間、有色人種の宿泊を拒否して来た〝格式の高い〟ホテルらしく、クロゼットやタンス、物入れのスペースはゆったりしているが、机として使えそうなのは化粧台しかなかった。

オフィスもなく、当座の滞在費も心もとなく、このアフリカで俺に、一体、何をどうしろというのか――、恩地は怒り、落涙しそうになるのを辛うじて堪え、ベッドに倒れ込んだ。

目を覚ましたのは、翌日の午後二時過ぎだった。部屋のカーテンも引かず、ワイシャツ姿のまま、よくもこんこんと眠ったものだと、我ながら呆れた。長かった昨日一日の出来事を思い返すと、熱いシャワーでも浴びて、すっきりし、一からやり直そうと、バスルームへ入った。

ヨーロッパ人用にしつらえられたバスタブは異様に大きく、見掛けは立派だが、出てくる湯はぬるくて、茶色の水嵩《みずかさ》が増して行くばかりだった。

こんなことで意気消沈していてはと、シャワーを浴び、鏡に向って髭を剃《そ》ると、東アフリカ航空へタクシーを飛ばした。

「グッドアフタヌーン、私宛にテレックスは入っていませんか」

昨日の担当マネージャーに聞くと、

「ナッシング」

ただ一言、云っただけだった。恩地は、空いていたタイプに向い、本社国際営業本部管理課長宛の、通信文を打った。

一、オフィス兼宿泊先は、当分、ニュー・スタンレイ・ホテルとする。

二、本社から東アフリカ航空に、強力に働きかけ、机一つ分のスペースを借りられるよう交渉されたし。

三、至急、送金されたし。

タイプした文面を送信してくれるよう頼んで、帰ろうとすると、

「ちょっと待て、ここのタイプを無断で使うとは何事だ！」

インド人の職員が烈火の如く、怒った。独立して六年経ってはいたが、官民とも、実務を捌《さば》いているのはイギリス統治時代同様、インド人が多いのだった。

「至急の連絡があったので、空いていたのを使わせて戴いたわけでして」

恩地が詫びるように云うと、

「今後、この部屋のタイプには絶対、手を触れてはならない、解ったか」

権柄ずくに、云った。

恩地は、了解したとだけ答えて、惨めな気持で東アフリカ航空を出た。タクシーでホテルへ戻る道すがら、タイプをはじめ事務用品一式を買い揃えねばならないと考えていた。

「ブワナ（旦那）、六十シリングだ」

タクシーの運転手が、行きの倍の料金を吹っかけて来た。

「冗談じゃない、甘くみるな！」

恩地は三十シリングを渡し、車を降りた。

部屋へ上ると、ホテルの用箋にオフィス開きの必需品を書き並べて行った。タイプライター、リボン、用紙、ファイル挟み、伝票、カーボン紙、ハサミ、ホッチキス……。

それら一式をまとめて買える大手の事務用品店の見当がつかなかったから、ベッドの脇に備えつけられた電話帳を開いてみた。情報のない国では、電話帳が情報源の一つであった。太字で大きく掲載されているのが、大手だろうと、判断した。早速、ダイヤルを廻したが、どの店も話し中で繋がらない。回線が少く、市内といえども、一度や二度では通じないことが解った。

翌日から、恩地は自分の足で事務用品店を三、四軒、覗き、見積りを出させた。タイプライターは手持の金では買えず、リースにせざるを得なかった。

本社宛に、至急、送金されたしと、テレックスを打っても、梨の礫《つぶて》であった。手元金はもとより、自分が万一の場合に備えて持って来た金さえも、底を突きかけていた。会社が、ナイロビへ放り出した恩地を、立往生させ、金で締め上げて、音を上げるのを待っていることが、露骨に読み取れた。

そうか、そっちがそのつもりなら、こっちも徹底的に闘ってやる——、恩地はそう肚《はら》を決めると、東アフリカ航空を往復する際のタクシーはやめ、徒歩にした。食事も、昼はソースのつかないスパゲティだけとスープを取って、素うどんまがいにして食べ、夜は夜で、ライスと目玉焼きを取り、テヘランから持って来た醬油をかけて食べるところまで切り詰めながら、一日二回、「至急、送金されたし」と打ち続けた。

十日後、本社は遂に、恩地のテレックス攻勢に参ったらしく、指定の銀行に送金して来た。加えて、早くオフィスと社宅を見つけ、ホテルを引き揚げるようにとの、指示も寄越した。

屈辱的な仕打ちにまずは、勝てたのだ。恩地は唯一の情報源である電話帳を再び開き、大手不動産会社を調べた。会社の規模を誇示するかのように、写真入りの広告が出ており、それでインド系の経営者の多いことが解った。

恩地は、レンタカーに不動産屋を乗せ、物件を案内させた。オフィスの条件として予め四つを提示しておいたのだった。第一にエレベーターのキャパシティが大きく、新しいこと、第二にトイレ、給湯室が清潔であること、第三に夜間の出入り時間の規制が緩やかで且《か》つ警備がしっかりしていること、第四に駐車場が近距離にあること、であった。それらの条件を満たす物件を一日、三、四件見て廻り、ようやく二ヵ月後に外国の航空会社と地の利において遜色がなく、日本大使館にも近いケニヤッタ通りに面したナイロビ・ビルに決めたのだった。

その後、社宅探しもしたが、中心街に近い外人居住区にいい物件はなく、やや不便ながら、山手の外人居住区で見つけることが出来た。

それが現在の営業所と、社宅であった。

不意に、日本語が聞えた。

「ちょっと、誰もおらんのか、ジャパニーズはおらんのかいな」

オフィスの入口の方から声が聞えた。クラークのウイリアムは、カレンダーを配りに出ていたから、恩地は、席をたって、カウンターへ出て行った。

「お待たせ致しました、ご用向きを承ります」

恩地が鄭重に応対すると、

「えらい目に遭《お》うた、空港からタクシーで、ぐるぐる廻り、えらいふんだくられたわ、航空会社が、ビルの九階とは不便過ぎるな」

関西弁でまくしたてた。

「ご迷惑をおかけしました、まだ未就航《オフライン》のオフィスですので――」

五十歳そこそこで、チェックのスーツに、共布のハンチングを冠《かぶ》った大柄の客は、不機嫌に、国民航空のチケットをカウンターに置いた。羽田―ロンドン―ナイロビの往復航空券で、ロンドン―ナイロビ間は英国航空に乗り継げるものであった。

「どこか、適当なホテルを紹介して貰いたいのや」

適当という注文が一番難しい。相手によって適当の度合いが異る。

「これからのご旅行先や、お仕事の都合によって、ご紹介するところが――」

「ここへは、象牙一本買いに来ただけや」

「え？　象牙一本――」

「そうや、以前、骨董屋から一本買《こ》うて、床の間に飾っておいたんやが、どうも一本だけでは落ち着きが悪い、それでもう一本買いに来たというわけや」

個人でアフリカを訪れるのは、月並みでない人が多かった。だが、象牙一本のためにとは、はじめて出会う珍客であった。

恩地は、ヒルトン・ホテルへ電話を入れて、部屋を取り、ホテルまで車で送って行った。

国民航空の航空券を持っているたいていの客は、観光案内の世話を頼むが、この珍客は、ホテルに着くなり、さっさと自分でチェックインし、ボーイを呼んで荷物を運ばせ、観光案内を頼まなかった。せめて象牙を買うのにつき合ってくれと云うのかと思ったが、それも云わなかった。

翌々日の十時半頃、ヒルトン・ホテルに泊っているはずの例の客が、血相を変えて、国民航空のオフィスへ入って来た。うしろにホテルのポーターを従え、トランクと、一メートル以上ありそうな筒状の大きな荷物を持たせている。

「あんた、えらいホテルを紹介してくれたな」

声高に詰《なじ》った。恩地はあっ気に取られた。

「何か、あったのでしょうか」

「あんたが紹介したホテルは、泥棒ホテルや、現金をごっそり盗られたやないか」

「パスポートは、いかがですか」

恩地は、それが気になった。パスポートの再発行は、至急、日本大使館に頼んでも、日本への照会などで、早くとも二週間はかかる。しかも今は、年末休暇の時期に当っていた。

「いや、パスポートはあるけど、有り金全部、やられた、国民航空は、こんなホテルを客に紹介するのか！」

いきりたって云ったが、これまでヒルトン・ホテルに紹介した客にはないことだった。

「失礼ですが、ずっとお一人でしたか、どなたか、お部屋へ入れられませんでしたか」

と聞くと、俄かに口ごもり、

「そう云えば、昨日の午後、りっぱな象牙を見つけて、早速、買い、ついでに出ものの鰐《わに》の剥製を買うて別送扱いにしたんや、その後、有頂天になって酒を飲み、酒の勢いでコールガールを呼んだな」

「でしたら、失礼ながら、その女性に盗られたのでしょう、お買物をすまされたあとで、不幸中の幸いと申しますか、盗られたお金は高い授業料だったと、諦められることですね」

「まあ、象牙二十キロのが百五十万、四メートルの鰐の剝製が百万で買えたのやから、そう思うて諦めるわ、けど、有り金全部、盗られたんやから、すぐ帰ることにする」

「せっかく、ナイロビへ来られたのに、たった二泊で発たれるのですか」

「金がないのに、うろうろしてても仕様がない、正月はうちで過せということかもしれんので、今夜発てる便を取ってほしい、私の荷物はここで預って貰いたい」

と云った。外から戻って来たウイリアムが、荷物を預ろうとすると、トランクだけ渡し、象牙らしい、麻布でぐるぐる巻きにした筒状の荷物は、自ら腕に抱えて奥へ入り、恩地の机の横に、大事そうに置いた。鰐の剝製だけを別送扱いにし、象牙は手離さず、機内に持ち込むつもりらしい。

荷物を預けてしまうと、うしろにいるポーターを目顔でさし、

「ホテル代はクレジット・カードで支払ったが、タクシー代とあれのチップ、それに夜、飛行機が出発するまでの食事代を融通して貰いたい、借用証書きますわ」

無一文とあってはやむを得ない。ポーターに然るべき金を渡し、帰らせた。

「お昼は私の家でご一緒しましょう、天井でもいいでしょうか」

「ほう、アフリカで、天丼とは有難い！」

手放しで喜んだ。

「では、航空券の手配をしますので、暫く、お待ち下さい」

手早く時刻表を繰った。ロンドンで国民航空に乗り継げる便は、明後日までなかった。ナイロビ発のルフトハンザ航空ならフランクフルトへ出て、国民航空に乗り継げる。同じビルの中にあるルフトハンザの支店に電話をかけ、国民航空に乗り継げる便の予約を入れた。年末ではあった

が、運よく空席があったのだった。

ようやく、恩地は、珍客を車に乗せ、社宅に向った。中心街を抜け、山手の外人居住区の坂を上って、車を停めた。門番が扉を開け、庭番も飛んで来て、

「ジャンボ（今日は）！」

と迎えた。

「これ、みんなあんたのサーバントですか」

「この国では、外国人家庭の場合、政府から雇用を義務付けられているのですよ」

「それで、こんな広い家に、ご家族何人と住んではるのです」

「いいえ、単身赴任です」

と云い、食堂へ案内すると、予め電話をしておいたから、コックが、天丼と日本茶を運んで来た。

「こんな和食、よう作れますな、蝦《えび》はどこでとれるんです？」

「ナイロビから四百八十キロ以上離れたモンバサの海でとれたもので、米はカリフォルニア米です、私がコックに作り方を教え込んだのですよ」

食事を済まし、席を居間に移すと、珍客は、一隅にたてかけてある六本の象牙に見入った。

「あんさんも、象牙を集めてはるのですか」

「いや、あれは私が撃った象の牙です」

「ほんなら、その剝製も——」

男は、うっとりしたようにライオンと豹の剝製を眺め、

「これだけで一財産ですな、象牙六本、一本百五十万として九百万、ライオンや豹の剝製はいく

らか知らんけど、鰐でも百万したから、一頭何百万もしますやろ、ざっと見積って二千万ぐらい……こんな宝の山に囲まれてたら、そら女房も、彼女もいらんわな」

昂奮した声で口走った。

「私は、何も金銭など、単なる趣味です」

「ほう、趣味と実益を兼ねて、一攫千金とは、羨しい限りや」

「そういう言い方は、やめて戴きたい」

恩地にとっては、アフリカへ流されてからの日々を刻んだものであった。

「何も怒らんかてよろしいがな、来年は、象撃ちを見に来るから、よろしゅうに頼みまっさ」

男は満足げに云い、ソファからたち上った。

その夜、十時四十五分ナイロビ発のルフトハンザ航空に乗る珍客を空港まで見送った。男は二時間前に行くのは早過ぎると云っていたが、象牙を通関させるためにも早い方がよいと云うと、長さ一メートル二十センチ、重さ二十キロの象牙を後生大事に腕に抱えたのだった。

機内持ち込みの荷物として通関させるために、恩地は顔馴じみの税関吏に、袖の下を渡した。無事に済むと、男は拝まんばかりに頭を下げて、ゲートへ入って行った。

出国カードの職業欄に、会社社長と記しただけで、業種は解らなかったが、金と時間に余裕がある個人会社のオーナーで、極めて変り者という印象が、残った。

空港から帰って、シャワーを使うと、今日一日、あの珍客に振り廻されたいまいましさと、自宅にまで招いた自分の迂闊《うかつ》さが腹だたしかった。水割りを一杯、ぐっと空けると、電話が鳴った。

それは、〝アフリカの女王〟からの電話であった。

電話を切ると、恩地は気乗りしないまま、ダークスーツに着替えた。今夜はアフリカの女王が主催する「ジャカランダ・パーティ」の日だと解ってはいたが、気分が滅入り、人の集る場所へは出たくなかった。だが、もう迎えの車がそちらへ着くはずよと、云われれば、断りようがなかった。

「ブワナ（旦那）、ヒギンズ様のところの迎えの車が来ましたよ」

サーバントが、伝えに来た。

「ちょっと、待って貰ってくれ」

恩地は、二階の寝室の埋込み金庫から護身用にと、ライフル銃を取り出した。安全装置を確め、階下へ戻ると、キッチンの冷蔵庫からビニールで包んだ塊を紙袋に入れた。

「じゃあ出かける、あとは頼むぞ」

「行ってらっしゃい、夜道にはくれぐれも気をつけて下さいよ」

サーバントが、迎えのランドクルーザーに乗り込む恩地を見送った。

「ジャンボ（今晩は）、ミスター・オンチ」

顔馴染みのヒギンズ家のドライバーが、暗い車内で、白い歯を見せて挨拶した。ランドクルーザーの後部座席には、槍を持った屈強なマサイ族の夜警が乗っていたが、恩地の銃に勝るものはない。

夜道には、もはや車の影はない。ベンツやロールスロイスは目をつけられ、襲われやすいが、ランドクルーザーなら比較的安全で、アフリカの女王らしい心配りであった。

車は、ナイロビから北東へ三十キロのムサイガへ向った。ナイロビ市街から最も近いコーヒー農園の連なるところであった。

延々と続くコーヒー畑が途切れ、森の中の一本道にさしかかると、左右にぽつり、ぽつりと私道がつくられ、主《あるじ》の名を記した標識が出ている。

「O. HIGGINS」――、ヘッドライトに、アフリカの女王の屋敷の標識が浮かび上ると、車は右折した。三百メートルほど先に頑丈な鉄の門がある。ドライバーがクラクションを鳴らすと、夜警が門を開いて迎え入れ、同乗していたマサイ族の夜警はそこで下りた。車は、門を入ってもなお森の中の曲りくねった道を徐行しながら進んだ。ヒギンズ家はムサイガ一帯のコーヒー農園主だった。中規模ながら、二百エーカー（約二十四万坪）の広さで、屋敷のある森は十エーカーほどある。夜の森の中で、きらりと光る獣の目があり、野生動物が徘徊しているらしい。数ヵ月前、庭のプールで、豹が水を飲んでいたという話も聞いていた。

前方にようやくヒギンズ家の館《やかた》が見えて来た。広い前庭には、「ジャカランダ・パーティ」に集って来た客たちの車が列び、篝火《かがりび》がたかれている。

犬がけたたましく鳴き、内から出て来たサーバントが制止すると、すぐ鳴き止んだ。

「ようこそ、いらっしゃい」

玄関まで、アフリカの女王が迎えに出ていた。ミセス耀子《ようこ》・ヒギンズであった。黒いシルクサテンのドレスが映える長身の日本人離れしたプロポーションで、濃厚な香水の匂いがした。

「あなたはいつも強引ですね、一方的に車を廻されても、伺えない場合だってありますから」

「でも、今日は、私の主催するジャカランダ・パーティですもの、最優先に考えて戴きたいわ」

肩までかかるロングヘアが夜風に揺れ、人の心を吸い込むような瞳が、きらきらと輝いている。

「皆さん、お集りだから、ライフルはおしまいになって」

アフリカの女王は、玄関ホールのクロゼットの奥にしつらえられている銃入れに、恩地のライフルを納めた。

「これは、ささやかな手土産です」

恩地が紙袋を渡すと、女王は中のビニールの包みに記された文字を読み取り、

「あら、有難う、後で皆さんにお出ししますわ」

礼を云い、コックを呼んで、キッチンへ持って行かせた。

ホールに続く広間に入ると、中央にクリスマス・イヴからニュー・イヤーまで飾っておくクリスマス・ツリーがあり、暖炉には、薪《まき》が燃えていた。

「やあ恩地さん、やっと来ましたね」

五井物産ナイロビ事務所長が、ウイスキー・グラスを手に声をかけた。

「とび込みのお客さんを空港へ送って、遅くなったので、今晩は失礼するつもりで、つい遅くなりまして」

恩地が云うと、

「ミセスに押し切られた、というわけだね、外は寒いだろうから、まあこっちへ」

東洋商船のナイロビ事務所長が、暖炉に近いソファを勧めた。「ジャカランダ・パーティ」は、ミセス耀子・ヒギンズが二ヵ月に一度、ナイロビ在住の気心の知れた日本人を招く内々のパーティだった。商社、海運会社の駐在員夫妻、獣医、言語学者など、メンバーは多士済々で、話題にはこと欠かなかった。

恩地は一同に挨拶した後、ミスター・ヒギンズの姿がないのに気付き、

「ご主人は、まだお帰りではなかったのですか」

ロンドンへ出かけていると聞いていたが、「ジャカランダ・パーティ」には、いつも、ミスター・ヒギンズもホストとして顔を出していたのだった。

「予定より長びいているようですわ、このところ南米のコーヒー豆に押され、相場も下落しているので、イギリスの政府筋や、仲買人協会との会議が頻繁にあるらしいですわ、よほどタフでなければ、今後のコーヒー農園経営は難しくなる一方ですのよ」

女王が云うと、

「確かに、働き手《レーバー》をたくさん使う農園仕事は、やり辛くなりましたよ」

ナイロビ郊外で、日本茶の栽培プロジェクトを進めている会社の事務所長が頷いた。

「ここは気候的に、コーヒーのみならずお茶の栽培にも適しているから、ケニアの紅茶はイギリス統治時代からブルックボンド社が独占的に牛耳っている、そこに目をつけてわが社は、人件費の安いケニアで日本茶栽培から製品化までの一貫生産を展開すべく、静岡から業者を招き、ケニア政府と合弁で工場建設にとりかかったのです、ケニヤッタ大統領にテープカットをして貰い、大々的にスタートしたのはいいが、タンニンが強くて、いまだに寿司屋で出すお茶程度しか作れない上、賃上げばかり要求されている」

嘆息するように云った。

「紅茶の向うを張って、日本茶栽培とは、面白いアイディアですけれど、日本茶を飲んだこともないアフリカ人に、どんな日本茶作りの名人が、手とり足とりして教えても無理でしょう、傷の浅い今のうちに撤退される方がよろしいんじゃないかしら」

女王が、ずばりと云った。薬指に五カラットほどのダイヤモンドの指輪がきらめき、〝アフリカの女王〟と呼ばれるにふさわしい華やかさと、威厳のようなものが備わっている。

コック兼サーバント頭が、真っ白なクロスをかけたワゴンに、冷やしたシャンパンと、蓋付きの銀器で料理を運んで来た。

女王はソファからたち上り、ロングドレスの裾をひらりと翻してワゴンの傍に歩み寄ると、自ら極上のピンク・シャンパンを注ぎ、招待客の一人一人に手渡して廻った。

「どうぞ皆さん、召し上れ、こちらのお肉料理は、恩地さんからの差入れですのよ」

と云い、銀器の蓋を取った。芳ばしい香りと湯気がたちのぼった。

「恩地さんの差入れというと、並の肉じゃないいんでしょうね」

それまで、皆の会話には加わらず、フロア・スタンドの灯りで本を読み耽《ふけ》っていた若い言語学者が、俄かに寄って来た。文部省の学術交流基金でケニアに一年、留学しただけで、帰国後、日本ではじめてのスワヒリ語辞典を編纂した語学の天才であり、興がのれば小泉八雲から、画家のゴーギャンに至るまで、滔々《とうとう》と話す教養人で、「ジャカランダ・パーティ」では〝天才〟と渾名《あだな》されていた。

「天才でも、食べものには弱いんだね」

齢下の若い獣医が、ひやかすように云った。若い獣医は、月の半分はマサイ・マラの部落で、マサイ族の家畜を無償で診療し、後の半月は、ナイロビ在住の日本人家庭の犬や猫の診療をして生計をたてているのだった。

「日頃、碌《ろく》なものを食べていないあなた方に、この肉が何か見当はつくまい、私が試食しよう」

〝豪傑〟と渾名されている五井物産の事務所長が、年長者らしく云い、照り焼き風に料理した肉片を口に入れた。

「意外に柔かいね、もしやクロコダイル（鰐）の肉じゃないだろうな」

と云うと、所長夫人は、

「あなた、悪い冗談はよして下さい」

気味悪げに眉を顰《ひそ》めて、肉を口に運んだ。

「そうですわねぇ、お味はそう脂っぽくなく、コクがありますわね、ポーク系のお肉かしら」

「いいえ」

恩地が、笑顔で首を振った。

「じゃあ、若い縞馬《しまうま》の肉かな、ほら、半年ほど前、ハンティングの帰りですと云って、大きな肉の塊を持って来てくれただろう？　実はあの時、家内が縞馬の肉ってどんな味でしょうかと云って、柔かいところを少しスライスして、すき焼き風にして食べたんだよ、それをコックが見ていて、彼らの胃にもおさまり、うちのシェパードがありついたのは、実際のところ、どのくらいだったか」

東洋商船の事務所長が云うと、皆が笑った。

「皆さん、味見して、当てて下さい、お気に召せば、またいつかお配りします」

恩地が云うと、一同、真剣な面持で肉を嚙みしめた。

「やっぱりポーク系の味ですよね、ずばりイボイノシシ」

〝豪傑〟の部下の駐在員が、云った。横からその夫人が、

「名ハンターの恩地さんの差入れに、イボイノシシとは平凡すぎますわ、もしや、象のお肉かしら」

「いや、象じゃないでしょう、象の肉はもっと紅くて、繊維が粗いですよね」

若い獣医が云った。

肉片をめぐって一際《ひときわ》、パーティが盛り上っているのを、アフリカの女王はあでやかな笑顔で見守り、シャンパンを注ぎ足していた。

「恩地さん、そろそろ種明しして下さいよ、一晩中、あれこれ云っていても、どうせ解りっこないんだから」

〝天才〟の言語学者が痺《しびれ》を切らすように、催促した。

「シンバです」

恩地が、答えた。

「えっ、シンバって……すると、これはライオンの肉？」

さすがの〝天才〟も、ぎょっとしたように肉を見た。女王以外は、皆、驚愕した。

「そう云えば、一週間ほど前、恩地さんが大きなライオンを仕留めたと聞きましたが、その時のライオンですか」

五井物産の駐在員が、聞いた。

「その通りです、よくご存知で」

「ナイロビでは、人の噂は一日で地球を七周り半するというほど、早いんですからね」

商社マンらしく、云った。

「よく肉食獣の肉は、草食獣に比べ、硬くてまずいと云いますが、この柔かい肉は、ライオンのどの部位なんです？」

獣医が聞いた。

「フィレですよ」

「へぇぇ、ライオンのフィレねぇ、人類の歴史の中で、ライオンに喰われた人間の方が圧倒的に多いだろうに、われわれはライオンを喰ったごく僅かな人間だというわけですね、これは愉快だ」

〝天才〟言語学者が、満足げに云った。

ライオンの肉で一しきり話に花が咲いた後、ホステス役の女王は、夫人たちにも気を配り、女性同士の話の輪に加わった。

「恩地さん、お宅の国民航空のカレンダー、残っていたら、分けて下さいませんか」

五井物産の駐在員が、恩地の耳もとで云った。

「えっ、追加分が届いたことも、お耳に入っているんですか、まさに地獄耳ですね」

恩地は苦笑した。東京本社からの割当てが少いため、親支店のカイロから、余っている分を取り寄せ、一昨日、クラークが配って歩いたのだった。商社マンは頭を掻《か》き、

「僕はナイロビ駐在員と云っても、事実上はザンビア駐在で、銅の輸入に当っています、ザンビアから銅を買付けるばかりでは能がないので、政府要人に喰い込んで、インフラ関係のプロジェクトを取ろうとしていた矢先、ザンビア鉄道を走るディーゼル機関車の国際入札を知りまして、何とか落札したいとあれこれ、動いているのです」

アフリカにおける商社間の競争は熾烈を極めているのだった。

「ご承知のようにザンビアは、イギリス統治下の北ローデシアが独立して出来た国ですから、鉄道関係の商権もすべて白人が押さえているんですよ、しかし、ザンビア国有鉄道は日本と同じ狭軌のレールですから、日本の機関車をそのまま使える利点があるので、落札して実績を作らねばと、うちの所長に尻を叩かれているんですよ、アメリカのGEなど、大使館ぐるみで攻勢をかけているんです」

「しかし、そんな大きな商権にわが社のカレンダーぐらいが、どうお役にたつのですか」

「日本が全く知られておらず、世界地図の端っこの小さな島国を指して、ここに鉄道があるのかという政府高官が多いので、印刷がきれいで、情緒たっぷりの国民航空のカレンダーは、ビジネスに大いに役だつのです」

熱っぽく云った。

ナイロビより遥かに僻地にあっても、欧米の大企業と伍して行こうとする商社マン、マサイ族の部落で、彼らにとって命から二番目に大切な家畜の診療に当る若い獣医、僅かな文部省の基金でさらなる辞典作りに没頭している言語学者——、恩地は、それぞれ仕事に打込む男たちに羨望を覚えた。

暖炉の火は、ぱちぱちと弾けて、燃え続けていた。日本茶栽培会社の事務所長は、ふと時間に気付いた。

「いつの間にか、遅くなってしまいましたね、この辺で失礼しましょう」

腰を上げると、他の客たちもたち上った。

「まだ、いいじゃありませんの、今夜は、主人が留守ですし、遠慮なくお泊りになって——、二階のゲストルームもその用意をしておりますわ」

と引き止めた。ナイロビの下町住いの言語学者と獣医は、

「お言葉に甘えて、久しぶりに温かいシャワーを浴びて寝《やす》ませて戴こう、第一、この時間では下町は物騒で帰れませんからね」

互いに云い合い、サーバントの案内で、二階へ上って行った。

玄関の車寄せに、各々の車が呼ばれ、一人一人、帰りはじめた。

「私もそろそろ、失礼することにして」

恩地が席をたちかけると、

「まあ、一番遅くいらして、もうお帰りになるなんて、もう少しゆっくりしていらして下さいよ、他に泊っていかれる方もあるのですし」

「有難う、でも、明日の仕事に差し支えますから」

「でも、お迎えに行ったドライバーが酔っ払っているらしく、すぐお送りできないわ」

「じゃあ、酔いが醒めてから、送って戴きましょう」

恩地は、暖炉の前のソファに腰を下した。海抜千七百メートルのナイロビでは、昼間は、太陽が照りつけても、夜は十三、四度まで気温が下るのだった。

広間から潮がひくように人影がなくなり、石積みの背丈ほどもある暖炉の前に、アフリカの女王と恩地だけになった。

「恩地さん、今夜は何だか浮かない顔ね、何かおありなの」

「いえ、別に——、それより今夜のパーティ、日本人会の多士済々が集って、さすがにあなたは、アフリカン・クイーンと呼ばれるあの蝶のような存在ですね」

アフリカン・クイーンは灼熱の太陽のようなオレンジ色の羽に、黒と白の紋様をつけ、眩《まば》ゆいばかりの華やかな蝶であった。

「まあ、あの蝶——、私があの蝶のようだとおっしゃるの」

「そう、コーヒー農園主のヒギンズ夫人として、イギリス人社会で生き、一方、今夜のような日本人会でも、あなたの美貌と才気で、人を魅了し、何一つ不自由なく、思いのままじゃないですか」

恩地は、ミスター・ヒギンズとは狩猟仲間であった。コーヒー農園主というより、学者のような見識と人柄を備えた人物であることを知っていた。

「恩地さんが、そんな風に私をご覧になっていたとは思わなかった、私はアフリカへ来て、もう十年になるのよ、その間には、いろんなことがあったわ、誰だって人に云えないことがあるものよ」

と云い、暫《しば》し、口を噤《つぐ》んでから、深い吐息をついた。

「いくら夫に恵まれ、愛されていると云っても、十年も日本を離れていると、時々、云いようのない望郷の念に駆られるわ、〝望郷〟など、小説か、映画の題名ぐらいに思っていたけど、そうじゃない、人間の、故郷を思い、故国を思う気持って、消し去り難いものなのね」

恩地は黙って、ブランディを口に含んだ。

「でも、私は既にイギリスの国籍を取得し、夫と共にこの地に永住しているけれど、あなたは日本人で、家族を残してどうしてここで独りで暮していらっしゃるの、あなたを見ていると、今夜のパーティのような時も、ライオンを仕留めた時も、いつも翳《かげり》が貼りついているわ」

恩地の心の深い淵を覗き見るように云ったが、恩地は答えなかった。

「ナイロビに赴任されて、そろそろ二年かしら、恩地さんの任期はいつまでなんですの」

「私には、定《き》まった任期がない」

「え、任期が定まっていない」

「そうです、あと三年か、五年か、或いは十年なのか——」

恩地は、孤独の日々に耐えるように云った。

「どんな事情があるのか、解らないけれど、このアフリカの地で、人間が孤独に過すことは、並大抵じゃない、でも孤独なのは、あなただけじゃない、私だって、私なりに耐えて来た歳月があるのよ」

思いをめぐらすような、長い沈黙の後、

「もし、〝サバンナの恋〟という表現をするならば、それは、私と彼のことといえるでしょう」

そう云って、はじめて、自らの来し方を話しはじめた。

私とオーソン・ヒギンズが出会ったのは、一九六一年、私がカイロで開かれたユネスコ主催のアジア・アフリカ学生会議に出席した後、ナイロビへ行った時のことだった。

会議の終了後、日本代表で出席した男子学生二人と私の三人は、カイロから飛行機で五時間のケニアに向った。たまたま代表の男子学生の叔父が、商社のナイロビ事務所長だったので、頼ることにしたのだった。

ナイロビ空港に着くと、迎えの車が来ており、その晩は、事務所長の広大な社宅で食事と宿泊の世話になった。翌日のサファリ行には、四輪駆動車と運転手兼ガイドをつけて貰って、アンボセリへ向った。

保護区に入ると、キリン、縞馬、トムソンガゼルなどが群をなしている。運転手は大きなブッシュの中を指し、ライオンがいることを告げた。車を寄せて見ると、子供は母親の乳房に吸いついたり、子供同士じゃれ合ったりしている。雄ライオンは、少し離れたところで、鬣《たてがみ》をなびかせていた。私たちは百獣の王、ライオンを見た感激で、車の天井を押し上げ、大きな開口部から体を乗り出して眺め、カメラのシャッターを切り続けていた。

その時、もう一台の四輪駆動車が、近寄って来た。まるでライオン一家の団欒《だんらん》を妨げぬように静かに車を停めて、私たちに会釈した。現地人のドライバーに車を運転させていたのは、二人の白人の青年で、一人は8ミリを廻し続け、一人は黙ってじっと見守っているだけであった。

その日の夕方、私たちは、テント張りのセルフサービスのロッジへ入った。隣りのテントにいたのは、昼間、ライオン・ファミリーを観察していた時、顔を合せた二人のイギリス人だった。

野外で自炊するため、ドライバーの案内で、男子学生の二人が薪にする枯枝を集めに行き、私が飯盒《はんごう》の米を研《と》ぎ缶詰のコンビーフやハムを用意する役であった。だが、大きな太陽が傾き、サバンナを黄金色に染めはじめると、私は大草原に心を奪われて、独り歩き出した。少し行った時、土色の岩のようなものが見え、足を止めた途端、その岩が大きく動いた。瞬間、私の体が地面に横倒しに叩きつけられ、横をサッと通り過ぎる獣の息づかいを感じた。私は地面にうつ伏した。恐怖の一瞬が過ぎると、私の体に人が掩《おお》いかぶさっていた。「危かった、バッファローの蹄《ひづめ》にひっかけられ、踏み殺されるところだった」と云ったのは、隣りのテントのイギリス人だった。私は、恐怖のあまり体が震え、たち上れなかった。「おそらく、バッファローは踞《うずくま》っていて、あなたの姿に驚いて、突進して来たのだろう、バッファローは執拗だから、引っ返して来た来るはずだ」と云い、頭からかぶった泥を払ってくれ、たち上れないでいる私を、抱きかかえて、テントへ連れて行ってくれた。

私はまだ恐怖で体の震えが止まらず、助けてくれた男性の胸にしがみついていた。カトリックの躾《しつけ》の厳しい学校で中学から大学まで過した私にとって、男性の胸に抱かれたはじめての経験だった。それがアフリカのサバンナであった忘れ難いこととして、私の心に残った。

そのことがきっかけで私たち三人は、イギリス人と言葉を交すようになった。私を助けたのが、オーソン・ヒギンズだった。ロンドンの保険会社に勤め、同僚とバケーションに来ているとのことだった。

翌朝、晴れ渡った空にキリマンジャロの山容がくっきり浮かんだ。私たちはモーニングティーを飲みながら、その威容と優美さを備えた姿を堪能した。そのあと、私たちはヒギンズたちの車に随いて、サファリに出かけた。ヒギンズは、双眼鏡でサバンナを注意深く見渡しては、豹がトムソンガゼルを喰い殺し、木の枝に登っているところや、ライオンの蜜月旅行など、珍しい動物の生態を観察させてくれた。午後、象の群を追っていると、十数頭の象の群が見えた。ヒギンズはこれ以上、近寄らないようにと私たちに合図し、双眼鏡でその群を注意深く観察していた。そして窓越しに、私の手に双眼鏡を渡してくれた。

よく見ると、真ん中にいる象がよろよろと歩き、周りの象が支えているようだった。だが次第によろめき、地面に倒れて、苦しげに脚をもがかせた。周りの象は動かず、じっと見守っていたが、突然、一頭の象が、倒れている象の心臓を鋭い牙で突き刺した。みるみるその牙が真っ赤に染まり、刺された象は息絶えた。周りの象は、一斉に、ヒュマーン、ヒュマーンと悲しい鳴き声を響かせた。病気で生きて行けなくなった仲間を置き去りにするのが忍びなく、一突きで死なせたものであるらしい。傾きはじめた夕陽の中で、耳を伏せ、静かに葬列のように往く象の姿は、悲しく荘厳であった。私は泣いた。彼は、「あれが象の〝慈悲の死〟です、極めて珍しい場面に出遭いましたね」と云い、自分たちは今夜、マサイ・マラに泊ることになっているからと云い残して、アンボセリを去って行った。

私は、日本へ帰ってから、危うく命を落しそうになったところを救ってくれたオーソン・ヒギンズのことが、頭から離れなかった。だが、卒業論文と試験に追われ、ようやく年が明けて、都市銀行への就職が定《き》まった頃、思いがけなくオーソン・ヒギンズから手紙が届いた。

手紙には、「アフリカのサバンナで出会ったあなたとは、サバンナで再会したいというのが、私の秘かな願いでしたが、近く日本へ市場調査のため出張することになったので、その時は是非、再会したい」と記されていた。

五月五日、私は羽田空港へ彼を出迎えた。再会の喜びに、どちらからともなく抱き合っていた。オーソンは、「あの時、小鳥のように震えていたあなたの可憐さがずっと私の胸にあった」と云い、サバンナでの出会いが、二人の心を結びつけていたことを、互いの胸に汲み取った。

オーソンは、プロポーズをし、横浜の根岸《ねぎし》の私の家を訪れて、父にその旨を申し入れると、父は頭から反対した。県庁勤めの公務員の父は、一人娘が国際結婚するなど、想像だに出来なかった。

一方、彼の両親も、イギリス人社会に、一人息子の嫁として日本人を迎えることに反対しているという。彼は、日本からナイロビの両親に国際電話までしたが、承諾は得られなかった。

一ヵ月間の出張期間が過ぎ、いよいよ帰国があと二日と迫った日、彼は私に真紅のルビーの指輪を贈り、「必らず、両親を説得するから、その時は迷わず飛行機に飛び乗って、僕の元に来ることを約束してほしい」と云ったのだった。その時の彼の恐しいほど澄んだ青い瞳が、私をしてすべてを擲《なげう》ち彼のもとへ行く心を決めさせたのだった。

彼が帰国して一ヵ月目に、オフィスにいる私のもとに国際電話がかかり、「保険会社をやめて、父のコーヒー園を継ぐことを条件にようやく両親が承諾した。BOACの航空券を送るから、できるだけ早く来るように」と云って来た。私は人目も憚《はばか》らず、涙を流した。

その年の八月、ナイロビ空港へ私を出迎えたオーソンは、その広い胸に私を抱き締め、彼の運転する車で、ナイロビから北東へ三十キロのムサイガの家へ向った。

二百エーカーのコーヒー園には、大きな森があり、小高い丘に石造りのイングランド風の館があった。晴れた日には、テラスからキリマンジャロも望まれる。朝の散歩の時、夫は、森の中の鳥の名前や野生の花の名を教えてくれた。幼い時から動物が好きで、日曜日になると、両親に動物園へ連れていってとせがんでいた私は、アフリカの大自然と野生動物に憧れていた。その夢が実現し、大自然と触れ合う人生を得たことを喜び、感謝した。

このコーヒー園は、夫の父が買い求め、成功させたものだった。夫の両親は遥か極東の国から来た私にどう対応してよいか解らぬらしく、あまり口をきかなかった。特に舅《しゅうと》は、口数が少く、気難しかった。だが、ヒギンズ家の格式を保つために、イギリス人の上流社会の社交クラブとされていたムサイガ・クラブのメンバーを自邸に招いて、披露宴を催してくれた。紳士はともかく、老婦人の中には、振袖姿の私を珍しそうに〝観察〟している者もいた。一人息子のためとはいえ、ムサイガ・クラブのメンバーに、日本人の嫁を認知させようという両親の計らいであることを感じた。

夫はもともとコーヒー園の経営を好まなかったが、私との結婚を許可して貰う条件として、農園を継いだのだった。それでも、私はコーヒー園に興味を持っていた。アフリカの灼《や》け乾いた地に、日本茶に似た緑の葉をつけたコーヒー畑が、延々と拡がっていることに驚きを持ったのだった。

だが、コーヒーの栽培は手のかかる仕事だった。コーヒーの木には風通しが必要だ。隣りの木と接触しないだけの広い間隔を取り、絶えず、枝を払い、葉を刈り込み、雑草取りに追われる。中でもブラック・ジャックという雑草がコーヒー畑に蔓延すると、地下の水分が奪われて枯れてしまう。

百八十人の働き手《レーバー》たちは、朝七時から夕方四時まで、支配人のギコニョの指図で、雑草取りや、コーヒーの葉の刈り込みに追われる。生来、ポレポレ（ゆっくり、ゆっくり）のアフリカ人は、少し眼を離すと、二メートルほどのコーヒーの木の下に入って寝てしまうのだ。五人のレーバー頭が、それぞれの持場を見廻って、それを監視するのだった。支配人のギコニョは、舅が農園をはじめた時からの使用人で、働き者だ。コーヒー園全体の木の生育や作業の進み工合を見て、収穫量を予測し、レーバーの賃金を定めるなど、ヒギンズ・コーヒー園の運営を任されているのだった。

熟しきったコーヒーの実が鈴なりになり、収穫時になると、女子供を問わずレーバーたちは畑へ出て、歌をうたいながら、赤いコーヒーの実を一つ一つ、指で摘んでは背中の籠に入れて行く。畑の中から、レーバーたちが腹の底から響くような声で、歌をうたいながらコーヒーの実を摘む様子は、アフリカの農園独特の明るさといえた。

摘み取ったコーヒーの実は、ダムの水を使って、金網の篩《ふるい》にかけて皮をむき、筵《むしろ》を敷いた台に広げて太陽で、薄皮がはがれる程度になるまで四、五日乾燥して、麻袋に詰める。

この収穫時は、猫の手も借りたいほどの忙しさだ。レーバーたちは、定まった時間だけではなく、日の出とともに働き、日の入りとともに仕事を終える。定まった賃金とは別に、一日いくらの日銭が支払われるから活気づき、歌声も大きくなった。私もこの収穫時には、馬に乗って農園を見廻り、レーバーたちと共に収穫を喜んだ。

だが、結婚の翌年、ケニアは、イギリスからの独立を宣言した。その日、ケニアの各官公庁に二つのポールが立てられ、ケニアの国歌が吹奏される中で、イギリスの国旗がするすると降り、同時に、ケニアの国旗が掲揚され、風にはためいた。どよめくような声が、町中に起ると、イギリス人たちは表面は平静を装っていたが、内心は暴動を怖れていた。しかし、ケニヤッタ大統領が軍政を敷いて治安を保ったため、大きな暴動は起らなかった。白人の小規模な農園主は、アフリカ人に土地を没収されたりした。しかし、ケニアのイギリス人上流階級は、ケニア政府と通じていたから、何らの変化も起きなかった。

ヒギンズ家も、独立による影響は受けなかったが、コーヒー園が害虫に蝕《むしば》まれる災難に見舞われた。

或る早朝、ギコニョが、館に続く舅のオフィスの扉を叩き、コーヒーの木に害虫がついたことを報せた。舅と共に、夫と私も、馬に乗って駈けつけると、黄緑の新芽をつけたコーヒー畑の一角が、食べられていた。よく見ると、木の枝や幹に白い小さな卵が産みつけられている。コーヒーの木は、新しい苗木を植えつけても、四、五年たたなければ、実をつけないから、一刻も早く害虫を駆除しなければならない。農園中のレーバーを総動員して、害虫に侵されている木を切り払い、害虫がつかなかった残りの木は、枝を払って幹に駆除剤を塗りつけ、大型の噴霧器で薬を散布して、害虫を防いだ。女子供たちも総出で、防虫に努めたが、その年は、例年の半分しか、収穫がなかった。

夫は疲れた顔で「父も齢で、今度のことでは参っているから、私から話してコーヒー園を売り払うことにしよう。他に借地にしている土地もあり、生活に困ることはない。何よりも私にとって、ヨーコが、コーヒー園を見廻っている姿を見るのが忍びない。疲れているだろうから、一度、美しい日本へ帰って休息しておいで」と優しく気遣ってくれた。

その瞬間、これまで抑えていた祖国への思い、父と母を慕う思いに、身が引き裂かれ、狂気のような望郷の念に駆られた。結婚後、一度も日本へ帰っていなかった。だが、父に義絶するとまで云われながら、日本を飛び出した身であることを考え、また、日本へ一旦、帰れば、再びこの日本人社会と隔絶された地へ戻るだけの気力があるだろうか——と、自分に問いかけてみて、帰国しなかったのだった。

夫の両親は、そうした私に対して、ようやく心を開いてくれた。ティー・タイムにはキリマンジャロの見えるテラスに招いてくれ、夜は共に、チェスを楽しむ和《なご》やかな家族関係になった。そして二日遅れで届くタイムズの催し物欄を見ては、たまにはパリへオペラを見に行ったり、ウィーンの音楽会へ出かけてはと、優しい心配りをしてくれた。ようやく、ヒギンズ家の嫁として、外へ出かけることを認めてくれたのだった。

私と夫は、ヨーロッパより、南アフリカの旅行を望んだ。ナイロビからヨハネスブルクのヤン・スマッツ国際空港までＢＯＡＣで飛び、そこからは国内線の南アフリカ航空で、ポート・エリザベスからケープタウンまで廻る予定をたてた。

ナイロビを出発して、ヨハネスブルクに着き、予約していたホテルに入ると、フロントの宿泊係が、部屋はないと云った。

夫は、予約を入れておいたのにないはずはない、支配人を呼べと云うと、蝶ネクタイをつけた支配人が現われ、「ミスター・ヒギンズのお部屋はございますが、女性の部屋はありません、このホテルは白人専用ですから」と答えた。夫はすぐ自分たちのパスポートを示し、「私たちは正式の夫婦だ、それでもノーと云うのか」と詰め寄ると、「はい、白人以外は泊めることは出来ない規則になっております、ミセスだけは、こちらで紹介するホテルにお泊まり戴きたいのです」と云った。夫は「ノー、予約は取り消す」と云い、憤りに震えている私の体を抱いて車に乗り、その日のエール・フランスの便で、すぐナイロビへ帰ったのだった。

夫婦でありながら、肌の色が違うということだけで差別された事実は、生涯、私の心から消し去ることの出来ない屈辱として残った。

アフリカの女王は、そう語り終えると、恩地の方へ向き直り、

「人間が、人間を差別する不条理——、私は、それ以来、アフリカの部族に対して、決して差別意識を持たないことを、心に固く誓ったのです」

しんと、心に響くような声で云った。恩地は、胸搏《う》たれた。

一見、華やかで、差別などとは無縁の人のように思っていたアフリカの女王が、自ら差別に遭い、生きぬいて来たことをはじめて知った。恩地自身、職場の不平等や差別と闘って来た道程《みちのり》と思い合せ、今さらのように差別は、人間の哀しい性《さが》だと思った。

*

年が明け、一九七二年の正月もまたたく間に半ばが過ぎた。

国民航空ナイロビ営業所に飾られていた鏡餅やしめ縄も片付けられ、普段通りに戻ったオフィスのカウンターで、恩地は二人の青年の旅行相談にのっていた。

先進国政府による開発途上国への資金、技術援助の一環として、ケニアへ派遣されていた日本の農業指導の隊員であった。二年の任期を勤め、日本へ帰るに当って、帰途、ヨーロッパ観光をしたいというのは、派遣隊員たちの共通した念願であった。

「こういう機会でもないと、僕たちに、ヨーロッパを訪れるチャンスはありません、一世一代の

思い出に、できるだけ多くの名所旧跡を廻りたいと、僕らなりのプランを作ったのです」

ナイロビ郊外のエンブ地方で、農業用水路の建設指導に当ってきた純朴そうな青年が、目を輝かせながら云った。

「お気持はよく解りますが、希望される観光地をもう少し絞られることですよ、これでは空港から空港を駈け足で廻るようなもので、お勧め出来ません、寒い時期で行動が制約されるロンドンやハイデルベルクはこの際、カットしてはどうでしょう」

限られた日数と費用の中で、心に残るヨーロッパ旅行を楽しんで貰おうと、親身になってアドバイスした。

「ロンドンへ行けないのは、どうも……、もう一度、二人で考えてみたいのですが」

夢ばかりが膨らみ、四、五回、相談に来る隊員も珍しくなかった。

「いいですとも、遠慮なくまた来て下さい」

頬笑みながら、見送った。

「恩地さん、今日は」

いつの間に来ていたのか、ヒギンズ家の「ジャカランダ・パーティ」で顔を合せる若い獣医の兵庫《ひょうご》が、久しぶりにカウンターの前に坐った。

「日本茶でもどう?」

「有難いですね、明後日から半月間、またマサイ・マラの部落へ診療に出かけるので、オフィスの余りものを戴きに来たんです、砂糖、紅茶、紙コップ、マッチ、ゴムバンド、何でも結構です」

それらは兵庫が、マサイ族の人々に分け与える品々であった。

「日本で獣医をしていれば、苦労をせずに済むのに、たった一人でよくやるね」

　恩地は、ウイリアムが運んで来たティーバッグの日本茶を勧めながら、感心した。

「いえ、日本の獣医の世界は、医学部ほど権威主義でなくても、似たり寄ったりで、自由に研究テーマも選べませんよ、それに比べれば、石と牛糞で造った荒野の中の一軒家とはいえ、ドイツ人獣医が残して行った診療所があります、マサイ族の大事な牛の病気を治療しながら、研究が出来るこちらの生活の方が、よほどやり甲斐がありますよ」

　屈託のない笑顔で云った。マサイ族の牛の一般的な治療を行う傍ら、その地域独特の家畜の病気である〝眠り病〟を防ぐために、病原虫を媒介するツェツェ蠅をいかに駆除するかが、兵庫の研究テーマであった。

「ウイリアム、ドクターにお分けする砂糖や紅茶を頼む」

　恩地が命じると、

「お客さまに出す紅茶や砂糖に、余分はありません」

　珍しく依怙地になった。

「棚にたくさんあるだろう、同じケニア人に分けるのだから、出しなさい」

　恩地が窘めると、

「マサイ族の考えは、古過ぎます、この時代に、まだ誇り高き戦士ぶって、生活を放牧に頼り、町での仕事も槍を手放さない夜警しかやらないなど、馬鹿げています、はっきり云って、われわれの税金を吸い取るお荷物ですよ」

　カンバ族のウイリアムは、辛辣に非難した。同じケニア人とはいえ、部族間には、未だに埋め難い対立があった。

「じゃあ、足りなくなった分は、私のポケットマネーから買い足そう、それならいいだろう」

恩地が、彼の気持をこれ以上、逆撫でしないように云うと、ウイリアムはさすがに黙り、頼まれた品々を紙袋に入れはじめた。

「これから要るものは、家へ取りに来てくれた方がいいね」

「すみません、マサイ・マラへ行くと、毎日、遠くまで走るので、ガソリン代が大へんなんです、それでナイロビでは、このケニヤッタ通りのビジネス街で、一挙に調達したいと思って」

ガソリン代も、ナイロビ在住の日本人のペットの診療で得た収入で、賄っているのだった。

「マサイ族の牛も大事だが、君自身の体にも気をつけて」

ナイロビから三百キロ離れたマサイ・マラの部落へ入れば、文明社会とは隔絶され、音信不通となる。恩地は、兵庫の半月間の無事を祈った。

朝の仕事が一段落すると、恩地は同じケニヤッタ通りに面したビルに事務所がある昭和商事へ出向いた。この間の新年会で、昭和商事の事務所長が、二月初旬、東京本社へ出張すると小耳に挟み、国民航空の航空券を使って貰えるよう、それとなく打診するためだった。

去年の春、オフィスを構えたばかりの昭和商事は、鉄鋼専門商社だった。インターコンチネンタル・ホテルの宴会場で、事務所開設の披露パーティを催した際、現地重視をアピールして、ケニア政府高官や取引先を招待したのはよかったが、招待状一枚に親兄弟、友人が四、五人もついて来、お開きの時間になる前に食べものも、飲みものもなくなってしまった。白人や日本人は程よく帰ったが、ケニア人たちは帰ろうとする気配もなく、狼狽した事務所長が、恩地に何か良い知恵はないかと泣きついたのだった。昭和商事の本社から出席している社長や役員の前で恥を掻く事務所長の立場に同情し、恩地は宴会係のボーイに部屋の灯りを消させ、まっ暗にして、ようやくお引取り願ったことがあった。

ビルの五階にある昭和商事の事務所の扉を押すと、事務所長と出くわした。

「おや、お出かけですか」

「いや、裁判所からたった今、帰って来たところですよ」

事務所長は、ふうっと大きく息をついた。

「裁判所とは穏やかじゃありませんね、どうかなさったんですか」

「実は、三日前、警官がいきなり踏み込んで来て、インド人の職員に、ワーキング・ビザを提示しろと云うのです、昨年からビザを申請しているのに、梨の礫で、職員にも何度か足を運ばせていたんですよ、その度に一週間後だ、十日後だと相手にされず、全く下りる気配がないので、こちらも申請中ということで働かせていたのです、その事情を縷々《るる》、説明しても、警官は耳を傾けず、ビザなしで働くのは不法労働行為だ、即刻、職場を離れさせろ、言い分があれば裁判で申し開きしろと、えらい剣幕でしてね」

ポレポレのこの国では、ごく一部の幹部を除いて、すべてがスローモーであった。それにしても警官が踏み込んで来るとは、不自然だった。

「それで、裁判で争われるのですか」

「あまりに理不尽なので、無罪を主張したいところですが、ことが長引き、面倒になるばかりなので、やむなく罪を認め、罰金五百ドルを支払って来たんですよ」

憤懣やるかたない口調で、云った。

「ひどい話ですね、ですが、これを機に対策を講じておかないと、またぞろ何か因縁をつけられるかもしれませんよ」

「これ以上、脅かさないで下さいよ、でもそれ、どういうことなんです?」

事務所長は、心配そうに体を乗り出した。

「会社名は云えませんが、やはりワーキング・ビザの件で揉め、いろいろ調べたところ、副大統領のモイが台頭して、警察を配下に置いたらしいです、大統領のケニヤッタは老齢とはいえ軍隊を掌握しているから、今すぐ、どうこうという事態ではないにしろ、今後は、副大統領系の国会議員も会社の顧問にして、月々、顧問料を支払うことにしたそうですよ」

「へええ、うちは後発だから、事情に疎くて——、いい情報を有難う」

事務所長は礼を云い、

「二月十日に、東京本社で会議があるので、ヨーロッパ経由の航空券の手配を頼みますよ」

自分の方から、切り出した。

「それは有難うございます、ナイロビからヨーロッパへは、どこ経由をご希望ですか」

「まだ決めていないけれど、実は荷物が超過しそうなので、頭を痛めているんですよ」

「それでしたら、フランクフルト経由でいかがですか、ナイロビ—フランクフルトはルフトハンザ航空に話をして、超過料金は目をつむって貰い、フランクフルト—東京はもちろん国民航空がサービスさせて戴きます」

「じゃあ、ルフトハンザの便に合せるから、スケジュールを組んで下さい」

願ってもない様子で、云った。恩地も航空券買上げの礼を云い、事務所を辞した。

オフラインのワンマン・オフィスにいても、売上げを上げる——、それが、恩地の会社に対する意地であった。

ケニヤッタ通りを、自分のオフィスへ向けて歩き出した時、不意に遠慮がちな声をかけられた。

「あの……日本の方でしょうか」

振り向くと、垢じみた不潔なブラウスにスカート姿で、足には何も履かず、裸足の日本人女性がたっていた。両の手には、肌の黒い縮れ毛の痩せ細った幼い子供の手を引いている。

「ええ、そうですが、何か」

恩地は、異様に感じながら、聞き返した。

「……お恥しいのですが……この子供たちに、あそこの店の食べものを買ってやって貰えませんか」

すぐ横の食料品店のウインドゥを、伏目がちに指した。身形《みなり》の割には、言葉遣いが丁寧だった。顔だちも整い、目もとが涼しく、月見草を思わせるようであった。

恩地は戸惑いながらも、ひもじそうな幼い二人の子供のために、パン、サンドイッチ、菓子、ジュース、缶詰を買い求めて、外で待っていた女性に、紙袋を手渡した。

「こんなにたくさん……何とお礼を申してよいやら……助かりました」

女性は、頭を下げ、涙を流した。

「失礼ですが、一体、どうなさったんですか」

女性が裸足であることといい、二人のアフリカ人の子連れであることといい、ただならぬ理由《わけ》がありそうだった。

「実は……」

云いかけるより早く、二人の幼児が紙袋の中のパンを奪い取り、餓鬼のようにむしゃぶりついた。

「この子たちには丸二日間、砂糖水しか飲ませてやれなかったものですから……」

「この子と云われますと、この二人はあなたのお子さん？」

恩地は絶句した。

「ええ、私、アフリカ人と結婚しまして……、この子供たちは、双子ですの」

「すると、あなたがスワヒリ語学校の卒業生で、こちらで結婚したという――」

恩地は、昨今、邦人の間で、〝日本人の面汚し〟と眉を顰めて語られている女性とはこの女《ひと》かと、思い当った。ヒッピーのなれの果てかと漠然と聞き流していたが、目の前の女性は、全体の物腰から察して、そういう類いではなさそうだった。

路上で紙袋の中の食べものを奪い合っている二人の子供を見て、恩地は近くの公園のベンチへ母子を誘い、そこで食事するように勧めた。

母親は、二人の子供に飲物を飲ませ、はじめは恩地の視線を意識して遠慮がちにサンドイッチに口をつけていたが、やがて子供たち同様、むさぼるように食べはじめた。

恩地は、傍にいるのが憚られ、少し離れたベンチへ移って、煙草に火を点けた。

ナイロビのスワヒリ語学校――、外務省の外郭団体、アフリカ協会の流れをくむこの学校は、スワヒリ語を教える語学校とはいえ、厳格なカリキュラムや校則があるわけではなかった。冒険心に富んだ青年が〝留学〟と称して親を安心させ、お金を出して貰うのに好都合な学校であった。

スワヒリ語は語彙が少く、文法、発音とも日本語に似かよった言語ということで、習得が早く、修業期間は六ヵ月だった。しかも授業は、午前中のみで、午後は生徒各自が関心を持つ分野を勉強するフィールド・ワークに当てられているから、格別の志を持って〝留学〟している生徒以外は、余暇をふんだんに楽しめる。

午前中の授業が終る頃ともなれば、元は白人の住まいだった校舎の生垣の周りに、女子学生目当てのアフリカ人、インド人の若者たちが鈴なりになり、女性の品定めをして、狙い定めた女子学生を射止めるために、あの手この手で迫って来る。中学も満足に出ていないような若者が、自分はイギリスのオックスフォード、ケンブリッジを卒業し、親は国会議員、親戚は事業家などと吹きまくり、デイトの間中、情熱的な愛の言葉を囁《ささや》き続ける。あとはエネルギッシュなセックスで虜《とりこ》にし、離れられなくなった女に、貢ぎに貢がせ、金の切れ目が縁の切れ目とばかりに捨てて、次の新入生を狙う——。修業期間は六ヵ月でも、スチューデント・ビザは一年間有効であるから、ナイロビの若者には、お誂《あつら》えむきの期間で、泣く泣く帰国する女子学生が少なくないという。

身持ちの固い月見草が誘惑にひっかかったのは、自称〝ミュージシャン〟の男だった。男は、ルワンダの内戦でナイロビへ逃れて来たものの、職業は下町のキャバレーのバンドマンで、名うての女たらしだったらしい。だが彼女は離れられず、日本から車を送って来れば結婚してやるという話に、親をどう説得したのか、真っ赤なコロナを送って貰い、結婚に漕ぎつけたが、妊娠した途端、男は、故郷《くに》のルワンダに用事が出来たと云って、赤い車とともに姿を消してしまった。見かねたバンド仲間が彼女を、エチオピア、ソマリアから流れて来た難民が多く住む下町のイシリイに住まわせ、町のスラムの女たちの世話で、出産したということだった。

恩地は、煙草をたて続けに喫い、母子の坐るベンチへ戻った。飢えをしのいだ子供たちは、無邪気な瞳で恩地に笑いかけ、ようやく子供らしさを取り戻していた。

「お恥しいところを、お見せしてしまいました」

月見草は、改めて礼を述べた。

「お気兼ねなく——、この子たちのお父さんは、今、どちらに」

「……解りませんわ、身籠《みごも》って、半年経っても帰って来なかったので、結婚する時、彼が書いてくれた住所を頼りにルワンダまで訪ねて行きました」

「え、ルワンダへ――」

「あの時は、必死でしたから……、でも苦労して訪ね当てたというのに、親戚が寄ってたかって私を、彼に会わせようとせず、あげくの果て警察に突き出したのです、そのため、不法滞在として国外退去を命じられました、イシリイのスラムで、この子たちを産み、下町の食堂で働きながら、ついこの間までそこに住んでいました、でも、私たちの住んでいた地域は都市開発という名目で強制的に立退かされ、助けて貰っていたソマリア人たちともちりぢりになり、食べるのにもこと欠くようになって……。人通りの多い街中に出て来ては、日本人とお見受けすると、さっきのように物乞いするようになりました……」

「そうですか、大へんな苦労をされたのですね、日本へ帰られては、如何《いかが》ですか」

「いいえ、それは出来ません、日本の両親にはお金、車、結婚と、無心するために、その都度、嘘の上に嘘を重ねて来ました、今さらこの子たちを連れて日本へは帰れません」

「しかし、将来のことを考えると、本当のことを打ち明けた方が……」

「でも、日本の方がもっと厳しいでしょう？　この子たちにとってケニアは、祖国なんですから」

子供たちのこととなると、きっぱり云った。恩地は返す言葉がなかった。

「じゃあ、私はこれで――、僅かな持合せしかありませんが、あなたの靴なりと買って下さい」

恩地は、財布に入っているシリング紙幣をすべて、手渡した。

「こんなに戴くわけには……」

「子供さんたちにも、何か」

恩地は、押しつけるようにした。

「有難うございます」

おし戴くようにして、紙幣をしまい、子供の手をひいて、裸足で去って行った。

恩地は、ふと我に返り、腕時計を見た。とうに昼休みの時間に入っていた。オフィスでウイリアムがさぞ、いらいらして待っているだろう。

恩地はオフィスへ急ぎながら、大使館の医務官夫人が、大使付きの現地人運転手と道ならぬ恋におち、子供まで置いて港町のモンバサへ出奔した話を思い出した。

このアフリカには、何か魔性のようなものがある。自分は会社の不条理な仕打ちに抗しながら、ハンティングにのめり込み、象やライオンに命懸けで銃口を向けている。気がつかないうちに、もしや自分も、その魔性に魅入られているのだろうか——、恩地は総毛だち、身震いした。

＊

恩地は、ナイロビ空港を発ち、ウガンダへ向っていた。

東アフリカ三国共同体の一国であるウガンダの首都郊外で、合弁会社を設立し、ワイシャツを製造している富士ワイシャツへ、国民航空の航空券を販売するためであった。トランクには自社のPR用フィルムとパンフレット、そして寅さん映画『男はつらいよ』のフィルムを入れていた。

二週間前、松田工場長宛に、会社訪問の企画について、手紙を認《したた》めたところ、「貴下のご意向は承りました、何の娯楽もない地のこととて社員と共に、楽しみにお待ちします」という返信があったのだった。短い書簡であったが、心の温まるものを覚えた。

機内サービスのコーラを飲んでうとうとした。ナイロビから一時間そこそこの飛行であったが、まどろんでいる間にもう降下を知らせるアナウンスが流れた。

機体が左右に大きく傾く度に、窓の下にヴィクトリア湖の湖面が迫り、複雑に入り組んだ湖岸の豊かな森が見えて来る。ナイロビで生活している恩地にとって、普段、目にすることのない海のような湖面と、濃密な緑が目にしみた。

やがてエンテベ空港に着陸した。恩地は映画フィルムの入った重いトランクを提げ、タクシーに乗り込んだ。空港から約三十キロ北の首都カンパラまでは、ヴィクトリア湖の湖岸に沿って走る。さらに、目的地の工場に向って、カンパラ市内を通り抜けると、俄かに鄙《ひな》びて来た。頭の上に荷物を入れた籠を乗せ、足元まで色鮮やかな腰布を巻いた女性たちの姿が見受けられ、どこで水揚げされたのか、まだ水滴のしたたっている巨大なまずや草魚《そうぎょ》を三輪車で運んでいる男たちと行きあった。

のどかな光景ではあるが、航空券を売るためにここまで来、俄か仕込みの腕で、映写機を廻しに行く自分が、侘《わび》しく思えた。

紅茶、コーヒー、綿花の畑が連なる農地を過ぎると、ユーカリの林を切り拓いた丘に、コンクリート造りの富士ワイシャツの工場が見えた。

正面玄関で車を降りると、若い総務担当の日本人社員が出迎えた。

「遠いところ、よくお越し下さいました、ご依頼の映写機は、ちょうどこの町に一台あるのを借りられ、スクリーンも用意しています」

航空会社の営業マンを迎えるというより、映画のフィルムを楽しみに待っていた口ぶりであった。恩地が、まず工場長にご挨拶をと云うと、今、工場へ行っているとのことだった。

「お邪魔でなければ、工場を拝見したいのですが」

「私たちの工場を見て下さるとは、嬉しいですね、工場長も喜びますよ」

若い総務担当者は顔を綻《ほころ》ばせ、先にたって案内した。

天井に蛍光灯がずらりと点いている工場に入ると、裁断機の前で、現地の男性作業員たちが、生地をカッティングしている。ミシンの前では、裁断された生地を、女子作業員たちが衿、身ごろ、袖と部分ごとに縫製し、最後に一つに縫い合わせ、ボタン穴をあけて、一着のワイシャツに仕上げていた。

「ここまで来るのに、諸先輩は大へんな苦労をしたのです、特に松田工場長は——」

と云いかけ、小柄な日本人の前に行くと、

「工場長、国民航空の方が到着されました」

と恩地を紹介した。十人の日本人社員と千人の現地従業員を抱える工場長である松田は、作業衣姿で、

「ようこそ、ここはウガンダで唯一の電動裁断、縫製、プレス加工の一貫生産工場でしてね」

わが子のことを語るように、目を細めた。

「ユーカリ林の中に、こんな近代的な工場があることに、さっきから驚いています」

「そりゃあ有難う、あなたが寅さんの映画を見せて下さるというので、テレビもないここでは皆、大喜びですよ、うちの日本人社員と家族だけでなく、海外協力隊員の方たちも合せて、九十人ほど集って来ます」

と云い、工場を出て事務所へ戻った。

「いかがです、ウガンダに来られた印象は？」

「湖と緑の美しさに目が洗われました、道行く人も温和に見えますね」

「それは、この国の土地が肥えていて、国民の八〇パーセントを占める農民の暮しが、安定しているからでしょう、その上、多くがクリスチャンで、日曜日には必らず教会へ行きます、その時、男性は白のワイシャツの上に、白い民族衣裳を着て礼拝するのですよ、おかげで六年前、私と三人の技術者で、現地人百二十五名を集めてはじめたこの工場が、今ではご覧戴いたような規模になり、ワイシャツだけでも、年間十一万ダースを生産するまでになっています」

晴れやかな笑みをたたえて、云った。

映写会は、夕食後、松田工場長の配慮で、工場の広い会議室が提供され、ウガンダにこれほど多くの日本人がいたのかと驚くほどの人々が詰めかけた。

九十名余の日本人が見守る中、恩地はまず国民航空のPRフィルムを映し、次いで『男はつらいよ・柴又《しばまた》慕情』をかけた。

日本の懐しい風景が映し出され、おなじみの寅さんが歌うテーマソングが流れると、それだけで会場はしんとした。日本を遠く離れ、ウガンダで働く人々が、寅さんと共に泣き、笑い、手を叩いて喜ぶ姿を、恩地はしんみりと眺めた。

拍手喝采で映画が終ると、ウガンダの地ビール「ベルビ」が出され、一しきり話に花が咲いた。

松田工場長も、恩地のコップにビールを注ぎながら、

「おかげで皆、大喜びですよ、久しぶりに日本の風景や家族を見て、今夜は眠れんでしょう、また是非とも、こんな機会をつくって下さい、その代り、日本への往復航空券はこれまで、おたくより安い他の航空会社を使っていましたが、これだけ社員や家族が喜ぶのなら、国民航空を本社に相談してみますよ」

と云った。恩地はほっとし、

「そうまで云って戴いて、有難うございます、ご高配のほど、よろしくお願いします」

少くとも、富士ワイシャツの社員十名分について、日本への出張、もしくは帰任の際に、国民航空の航空券を購入して貰える見込みがついたのだった。


フィルムをトランクに収め、ホテルへ向かおうとする恩地を、松田工場長が社宅へ誘ってくれた。


高いコンクリート塀で囲まれていたが、庭には、外灯に照らされて、ハイビスカスやブーゲンビリアの花が浮かび上っていた。夫人と二人の女の子が恩地を出迎えた。

「おじさん、さっきは日本の映画を観せて下さって有難う」

おかっぱ頭の女の子が、きちんと挨拶した。恩地が驚くと、

「実は、この国へ家内と子供を呼び寄せるに当っては、さすがに随分、悩みましたよ」

小柄で温厚ながら、強靭な意志を感じさせる松田は、富士ワイシャツの現地生産工場をウガンダではじめるに至った経緯を、食事を共にしながら話した。


関西の一繊維メーカーに過ぎなかった富士ワイシャツが、一九六六年にウガンダへ進出することになったのは、一人のインド人との出会いからだった。大阪で開かれた国際見本市に、富士ワイシャツが出展したところ、一人のインド人が興味を示し、「これまでいろいろな会社のワイシャツを買ったが、今回は富士ワイシャツのを買うことにしよう」と、二十ダース買いつけてくれた。彼はウガンダで衣料品販売会社を営んでいると云ったが、私はウガンダという国がどこにあ

るのかさえ知らなかった。だが、二ヵ月後に、大量買い付けの電報が届いた。私は、この際、現地へ行ってみることだと考え、オーナーの社長に話して、ウガンダへ飛び発った。

エンテベ空港には、インド人の衣料品販売会社の社員が迎えに来てくれ、カンパラ市内にある会社に着くと、階下のショーウインドゥに、富士山のマークが入った自社製品が、ずらりと並べられていた。日本で会ったインド人社長は、「この国の人たちは、食糧を自給自足で賄っているから、働いたお金は殆《ほと》んど着るものに費《つか》う、特に男性は、衣類を沢山持っているのが金持の証しで、白いワイシャツの上に、白い膝下まである民族衣裳のカンズをまとい、杖をついて、煙草をくゆらせるのが、ステータスなんですよ」と話した。それなら日本からワイシャツを輸出するより、現地生産すれば、もっと安く、大量に供給出来ると考えたが、わが社の資力から出来ることではなかった。

だが、それから五年後の一九六五年、思いがけず、ウガンダ開発公社から、わが国の輸入ワイシャツ市場の六〇パーセントを占める日本の富士ワイシャツと合弁会社を設立し、現地生産したいと提案があった。

当時、ウガンダへの投資は、相当な決断のいることであった。社長は、「わが社の製品が評価されて持ち込まれた話だ、やって来い」と当時まだ三十三歳の私に、ウガンダとの合弁会社設立の成否を託したのだった。

しかし、操業五ヵ月目に、クーデターが起った。オボテ首相率いるウガンダ政府軍が、王宮を急襲して占拠し、ムテサ大統領は、命からがらイギリスへ亡命した。

この朝、街に銃声が轟き、従業員は一人も出勤して来なかった。私は、クーデターと聞くなり、工場の入口のポールに日の丸の旗を掲げ、日本人が操業している会社であることを示した。昼過ぎ、数人の従業員が、負傷し血まみれになって、工場に辿《たど》り着いた。従業員は、政府軍がムテサ大統領の出身部族であるバガンダ族を手当り次第に殺していると云った。わが社には、他にもバガンダ族がいたから、直ちに門を閉ざしたが、ほどなく政府軍のジープが乗りつけた。私に銃口を突きつけ、「バガンダ族を匿《かくま》っているだろう、ここへ集めろ、匿うとお前も殺す」と、銃の引金に手をかけた。「私は日本人だ、クーデターと全く無関係の日本人を殺すというのか！」と銃口の前にたち塞《ふさ》がると、「われわれの命令に従わなければ、工場をぶっ壊すぞ！」、自動小銃を持った兵士たちがいきりたった。「この工場は、ウガンダ政府と日本企業の合弁で出来たもので、私がその責任者だ、私は会社の従業員を、命を懸けて守る、従業員は誰一人、出せない」と云うと、小銃を突きつけていた兵士は「解った、ここは日本人が経営している会社で、クーデターとは無関係だ」と云い放って、引き揚げていった。この日以来、「ミスター・マツダは私たちのブラザーだ」と云われ、従業員たちと強い絆《きずな》で結ばれた。それに伴って、工場の生産性も向上したのだった。

クーデターで、オボテ大統領が誕生し、翌一九六七年になると、工場は七十台のミシンで、月に二千六百ダースのワイシャツを生産するまでになった。工場を軌道に乗せたら、帰国する予定だったので、それを従業員たちに伝えると、「ミスター・マツダは、われわれのブラザーではなかったのか」「あなたは、ウガンダへ金儲けのために来たのか」と怒り、泣き出す者もあった。私は「この国が好きだ、今も皆のことをブラザーと思っている」と答えたが、日本へ帰る限りは信じて貰えなかった。

私は遂に、ウガンダに骨を埋める覚悟をし、日本の社長にその旨を書き送った。同時に妻に現在の自分の心境を伝えた。社長からは「すべて君の決断に任せる、いかなる支援も惜しまない」

という豪気な返事が届いた。二人の娘を持つ妻は、さすがに考えあぐねたらしく、ようやく「家族は一つ、私も娘も、あなたに随いて行きます」という返事が着いた時には、涙が止まらなかった。

家族とも暮せるようになり、合弁会社も三年目を迎えると、従業員は二百名を越え、ワイシャツだけでなく、ズボン、トレーナーなども生産して、業績を伸ばした。

そんな或る日、私のウガンダでの生活で、忘れられない出来事が起った。一台の軍用四輪駆動車が工場の前に止まり、カーキ色の軍服を着た将校がつかつかと一人で、私の部屋へ入って来た。私は何事かと驚いてたち上ると、

「アイ　ライク　ジャパニーズ　ベリマッチ」

金筋に星の、将官の肩章をつけた軍人から、日本人に対する親愛の言葉が飛び出した。

「私はアミン司令官です、ウガンダにりっぱなワイシャツを生産する工場があることは誇りです、私のワイシャツを作って貰いたい」

とつとつとした英語で話した。

「光栄です、早速、採寸させて戴きます」と答えてから、小柄な私は、椅子の上に乗って採寸した。身長百九十センチ、胸囲百三十センチ、首廻りは四十八センチだった。普段、採寸しない私は緊張し、メジャーを持つ手が汗で濡れた。採寸を終えて、何枚作ればよいのですかと聞くと、

「二ダースを一週間でやってほしい」

と云われ、私は返事に窮した。別注の場合は一枚ずつ裁断し、縫製も、衿、袖、身ごろの分業縫いではなく、一人が一枚ずつ縫うから、最低でも、一枚につき十日はかかるのだった。アミン司令官は、困惑した私の顔を見、

「ミスター・マツダ、日本のカミカゼ精神でやれば、二ダースでも一週間でやれるはずだ」

その言葉に、私が驚愕すると、

「第二次大戦の時、私は英連邦のウガンダ兵を中心とする連隊にいて、日本軍のカミカゼ特攻隊の話を聞くのが、一番、恐しかった、戦場で祖国を守るために、自分の命を捨てるスピリットは、りっぱだ」

と云い、人並み以上に鼻と口が大きく、いかつい顔に、人なつこい笑いをうかべるなり、さっと部屋を出て、自分で車を運転してたち去った。

「その人が二年後、クーデターで、オボテ大統領を倒し、西側諸国から即日、新政権の承認を得て、大統領になった今のアミン大統領なのです。アミン大統領は、これまでの大統領のように装甲付きのベンツに国旗を翻すのではなく、公式行事以外は、四輪駆動のオープンカーを自分で運転しています、その姿を目にする一般国民には人気が高く、今はともかく、平穏です」

松田は、感慨深げに語った。恩地は、今以て、日本の領事館もないウガンダで、松田がクーデターに遭遇し、銃口を突きつけられながらも、命懸けで会社を守り抜いた事実を知り、深い感動を受けた。

松田工場長のように、命懸けでやる仕事の場を与えられた人間が、真底、羨しかった。人間にとって、やり甲斐のある仕事を与えられないことほど、辛いものはない。恩地は、体が干涸《ひから》びるような飢餓を覚えた。

その翌日、恩地は『男はつらいよ』のフィルムが入った重いトランクを提げ、カンパラのホテルをチェックアウトした。

玄関前に屯《たむろ》しているタクシーの運転手に、ナイル川の水源へ寄ってから、空港へ向うからと交渉し、気だてのよさそうな運転手の車に乗り込んだ。ナイロビへ帰る飛行機の出発時間までには余裕があり、この機会にナイル川の水源を見ておきたいと思った。

ウガンダは、アフリカ大陸の内陸、赤道直下に位置する国だが、おおむね標高が九百メートルから千五百メートルあり、一年を通して比較的快適であった。

首都のカンパラから、東へ八十キロほどのジンジャに、ヴィクトリア湖からの流出口があると云われている。

「ここから先は、乗り入れ禁止ですから、歩いて見て来て下さい」

運転手が穏やかに云った。食糧に困らない農業国のせいか、人々はおしなべて温和で礼儀正しい。

恩地は手入れの行き届いた芝生の広がる公園の坂道を下り、石造りの碑文の前でたち止った。――一八六二年七月二十八日、イギリスの探険家ジョン・スピークが、ヨーロッパ人としてはじめて、ヴィクトリア湖が白ナイルの源流であることを発見し、〝ソース・オブ・ザ・ナイル〟と命名したことが、記されている。

そこからは、樹々の枝越しに清く澄んだ水面が見下せた。恩地はさらに階段を下り、岸辺の岩場にたった。

膨れ上るような水源――、ヴィクトリア湖から流れる水と、ウガンダの西、ザイールとの国境のルウェンゾリ山群の五千メートル級の頂きから流れる雪解け水が一つになって、豊かなナイルの水源となっているのだった。

アラビア人の奴隷狩りが酸鼻をきわめた十九世紀の半ば過ぎ、エジプトのカイロに注ぎ込んでいるナイル川の源流を極めるため、暗黒大陸に分け入り、大きな湖と、マウント・オブ・ザ・ムーン（月の山）があるところを頼りに辿りついたのが、ここであった。アラン・ムアヘッドの『白ナイル―ナイル水源の秘密―』によれば、スピークは湖から四十マイルほど下ったウロンドガニと呼ばれる地点でナイル川にたどり着いた。その感動ぶりには、胸搏たれる。『かくてついにわたしはナイル河の水縁に立った。……これほどの美観があろうか……六百から七百ヤードの川幅をもつ壮大な流れ。そのあちらこちらに点在する小島や岩塊……』、繰り返し読んだ本の一語一語が思いうかんだ。

恩地は、〝月の山〟の方向へ視線を巡らせたが、空の彼方は雲に掩われ、遠いルウェンゾリ山群は見えるはずもない。

一見、静かに見える源流も、結構、流れは速く、岸辺の岩に白い泡がたっている。人影が見当らない源流の岸辺に、恩地は腰を下した。

八年前、カラチへ赴任してから、テヘラン、ナイロビとおし流され、今は航空券の販売のため、ウガンダまで来ている。

これでいいのか……。

自分には、昨日、松田工場長から聞いた「この地で骨を埋める」というチャレンジャーとしての生き甲斐も、現地の人々に慕われ、愛される仕事もない。自社の飛行機すら飛んでいないオフラインのナイロビで、販売駐在員に甘んじて、生きて行かねばならないのか。

あまりにも惨めすぎる……。国民航空で惨めな日々を送っているのは、自分だけではない。国内に勤務していても、流刑に等しい、あの羽田整備場のはずれの売却資材倉庫などで、第二組合の監視の下に、差別に耐えている委員長の沢泉たち国航労組三役がおり、八重洲支店には、案内カウンターとは名ばかりで、晒《さら》し者になっている八木がいる。自分が惨めさに負け、国民航空を辞めることは、自分を支えにして、不条理と闘っている同志への背信である。理性では、このまま留まらねばならないことは、解っている。会社の人を人とも思わない傲慢さに抗し、辛うじて筋を通しているのだった。

だが、これでいいのか……。

眼下のナイルは、静かに力強く流れている。スピークの時代にはいたという河馬も、羚羊《れいよう》も今はおらず、五、六百メートルほどの対岸には緑の丘陵が続き、すぐ目前の小島には、鷺の群が舞っている。

瞬く間に時は過ぎ、エンテベ空港へ向う時間になった。ナイルの水源にたち、自分の行く末に思いを致してみても、堂々めぐりをするばかりで、答えは出て来ない。

*

ほぼ三年ぶりに会う妻子を出迎えに、恩地は、ナイロビ国際空港に来ていた。

税関吏とは顔馴染みになっていたから、税関の中まで入って、家族を待った。自社便でフランクフルトまで来、フランクフルトで乗り継いだルフトハンザの便は、一時間遅れていた。

午前九時、ようやく到着し、入国管理所を通って出て来る列の中に、四月から高校生になる克《かつ》己《き》の姿が見えた。続いて中学生になる純子、妻のりつ子が出て来た。リュックサックを背負い、両手に手荷物を重そうに提げている。カラチ、テヘランに次いで、ナイロビの地を踏む家族の姿を見、恩地の胸にじんと来るものがあった。

「克己、よく来たな」

長男の肩に手をおくと、背が伸びているのを実感した。

「フランクフルトで一泊したから、遠かったよ」

克己が云うと、妹の純子も寝不足の顔で、

「日本から二日もかかったから、退屈で、疲れてしまったわ」

と云ったが、りつ子は、無事に到着して、家族が再会した喜びを嚙みしめるように恩地の顔を見詰めた。

荷物台から出て来た三個のトランクは、顔見知りの税関吏がフリーパスで通してくれた。

恩地の運転で車を走らせると、子供たちは珍しそうに窓外に視線を釘付けされている。真っ青な空に綿のような雲が浮かび、眩ゆいばかりの太陽がぎらぎらと照りつけるが、暑熱はなく、爽やかな風が頰を撫でる。道の両側にはジャカランダの紫色の花が咲き乱れ、ブーゲンビリア、ハイビスカスの真紅の花も咲いている。

「ナイロビって、きれいなところだな、赤道に近い街だというのに、暑くないね」

「標高が千七百メートルもあるからだよ、だが、サバンナへ行くと、昼間は四十度の暑さなんだ」

恩地は久しぶりに子供たちと話す喜びを嚙みしめながら、ナイロビの街の中心を横切り、山手の外人居住区に向って坂を上り、車を停めた。

門の内からサーバントのムティソが飛び出して来て、鉄の大きな扉を開けた。

「ジャンボ（今日は）！」

二人の子供とりつ子も、「ジャンボ！」と挨拶を交しながら、門を入って行き、玄関で車を降

りると、

「ママ　ジャンボ（奥さま、今日は）！」

家の中から、別のサーバントが出迎えた。

「やっと家に着いたな、咽喉が渇いただろう、テラスでパッション・フルーツでも飲もう」

庭に面した日陰のテラスに坐ると、克己は、

「お父さんの手紙に書いてあったように一エーカーもあるのは、やはりアフリカだな、隣の家との境界線も解らないね」

驚くように云い、サーバントが運んで来たパッション・フルーツを飲み干してから、室内へ入った。

広い居間に入ると、不意に、克己の足がびくっと止った。

広い居間の一隅にホームバーがしつらえられ、その横に、ライオン、豹、チーター、トムソンガゼルなどの動物の剝製が並んでいる。ライオンも豹も、今にも動き出しそうな姿で、眼も生きているような光を帯びている。

「どうした、あれはお父さんが撃った動物の剝製だから、恐がることはないよ」

笑顔で云うと、克己は父親が撃ったと聞いて、よけいに体を硬くした。

「僕たちが来るから、見せるために並べたの」

「いや、いつもあの剝製たちと一緒に暮しているんだよ」

「えっ、剝製と一緒に暮す？　お父さん、変ったね」

克己は、気味悪げに云った。

「別に変らないよ、日本語を一言も喋らなかった日は、お酒を飲みながら、剝製の動物たちに向

って、日本語でいろいろと話すんだよ、お父さんが怒れば一緒に怒り、悲しめば一緒に悲しんでくれるんだ」

と云い、

「ほら、克己の前にあるスツールをよく見てごらん、それは象の脚を切って剝製にしたものだよ、よく出来ているだろう」

と指した。象の脚の関節から大きな爪先までの剝製で、切断面には、同色の円《まる》い板をのせてスツールにしてある。表皮には固い体毛がそのまま残っており、撃ち殺された時の象の呻《うめ》きが聞えるようだった。

「これじゃ〝剝製の家〟だよ、僕たちの家じゃない、どこかへ片付けてよ」

克己は怖気《おじけ》だった。

「何を云うんだい、お前は小さい時から動物好きだったじゃないか」

「動物は、生きているものだよ、こんな死んだのは、動物じゃない」

「じゃあ、サファリに出かけて、サバンナで生きている動物を沢山見せてやるから、剝製のことは、もういいじゃないか」

と云ったが、克己は首を振り、何としても片付けてほしいと、云い張った。純子も、剝製に怯《おび》えていた。

「あなた、子供たちが恐がっているんですから、どこかへしまっておけないの」

りつ子まで云い出し、恩地は不承不承、サーバントに手伝わせ、傷つけないように空部屋へ移した。

夕食は、りつ子が日本から持参した白米を炊き、ししゃもと昆布巻、山芋のとろろと、味噌汁を作った。自分が帰ったあとのことを考え、りつ子は、コックに白米の研ぎ方と味噌汁の作り方を念入りに教えた。コックは白いどろりとした山芋のとろろを不思議そうに見たが、指図通りの器に入れて、食卓に並べた。久しぶりの、日本食での一家団欒であった。

克己は、志望通りの高校に合格した喜びを語り、純子は中学へ入学したら、陸上部へ入り、得意の短距離で記録を作りたいと話した。恩地は相好を崩して、聞き入った。

「お父さん、早く帰って来てね」

純子が云うと、

「うむ、今年の末頃には帰れればと思っているんだが、もう少しの我慢だよ」

と答えた。

「お父さん、ほんとうに今年の末頃には帰れるの」

克己は、確めるように聞いた。恩地は頷いたが、現実には任期がいつ終るか定かではなかった。だが、早く帰って来てという子供に対しては、そう答えるほかなかった。この休みに呼んだのは、せめて子供たちにアフリカの自然と野生動物を見せてやりたいという気持からであった。

食事を終え、子供たちが二階の寝室に上ってしまうと、恩地とりつ子は、日頃、手紙で消息を報せ合ってはいたが、会えずにいた間の出来事を語り合った。

「子供たちが、健やかに育っていたのが、何よりも嬉しい、それだけに、りつ子はたいへんだったろう」

恩地は、しみじみと云った。

「克己には、一時期、手こずりましたわ、実は、あの子はテヘランから帰って、中学へ入った頃、学校の授業について行けず、勉強部屋の壁に〝外国へなんか行かなきゃよかった！〟とマジックで書いたんですよ、遠く離れているあなたにはお報せしなかったけれど、あの時は辛くて……、でも、志望通りの進学校へ合格してくれ、まずは一安心」

「そうか、苦労をかけたな」

「でも、二人ともそろそろ、難しい時期ですわ、この間、克己は、うちはまるで母子家庭みたいだなんて云って、どきりとさせられましたわ、私がいくら一生懸命やっても、やはり父のいない家庭の侘しさが身にしみているのでしょう」

「だから、さっき克己が、今年の末頃に帰れるのかと、確めたわけだな」

恩地は、暗澹《あんたん》として胸が塞がれた。漆黒の闇の中で夜風がたち、夜鳥が啼いた。

「あなた、お元気そうに見えますけど、芯《しん》は疲れてらっしゃるでしょう？」

「どうしてだい、体は若い時から山岳部で鍛えてあるし、ここへ来てからはハンティングを楽しんでいるから、大丈夫だよ、何か気にかかることでもあるのかい」

「いいえ、万一、あなたの任期が、また延びた時のことを考えると、これ以上、あなたを独りにしてはいけないような気がして」

と言葉を濁したが、りつ子は、動物の剝製に囲まれた夫の生活に、克己が感じたのと同じような不気味さを覚えていた。心優しい夫が狩猟に明け暮れ、生きものの命を奪った上、剝製にして愛《いと》しんでいることに、尋常ならざるものを感じていた。

「どうした、何も心配することなどないよ、そろそろ寝《やす》もうか」

椅子からたち上った夫は、以前と変らぬ表情だった。

寝室は、何日も前から、自らの手で整頓し、サーバントに新しいシーツを整えさせていた。ベッドに体を横たえると、恩地の逞しい腕が伸び、妻の体を引き寄せた。息詰るような抱擁の中で、離れていた日々の夫の愛情が迸《ほとばし》り、りつ子は厚く広い胸に顔を埋めた。夫の胸の鼓動が伝わったが、りつ子は、はっと身じろいだ。夫の体から生《なま》しい臭いがする。獣の屍臭のように思えた。就寝前に、シャワーを浴びたにもかかわらず、体にしみついているのだろうか——。

灯りを消した中で、夫はやすらかな寝息をたてている。りつ子の瞼《まぶた》に、象を撃ち、皮を剥ぎ、牙を抜き取る夫の姿が浮かんだ。会社に対する抑え難い怒り、故ない流転の身の孤絶、家族に対する絶ち難い思いなどが、次第に夫を荒《すさ》ませ、憑《つ》かれたように狩猟にのめり込ませているのではないだろうか。そう考えると、りつ子は、会社の仕打ちに涙した。

一家は、早朝、恩地の運転するランドクルーザーで、タンザニアの国境の町、ナマンガへ向っていた。タンザニアの動物保護区へ、サファリに旅発ったのだった。

何年かぶりの家族旅行で、ナイロビの社宅を出発する時は、まだ星が瞬《またた》いていた。克己と純子は、セーターの上にジャンパーを重ね、魔法瓶を抱えて嬉々として乗り込んだが、さすがに今は後部座席で眠っている。

「あなた、道がよくないのにこんなに飛ばして、大丈夫?」

助手席に坐っているりつ子が、心配そうに云った。

「広いタンザニアを廻るには、早く国境を出なくてはならないんだよ」

恩地はそう云い、国境まで百六十キロの道程《みちのり》をひた走った。駈け足で廻っても四泊五日は必要なタンザニアのサファリを、はじめて訪れる妻子を連れて三泊四日とは短か過ぎるが、オフィスを五日も留守には出来なかった。

午前九時、ケニアとタンザニアの国境に着いた。数人の兵隊がのんびり歩哨にたっている遮断機をくぐると、そこがナマンガであった。ケニアと異り、タンザニアは社会主義国のせいか、出入国の手続が煩雑で、平屋建ての出入国管理事務所の前の駐車場には、ケニアとタンザニアのナンバープレートをつけた長距離トラックやバス、マタトゥ（中型乗り合いバス）などが、犇《ひし》めくように列《なら》んでいる。

恩地はりつ子と克己、純子を車に残し、入国手続の列に並んで、スタンプを貰うと、すぐ車を発進させた。この先に標高四千五百メートルのメルー山の麓に位置する高原都市、アリューシャがある。その町のホテルでゆっくり休憩をとってから、夕暮前までにンゴロンゴロ自然保全区に着いておきたかった。

ハイビスカスの花が咲き乱れるアリューシャのホテルの中庭で昼食をとり、休憩後、北西百八十五キロ先のンゴロンゴロへ向けて出発した。道の両側にアカシアの疎林が広がり、キリンの優雅な姿や、草原の可愛いバレリーナのようなインパラの群に、純子は喜んだ。

ンゴロンゴロ自然保全区のゲートを通過した時は、陽が西に傾き、風が音をたてていた。早々にロッジにチェックインし、夕食をすませると、一日中、車に揺られていた疲れで、一家はすぐ眠った。

翌朝は、恩地の車ではなく、ロッジが手配したサファリ用四輪駆動車に乗り、クレーター（噴火口）へ向った。道すがら、森の樹々の枝を伝い、サバンナモンキーの一群が移動して行った。生後一ヵ月そこそこで、脚が割箸のように細い子ザルが、母ザルのお腹にしがみついている姿が、頬笑ましい。

やがて眼下に巨大な擂《す》り鉢状の地形が現われた。

「あれがクレーターなの」

「そうだよ、世界有数の大噴火口跡で、あそこにはキリンとインパラ以外の、東アフリカの動物、鳥類が殆んどといっていいほど、いるんだよ」

恩地が云うと、ガイド兼ドライバーが、

「ビー　ケアフル」

と注意を促した。四輪駆動のサファリカーが、車一台分がやっとの道幅の急峻な下り坂を、慎重に下りはじめると、恩地一家は前の手摺《てすり》をしっかり摑んだ。車は左右に揺れ、目を開いているのが怖しいほどの坂道だった。

坂道を下りきると、そこには緑の丘陵に囲まれた大草原が広がっていた。

「まあ、美しい！」

りつ子が息を呑むように云うと、克己と純子も、今迄とは全く異る風景に目を瞠った。

「まるで別世界のようだ、僕たちが住んでいる地球に、こんなところがあるなんて信じられないよ」

口々に、驚嘆した。

動物を観察しやすいようにドライバーは車の屋根を押し上げ、子供たちは座席からたち上って、広い開口部から顔を出した。

「あの灰色の塊は、何か解るかい」

恩地が、双眼鏡を子供たちに渡した。その間にも車はどんどん近付いて行った。

「お父さん、犀《さい》じゃないか、凄いな！」

克己が、興奮して叫んだ。ドライバーは一定の距離をおいて、車を止めた。鼻面に長短の角が生え、鎧のように分厚い皮膚が胴長の全身を掩い、短い四肢は草の中に隠れて見えない。克己と純子は、喰い入るように見詰めた。

反対側からのそり、のそりと白っぽい胴体の犀が、長い方の角を突き出すようにして、歩いて来た。

「あれが白犀で、こっちのが黒犀だよね」

克己が、振り返った。

「いや、二頭とも黒犀だよ、東アフリカでは、白犀は絶滅してしまっている」

「じゃあ、あの色の違いはどうしてなの」

「犀は泥浴びをして、皮膚についたダニを払い落すんだ、灰色の方は、泥浴びしてまだ間もないもの、もう一頭は、泥がすっかり乾いているから、白っぽく見えるだけだよ」

「へえぇ、それにしてもあの可愛い丸い目がなかったら、犀って戦車みたいだなぁ」

克己は飽きることなく、突ったったままの二頭の犀に見入った。

ドライバーは、後方から来たサファリカーに場所を譲り、大草原を大きく弧を描いて廻った。グラントガゼルの若雄同士が長くのびた黒い角を突き合せて、本気とも戯れともなく、押し合っている一方で、古い蟻塚を巣穴にしたマングースたちが、何か危険でも察知したように下肢だけでたち上り、同じ方向を一斉に見詰めている。

ドライバーが恩地に向って、ライオンが潜んでいることを告げた。双眼鏡でその方を見ると、半ば枯れかけている草の間から若い雌ライオンの頭がのぞいている。枯草と同系色で見分けがつきにくいが、少し離れたところに、もう一頭が潜んでいた。二頭のライオンの視線の先を追って行くと、縞馬やバッファローが草を食《は》んでいる。二頭のライオンの様子からして、獲物を物色していることは明らかだった。

「もうすぐ、ライオンが狩りをするかもしれないぞ」

恩地が、小声で云った。

「え、ライオン？　どこにいるの」

克己と純子が、かわるがわる双眼鏡を覗きながら、聞いた。

「あら、いたわ、克己、もう少し右の方よ」

りつ子が見つけて云うと、克己は母に倣い、その方へ双眼鏡をずらした。

「ほんとだ、いるいる、お父さん、あのライオンは、何を狙おうとしているの」

「解らないが、あの肩の筋肉の緊張具合からして、襲う動物は、ほぼ決っていると思う」

恩地が云った途端、若い雌が草むらからたち上り、一点をじっと見詰めている。ライオンのような肉食獣は色はわからないが、病気や脚に欠陥を持っている弱者を見分ける観察力は備わっている。

もう一頭の雌ライオンもたち上った。二頭とも腹がへこみ、ここ暫く、獲物にありつけないでいることが窺える。

若雌が背を低くし、しのび寄りの体勢に入った。風上のバッファローや縞馬は、何も気付かず草を食んでいる。若雌ライオンが草むらの中を猛然と疾走しはじめた。バッファローや縞馬は驚いて、蜘蛛の子を散らすように逃げ出したが、ライオンはバッファローの群の中の一頭に狙いを定めた。病気か、脚に傷を持っている獲物をライオンは見逃さない。背を丸め、弾丸のように突進した。

群をなして逃げ切ろうとしていたが徐々に落伍しかけた。二頭のライオンは前後から連繫して孤立させ、立往生したバッファローに向って、若雌が砂煙のたつ中を大きく跳躍したかと思うと、後方から襲いかかり、背中にむしゃぶりついて引き倒した。もう一頭は、バッファローの鼻面に食らいつき、爪をたてた二本の太い前脚で、首を締めにかかった。

若雌は渾身の力をふり絞って、バッファローの鼻を塞ぎ首を強く締め続けている。バッファローは苦しげに首を振り、逃れようともがくが、腰を落しはじめた。もう一頭のライオンが食らいついた背中からは、鮮血が流れ、下腹からは内臓の一部がひきずり出されている。

眼を背けたくなるような光景であった。その時、逃げきった十数頭のバッファローの群が、一団となって、今にも息絶えそうな仲間の周りに集って来、二頭のライオンを追い払うように威嚇しはじめた。ナポレオンの帽子のような頭部に生えている、大きく頑丈な角をふりたて、数頭が、ライオンの背を突きにかかると、二頭とも諦めるように離れた。死力を尽して獲物を倒しかけ、その寸前で失敗すると、バッファローの群の威嚇に二歩、三歩と後退した。

バッファローの群は、たち上ったバッファローから流れる血をかわるがわる舐《な》め、草むらに染みた血も舐め取った。血の匂いをかぎつけ、他のライオンやハイエナが再び襲って来ないように、血の匂いを消して、傷ついた仲間を守ろうとしているのだった。

二頭のライオンは、空腹に耐えきれないのか、離れたところに飛び散ったヌーの血の一滴にでもありつこうと、舐めている。

内臓まで喰い千切られたバッファローは、今、仲間の群に助けられても、いずれ肉食獣の餌食《えじき》になることは避けられないが、恩地はほっとした。ドライバーに池の方に車をやるよう指示した。そこにはフラミンゴやペリカンが群をなし、河馬の母子のユーモラスな姿があるからだった。

その翌朝、一家はランドクルーザーでンゴロンゴロを出発し、セレンゲティへ向った。

朝早い出発だったから、ンゴロンゴロの外輪山の麓に近いところで、一休みすることにした。簡素なベンチに坐ると、赤褐色の大地にアカシアの疎林が、斑点のように見える。地平線が薄青い空と交り合った雄大な景色を見渡していると、オルドバイ渓谷と呼ばれているこの地で、二百万年前の人類化石が発見されたことが、神秘的に思えて来る。

再びセレンゲティ国立公園を目ざした。広漠としたサバンナの中の一本道を二時間ほど走り続けると、左右に大きな岩山が続いた。お椀を伏せたような岩山の頂きに、チーターがごろりと寝そべっている。午後三時前、国立公園の中央部にあるセロネラのロッジに到着した。自然の岩山の地形を巧みに取り入れて設計した野趣に富んだロッジであった。

昼間は、いかに高原とはいえ、灼けつくような太陽が照りつけ、気温も四十度ぐらいに上昇するため、サファリカーは、すべて動かない。恩地一家も昼寝して体をやすめ、四時半からセロネラ一帯を廻った。

セロネラ川に水を飲みに来る草食獣を狙って、豹やチーター、ジャッカルも潜んでいるということだったが、出会ったのは、ライオンだけだった。大きなブッシュに、十数頭のライオン一家が、仰向けにひっくり返って、いぎたなく眠り込んでいる。子ライオンも親たちの間にいた。体に斑点が残っている生後数ヵ月ぐらいの赤ちゃんライオンたちは、互いに太くまるい前脚でじゃれ合っている。遊び疲れると、母ライオンのお腹にもぐり、お乳をまさぐって、いつしか眠ってしまう。

ライオン一家の昼寝の様子を飽かずに眺め、夕陽が空一面を茜色に染め、やがて遠くの樹々の向うに沈んで行く頃には、ロッジへ引き揚げた。

シャワーを浴びてさっぱりすると、夜のロッジに相応《ふさわ》しい服を着て、ダイニングルームへ行った。

愛想のいい給仕頭が席へ案内し、フルコースのフランス料理のメニューを恩地とりつ子に手渡した。フルコースとはいっても、メインディッシュを、ポークか、ビーフか選ぶだけのことで、味も期待できなかったが、一家で一つのテーブルを囲むだけで、充分に倖《しあわ》せだった。

食事が中ほどまで来た時、ダイニングルームの灯りが突然、消え、テーブルのキャンドル・ライトだけになった。

「お父さん、停電なの」

克己が不安そうに聞いた時、厨房の方から、歌声が聞えて来た。長いコック帽を冠った料理長を先頭に十数人のコックと、給仕、黒服の支配人まで二十数人が一列になって歌をうたい、テーブルの間を練り歩きはじめた。手に手に、大きなフライパン、鍋、トレー、はては料理用の大きなスプーンやフォーク、しゃもじ、牛の角を持って、打ち鳴らしながら、腹の底から響いて来るような声で歌った。

ジャンボ　ジャンボ　ブワナ！（今日は、旦那さん方）
ハバリ　ガニ？　ンズリ　サーナ（お元気ですか？　もちろんさ）
ワゲニ　ワカリビシュワ（お客さん、ようこそ）

テーブルの客たちは、スワヒリ語のかけ合い歌に、手拍子を取った。

行列は客席を一巡すると、恩地たちのテーブルの三つ向うで止まり、バースデイ・ケーキをテーブルに置くと、

「ハピー　バースデー　ママ！」

一斉に、お祝いの言葉を述べた。ドイツ人の五人家族で、誕生日を祝福された金髪の肥った夫人が、

「ダンケシェーン！」

頬を染めて礼を云うと、ダイニングルームの客たちは、夫人に向って拍手した。

「アフリカのサファリでお誕生日を迎えられるなんて、すばらしいことね」

りつ子が驚き、感激して云った。

食後は、この原野にあった巨大な岩石を利用して、大きな洞窟のようにしたラウンジで、コーヒーを飲み、明日のアーリー・モーニング・サファリに向けて、部屋へ引き揚げた。

分厚いガラス越しに、ウオッホホーと、気味の悪いハイエナの遠吠えが、頻《しき》りに聞えて来る。動物たちが、狩りをしているのだった。

翌朝六時、ロッジが手配した四輪駆動のサファリカーで出かけた。まだ明けきらぬサバンナの道を進んで行く途中で、日の出となった。昨日、大空を茜色に染め、樹々の向うに沈んで行った太陽は、大平原の地平線の一点を朱色に染めたかと思う間もなく、黄金色の帯を織りなし、ぐいぐいと、力強く昇って行く。

「僕たちも、昨日のライオン・ファミリーのように、早く一緒になれますように！」

「純子のお誕生日には、お父さんが帰って来ていますように！」

克己と純子は、太陽に向って叫んだ。大自然の中で、二人の子供の心の叫びを聞き、恩地とりつ子は思わず、顔を見合せ、涙ぐみそうになるのを堪《こら》えた。

大草原をヌーの大群が、昇って行く太陽を背に、西へ向って移動していた。近くには縞馬の群

が、通って行った。

「あなた、あの縞馬、変じゃありません？」

りつ子が、群の中の縞馬を指さした。一頭が、群から遅れて、苦しげにたっている。

「出産がはじまるのだろう」

恩地が云った。その縞馬の腹部ははち切れそうに膨らみ、もはや起っていることが出来ぬように、後脚から踞り、横になった。近くの数頭の縞馬が、出産を見守るように脚を止めている。だが、一向に出産がはじまらず、匂いを嗅ぎつけたハイエナが一頭、二頭と寄って来た。危険を察知した母馬は、たち上って五、六歩、歩いては、苦しげにたち止まった。陣痛に耐えるように体を波うたせて、前脚を踏んばり、腹に力を入れた途端、後脚の間から血に染った赤ん坊の頭と前脚が見えたが、草むらの中で動かない。

上空を禿鷲《はげわし》が旋回し、地上ではハイエナが隙を狙うように距離を縮めて来たが、仲間の縞馬が四、五頭、鼻を鳴らして威嚇し、母馬を守ろうとした。

母馬は、膣部から血を滴らせながらも、生まれて来た赤ん坊を必死で舐めているが、少しも動かない。もしや、死産かもしれなかった。

周りの縞馬は諦めたように、一、二頭動きかけたが、母馬は、ハイエナを威嚇しながら、なおも舐め続けていた。濡れ光った赤ん坊の頭が動き、前脚と後脚で踏んばったが、たち上れない。一頭のハイエナが、近寄りかけた。

「お父さん、あのハイエナを何とかして追っ払って」

子供も、りつ子も云った。恩地は、黙って首を振った。

「人間が、手出しすることは出来ないんだよ」

「だって、せっかく生れて来たのに、喰われてしまうじゃないか」

「生きるか、喰われるか、どっちかなんだよ、この自然界では、強いものしか生きられないのだ」

恩地は、そう云い聞かせながらも、子馬が、母馬に守られて生き抜くことを願った。

たち上ろうとしては、ぐにゃりと草むらに横たわる子馬を庇《かば》い、母馬は近付こうとするハイエナを前脚で追い払った。

二度、三度、そして五度目にやっと、子馬は後脚を踏んばり、胴を起し、前脚を地面につけた。生きるための奇跡的な力であった。最後まで見守っていた仲間の縞馬が、ハイエナを追い、子馬はまだ見えない目で母を求め、よろよろと歩き、乳房をまさぐった。

「よかった！」

りつ子も、子供たちも、安堵の声を上げた。

暫く縞馬の母と子を見守ってから、恩地はドライバーに、子供を連れている象の群を見つけてくれと頼んだ。

恩地は、サバンナに生きる野生動物の親子の姿を、可能な限り、子供たちに見せてやりたかった。


家族団欒の春休みは、瞬く間に過ぎた。

最後の日曜日、恩地一家は、ナイロビの「動物孤児院」を訪れた。

市の南、約八キロの郊外に広がるナイロビ国立公園に隣接している「動物孤児院」には、密猟者によって親が殺された動物の子供、親や群からはぐれて、自然界では生きて行けなくなった動物が、ケニア各地の動物保護区から送られて来ていた。

　動物たちは、国立公園に続くサバンナを、木の柵やフェンスで仕切られた広々としたところにいたが、寂しそうに踞っている。

「お父さん、動物も親から離れると、あんなに元気がないんだね、可哀そうに」

　克己が云った。

「あのキリンの子供は、首に添木をしているわ、どうしたのかしら」

　純子が聞いた。

「あれは観光バスに、面白半分に追いかけられ、首の骨を傷めてしまったんだ、その向うの雄ライオンを見てご覧――」

　と示した。

「りっぱな鬣をしているのに、ひどく足をひきずっているね、どうしたの」

「夜、車に撥ねられたんだ」

「え、ライオンでも交通事故に遭うの」

「うん、お父さんが土日を利用してハンティングに行くだろう、帰りの夜道、急いでいると、たまに車のライトの先に、のそのそと歩いているライオンを見ることがある、そういう時のライオンはじろっと睨みつけるんだよ」

「ふうん、車を侵入者と思っているのかなぁ」

　克己が云うと、

「あら、あそこに可愛い犀の赤ちゃん――」

　純子が柵の方へ駆け寄った。飼育係が口へ入れてやった若木の枝を、おいしそうにしゃぶっている。鼻の上の角が、まだ瘤《こぶ》のように膨らんだばかりの、生後数ヵ月の犀だった。

「ちょっと見ぬ間に大きくなったな、あの犀は、アンボセリ国立公園で、母親が密猟者に角を削り取られて死んでいる横で踞っていたのを、保護官が見つけ、ここへ運び込んだんだ」

犀の角は、漢方の精力剤として珍重され、密猟が絶えなかった。

「酷い話だわ……」

りつ子が、顔を背けた。

「この孤児院の動物たちは、一生、ここで過すの」

克己が聞いた。

「いや、元気になったら、隣りのナイロビ国立公園や、生れた保護区へ帰してやるし、中には世界各国の動物園へ引き取られるのもいる」

恩地は云い、

「日曜日には、ここの診療所に日本人の獣医さんが来ていることがあるんだ、ちょっと見て来るから、待っていなさい」

と診療所へ入って行き、暫くするとりつ子たちを呼び寄せた。

獣の臭いと、消毒薬の臭いが入り混った診療所内は、薄暗かった。

「こちらが、兵庫先生だよ」

一ヵ月の半分をマサイ族の家畜の診療に当てている若い獣医を、家族に紹介した。兵庫のことはよく話題にしていたから、りつ子や二人の子供は親近感をこめて挨拶した。ジーンズをはき、白衣を着た兵庫は、にっこりと笑顔で応えた。

「今、ライオンの赤ん坊に、予防注射をしたところなんだよ」

「え！　ライオンの赤ん坊に注射？」

「ほら、あそこに四頭いるだろう」

そう云われて覗くと、檻《おり》で囲まれた枯草の上に、ライオンが四頭、じゃれ合っていた。

「子猫みたいね、抱いてみたいわ」

純子が、手を出しかけるのを恩地は止め、

「この四頭、どうしたんです？」

と聞いた。

「五日前、タナ川で水を飲んでいた母ライオンが鰐に襲われ、近くの巣穴にこの子らが残されているのを、動物学者が通報して来たのですよ」

「まあ、鰐が、ライオンを襲うなんてことありますのね」

りつ子が云うと、兵庫は無言で頷いた。

「ところでその頰の傷は、どうしたんですか」

恩地が聞いた。

「このチビどものせいですよ、何しろ恐いもの知らずで、注射をしようと一頭を押え込むと、他の三頭がまるでミルクでも貰うかのように我先にと、僕の頭や背中をひっ掻いて騒ぎたてるんです、飼育係に一頭ずつ抱かせて、やっと済ませたのですが、その時、やられたんですよ」

兵庫は苦笑しながら、云った。

「あなたは偉いなぁ、マサイ族の家畜から、孤児院の動物の診療まで、よくやるね」

それらは、無償の行為であった。

「獣医の知識の蓄積になることですから、僕も有難いですよ、それに、在留邦人のペットや番犬の診察は、苦手な世間話の相手もしなくてはなりませんから、こっちの方が、よほど精神衛生上いいですよ」

生計のために、ペットや番犬の診療をしている兵庫は、子ライオンを見やりながら云った。

「今晩、食事に来ませんか、家内が日本食を作りますよ」

恩地が誘うと、

「ご家族はあと何日かで、帰られるんでしょう、水入らずで過して下さい」

兵庫はそう云うと、一家に会釈し、次の仕事に移った。

「兵庫先生は、お父さんから話を聞いていた通りのりっぱな獣医さんなんだね」

克己が、尊敬するように云った。

「そうか、解ってくれて嬉しいよ」

恩地はそう云いながら、長い社宅住いで、近隣の陰口から、父親の置かれている立場を薄々、感じ、傷ついているであろう克己に、サラリーマン以外の生甲斐のある人生を見つけてほしいと、願った。

家へ帰ると、子供たちはケニアやタンザニアで買った絵葉書や切手、マサイ戦士の木彫の人形などを片付けた。

「もう帰るんだなあ」

克己が、名残り惜しそうに呟《つぶや》いた。

「カツキ、カメ、カメ」

庭番のムティソが、片言の日本語で手招きした。恩地がペットにしている陸亀のことだった。

「餌をやるの、見に行くよ」

とたち上ると、純子も追いかけて、裏庭へ出て行った。

「あなたも、もう二日でお独りね、あの亀さんがペットじゃ、お気の毒」

りつ子は云い、改った表情で、

「克己は高校へ入ったんだし、もし紀子《のりこ》さん夫婦が預って下さるのなら、私、純子を連れてこちらへ来ます」

と云った。

「突然、何を云い出すんだ、妹がそんなことを云ったのか」

「いいえ、そうじゃないわ」

りつ子は、日本からナイロビへ着いた夜、ベッドで夫の体から発する獣の屍臭のようなものを嗅いだことを思い出していた。獣を撃ち、皮を剝ぎ、剝製にして愛しむ――。夫がそこまで追い込まれていることを感じ取り、このアフリカに、これ以上、夫を独りにしておけないと、心に決めたのだった。だが、それを口に出しては云えない。りつ子は、さり気ない微笑をうかべ、

「先日来、皆さんのお宅にお招《よ》ばれし、家族団欒の様子を拝見したでしょう、特に東洋商船の事務所長のお宅では、二人のお嬢さんがこちらのアメリカン・スクールへ通いながらも、日本的な礼儀をきちんと躾られているのを見て、純子を連れてこちらで一緒にと、決心したんですの、あなた自身は気付いていなくても、心から疲れているのは、妻の直感で解りますわ」

「その気持は有難い、だが、他社の人たちは、市場開拓の社命を受けて駐在している人たちで、任期を勤めれば、次の役職が約束されている人もいる、しかし私は会社から追われ、僻地を盥廻しされている人間だ、会社だって、一人の人間を流刑に等しい扱いにしている負い目はあるだろ

う、そこへ妻子ともども生活するとなれば、会社側はその負い目を感じなくなるだろう」

「じゃあ、あなたはこうまで疲れ果てた状態で、なお独りでいるとおっしゃるの、私はとても……」

溢れる涙のまま、言葉を継ぎかけると、

「りつ子、我慢してくれ」

恩地は一言、そう云い、妻の言葉を遮った。


妻と子供たちが帰ってしまうと、また動物の剝製を居間に並べ、これまでと変らぬ日常に戻っていた。恩地の生活は、いつしか動物と切り離しては考えられぬようになっていた。土、日曜日には、ムティソを連れてハンティングに出かけ、獲物を撃ち、持ち帰る日が多かった。

だが、家族が帰って二ヵ月経っても、恩地の胸には「これ以上、あなたを独りにしておけません、私も参ります」と思い定めるように云った妻の声が貼りついていた。あの時は、妻の献身の前に、頽《くずお》れそうになるのを、辛うじて堪えた。だが、日本へ帰る家族をナイロビ空港へ見送った時、曾てテヘラン空港で、親子が東と南に別れた時の、体が引き裂かれそうな悲痛さとは異る、ひどく空《うつ》ろな侘しさを覚えた。


雨期が過ぎようとしている六月十四日、恩地が空港で、東アフリカ航空との打合せを終え、部屋の外へ出ると、ただならぬ騒《ざわ》めきを感じた。通りかかったBOACの空港職員に何事かと聞くと、

「インドで飛行機が、墜ちたそうですよ」

と云った。

「え、どこの航空会社？」

「インド航空か、クウェート航空か、要はあの辺の飛行機らしい」

と云った。恩地は、日本人乗客がいなければいいがと思いながら、空港を後にした。

＊

行天《ぎょうてん》四郎は、したたか酔いの廻った体で、玄関の扉を開けるなり、坐り込んでしまった。

「また午前さまなの、もう一時過ぎですよ」

妻の麗子が、ガウン姿で、夫をかかえ起し、居間のソファに坐らせた時、電話が鳴った。こんな時間に妻に取らせるわけにいかず、行天自身が這うようにして受話器を取ると、

「次長！　こちら運航当直の者です、緊急事態発生、ニューデリー支店から、現地時間、二十時二十分、羽田発ロンドン行の四七七便が墜ちたと入電がありました」

「なに、墜ちた！」

一気に、酔いが吹き飛んだ。

「日本時間で、何時のことだ、乗客は？」

「日本時間二十三時五十分、ニューデリー到着前です、乗客数や安否は不明です」

「よし、すぐ行く」

時計は、午前一時二十五分を指している。元スチュワーデスの麗子は、手早く夫の着衣を整え、洗面道具、身の回りの品をバッグに詰め、出入りのタクシーを呼んでいた。

「あなた、大へんなことに――、気をつけて」

麗子は、それだけ云って、夫を見送った。

深夜の羽田空港は発着便はなく、静まりかえっていた。そのなかで、国民航空の羽田ビルだけが、明々《あかあか》とし、慌しい人の気配に包まれていた。

行天はまっすぐ、運航本部へ駈け込んだ。大きい世界地図と各国の時刻を示す時計が、壁面にずらりと並んでいる部屋で、当直者以外の応援も駈けつけ、八人が電話にかじりついている。何度もインドの交換台を呼び出しているが、回線が混んでいて、ニューデリーへ繋がらない。やっと繋がったかと思うと、雑音で聞き取りにくく、大声で何度も聞き返している。その傍らでバンコク支店を呼び出して、少しでもニューデリーの情況を知ろうとするが、同じようにうまく繋がらない。

行天自身も、空いている電話を取って、バンコクを呼び出した。掌が汗ばみ、何度目かに、やっと支店と繋がった。

「支店長、聞えますか！　墜落の場所、乗客の人数、安否を報せて下さい」

言葉を短かく切り、大声で云うと、雑音で、遠くかき消されそうな声が、途切れ、途切れに聞えた。

「現地時間二十時二十分……四七七便、ニューデリーの近郊……バンコク出発時の乗客数七十八人……うち幼児二人……」

「ニューデリー近郊とは、どこですか！　どこなんですか！」

と叫んだが、電話は途切れ、雑音だけが残った。行天はバンコクとの交信を諦め、ロンドンへかけた。運よく繋がり、支店長が電話口に出ていた。

「もしもし、運航管理部の行天です、ロンドンに入っているニューデリーでの事故の情況を報せて下さい」

「ニューデリーからは、事故の第一報が入ったきりで、場所も、死傷者の人数も解りません、乗客名簿も、まだロンドンには届いていません、現地の情況を確認、情報を入手次第、連絡します」

行天は、緊急渡航要員が集合している三階大会議室へ駈け上った。緊急渡航要員は、緊急事態に備えて予め編成され、常時、パスポートと予防接種の証明書を所持している。広い会議室にコの字形に並んだテーブルには、事故調査班、運航班、統括情報班、旅客班、総務班などが、班ごとに分れて集合し、会社の診療所の医師、看護婦による救護班も駈けつけていた。

行天は、運航管理部に属する事故調査班のところへ近寄った。

「緊急渡航要員の任務は重いが、特に事故原因の究明にあたる事故調査班の志方《しかた》班長以下、十二名の任務は重大だ、墜落現場は、ニューデリー近郊というだけで、まだ特定されていないが、いつでも出発出来るように準備万端、整えて待機していてくれ」

と声をかけると、班員たちは緊張しきった表情で頷いたが、班長の志方だけは、一人、腕を組み、身じろぎもしなかった。

午前四時半、バンコクから情報が入った。日本人乗客十人のうち、八人の氏名は判明したが、事故原因、墜落現場は依然として不明ということであった。

二階の会見室には、新聞社やテレビ局の記者やカメラマンが続々と、詰めかけていた。会社側はこれ以上、発表を遅らせることは出来ないと判断した。

午前五時、小暮《こぐれ》社長が事故対策本部長として、堂本副社長と共に、記者会見の場に姿を見せた。

小暮は、蒼ざめた沈痛な面持で、記者団の前にたった。

「誠に残念な事故になりました、乗客の方はもちろん、ご家族の方にもご心配をおかけして残念です、事故機は、東京羽田発・中近東経由ロンドン行で、ニューデリー・パラム国際空港近郊に墜落したということしか解りません、現場の情況確認が充分にできませんので、直ちに救援隊を送ることに致しました、堂本副社長を団長に、七十名を派遣します」

と云うと、記者団から質問の手が挙がった。質問には、天下りの社長に代って、国民航空生え抜きの堂本副社長が答えた。

「機体の整備情況について、説明願いたい」

「機体はDC8で、出発の前日、十三日に第二エンジンを取り替え、整備点検を行ったばかりです」

「事故発生以来、五時間を経ているにもかかわらず、墜落現場が不明というのは、中東地域絡みのテロによる爆破の可能性はありますか」

「警察庁から、そのような報告は一切、入っておりません」

堂本は、いつもの爬虫類のような動きのない顔の中で、眼だけが異様な光を帯び、次々に出る質問に、短く答えた。

「機長の経歴について伺いたい」

「機長は、ベテラン・パイロットで、南廻り路線を熟知した経験者です」

「現在、推定し得る事故の原因は?」

「その原因を究明するために、救援機の第一陣が、午前八時に出発します」

と締め括って、会見を終えた。

救援機出発まで、あと三時間足らずであった。一般の定期便にいささかの支障も来たさず、救援機の準備、南廻りを熟知している機長、副操縦士、航空機関士の選出、救援物資の積み込み作業が一斉に、行われつつあった。

運航管理部次長の行天をはじめ、各部署の責任者によって積み込み物資が決められた。医療品トランク五個、衣類九十人分、食料品多数、整備用工具類二十二箱を積んだ。その頃になると、乗客の家族たちも空港に詰めかけていたので、目だたぬように遺体保存用のドライアイス四百キロも積み込んだ。

だが、救援機の出発は一時間近く遅れた。空港詰めの記者が、行天に近寄った。

「なぜ、出発が遅れているのですか、何かあるのですか」

「いや、積荷に手間取っているのですよ」

行天はそう答えたが、事実は、運輸省内の打合せと手続のために、運輸省の事故調査官の到着が、遅れているのだった。そして政府は、事故が外国で起ったこと、外国人の乗客があることで発生するであろう外交上の折衝に充分、配慮するように伝えて来た。

ようやく、事故救援機の第一陣は、十五日午前九時、羽田空港を飛びたった。

救援機の第一陣は、ニューデリー・パラム国際空港に向って、飛び続けていた。

機内のそこここで、各部門ごとに打合せをしている。総務班は、ニューデリーに着くなり、総勢七十人の宿舎、車の手配、旅客班は乗客の氏名の割り出しと世話、それに、死者が出た場合は、遺族係にならねばならぬ辛い立場であった。広報班は、海外及び日本の報道機関への対応、統括情報班は、現地での情報蒐集と、その分析に当らねばならぬから、ニューデリーの地図を広げ、これまで集っている情報の整理に追われている。

乗員代表として、アジア・中近東路線主席機長の早坂も、同乗していた。

運航管理部次長の行天は、ファーストクラスの後部座席に坐って、最前列のA—1の席に、事故対策本部の派遣団長として乗り込んでいる堂本副社長のうしろ姿を見詰めていた。機内全体の落ち着きのない雰囲気の中で、堂本だけは身じろぎもせず、横の席に人を坐らせずに、独りで坐っている。

事故発生以来、小暮社長はじめ各役員たちは、首相、運輸大臣、外務大臣、関係各省の次官、局長たちに事故発生の連絡と陳謝をしに廻り、その度に厳重注意を受けた。中には顔が蒼ざめたり、眼を血走らせている役員もいたが、堂本だけは顔色一つ変えなかった。小暮の記者会見の時も、沈痛な表情で事故発生を発表する社長の横に、冷静な面持で坐り、矢継ぎ早の記者の質問にも、簡潔に答えたのだった。こんな時でさえ、容易に動揺の色を見せなかった。他ならぬその堂本のひきたてで、行天は二階級特進で現在の地位にあるのだった。

チーフ・パーサーが近寄って来て、行天の耳もとで、副社長がお呼びです、と伝えた。急いで席へ行くと、空いている席を眼で指された。一礼して坐ると、

「今度の事故をどう思うかね」

いきなり聞いた。行天は、咄嗟に答えられなかった。

「わが社は自主運航開始以来二十年間、旅客死亡事故ゼロの記録を積み重ね、世界で最も安全な航空会社を誇りにして来た」

その間に、乗客の負傷や、パイロット訓練生の死亡など、事故はあったが、そんなことは事故のうちに入らぬかのような口ぶりだった。行天は黙って、頷いた。

「事故原因は、まさかパイロットのミスなんてことは、ないだろうね」

「まずあり得ないと思います、今回の機長は、社歴十年、総飛行時間は四千六百時間ほど、その

うちDC8によるものは二千三百時間以上ですので、経験不足ということはありません」

行天が、きっぱり云い切ると、

「記者会見場は相当、殺気だっていたな、質問もなかなか手厳しかった、機体の整備情況を聞かれた時、運よく君から、事故の前日に第二エンジンを取替えて、点検済みと聞いていたから、その通り答えたが、あれは第二エンジンだけでよかったのかね」

「エンジン交換の時は、充分な点検をしております」

「私が聞いているのは、エンジン交換後、飛行していたかということだ」

「試験飛行も規定通り行っており、エンジントラブルは、まず考えられないと思います」

「それを聞いて安心した」

堂本は一言、そう云い、あとはもういいと云わんばかりに、窓外へ眼を向けた。

間もなく、バンコクでの給油である。

バンコクでは、二、三時間待ちになるのが常であったが、羽田の運航本部から連絡し、一時間で飛び発てるように手配してあった。

バンコクへ着くなり、堂本団長をはじめ運輸省事故調査官、統括情報班などは、バンコク支店長の先導で空港特別室に入ったが、事故調査班は、国民航空の空港事務所に向った。自分たちが、羽田を飛び発った後に入った情報を一刻も早く知るためであった。

空港事務所長は、緊迫した表情で、

「乗客の氏名、年齢、国籍と、乗員の氏名も判明しました、乗客六十二名、乗員十四名、計七十六人のうち、生存者十三人は病院へ収容され、四十二人の遺体が発見されたが、あとは不明です」

と云い、乗客名簿を何枚もコピーして手渡した。事故調査班長の志方は、

「事故現場がどこか、特定されましたか」

肝腎の点を聞いた。

「ニューデリー・パラム国際空港の手前、二十数キロほどの人工の池のようなところに墜落、五百メートル四方に機体が散乱しているとのことです」

ようやく、事故現場を特定する情報であった。しかし、日本出発直前に、爆破説が入り、二キロにもわたって機体が散乱しているという情報が入っていたのだった。志方は、情報が混乱していると感じた。おそらく、現場到着までに、様々の情報が入るであろうが、先入観を持っては、調査の方向を誤らせると思った。同時に、確認された生存者を除く全員の死亡が予想される。ドライアイスを大量に積み増すことにした。

一時間半後、救援機は再びニューデリーへ向って飛び発った。なぜ空港の二十数キロ手前で墜落したのか、着陸体勢に入る際の操縦ミスなのか、気象条件によるものか——、それを知るために、バンコク出発前、救援機を操縦している機長に、国民航空がニューデリー・パラム国際空港へ進入する規定コース通りに飛行するよう、依頼したのだった。

インド領空に入り、カルカッタ上空に達すると、事故調査班長の志方とアジア・中近東路線主席機長の早坂が、狭いコックピットの中に入った。

操縦席のフロント・ガラスの下には、赤褐色の砂漠が延々と続き、その上、サンドストーム（砂嵐）が起って、まだ午後三時前だというのに、夕暮のような薄暗さで、視界が悪かった。だが眼を凝らし、固唾《かたず》を呑んで見守っていると、副操縦士が、

「いよいよ空港二十キロ手前の地点に近付きます」

と云った。途端に機長が、

「あっ、見えます！　あれだ！」

指す方向を見ると、濛々《もうもう》たる砂嵐を通して、砂漠に散乱している機体が、薄ぼんやりと見える。事故機は、進入コースを間違えていない。しかし、墜落していたのだった。

現地時間午後三時半、救援機はニューデリー・パラム国際空港に到着した。

ニューデリー支店長が憔悴しきった表情で、タラップの下まで出迎え、堂本団長はじめ統括情報班、広報班員たちは、直ちにインド民間航空庁長官や、関係各方面へ事故で迷惑をかけたことを陳謝しに走った。

事故調査班は空港の一室で、インド民間航空庁の事故調査官から、現場の説明を受けた。同時に、現場の堤防の護岸工事をしていたインド人労働者四名が死亡したことも告げられた。

事故現場は、ジャムナ川沿いの、空港から南東約二十五キロのジャイトプール村であると報された。事故発生の報を受けるなり、消防隊と警察が駈けつけ、消防隊は燃え上る機体の消火と、生存者の病院への搬送にかかった。遺体は警察の手で、遺体収容所にあてられた近くの学校へ運ばれた。それ以外は、事故調査の開始まで、墜落時のまま保全されているとのことであった。さらに、インド民間航空庁長官が、安全課長に、事故調査を開始するように命じたことも報告された。

国民航空の事故調査班は、空港から直ちに、現場に向うことにした。インド側の事故調査官から、今から行っても暗くなるばかりで、無駄だと云われたが、一刻も早く、墜落現場を自分たちの眼で見、明日からの調査の参考にしたかったのだった。

空港ビルの外に待機しているバスに乗り込むと、夕刻にもかかわらず、熱風が吹きつけ、おんぼろバスながら、冷房が入っていた。それでも、三十五度近い暑さであった。

灯りのない道を一時間ばかり走り、ようやくバスが停まると、インド側の事故調査官が、先に車を降り、

「墜落現場は、このジャムナ川の堤防です」

と云ったが、既にすっぽり闇に包まれ、何も見えない。事故調査班員たちは、それぞれの緊急袋から懐中電灯を取り出して、点けた。焦げ臭い異臭を頼りに進んで行くと、強力なライトの光の中に機体の破片が散乱しているのが見えた。インドの調査官の先導でさらに進むと、機体の尾翼が堤防に激突している場所に行き当った。それを写真に撮り、調査は一時間余りで打ち切られた。


翌朝も、熱風と砂嵐が吹きつけた。六月はインドで最も暑い季節であった。

現場に向う車には、国民航空の事故調査班員十二名、運輸省の事故調査官三名とインド側の事故調査官一名の他に、運航管理部次長の行天とアジア・中近東路線主席機長の早坂が同乗した。

昨夜は、暗闇で何も見えなかったが、今も、果てしなく拡がる乾ききった砂漠に、砂嵐が起って太陽の光を遮り、前方が薄ぼんやりと見える程度だった。バスで、空港からジャムナ川沿いの道を、南東へ二十五キロほど走り、ジャイトプール村の事故現場に着くと、白日の下に見るその凄じさに息を呑んだ。

事故機は、空港への進入方向を示しながら、ジャムナ川の堤防に激突し、火災を起して焼失、わずかに尾翼を残すだけであった。対岸の水際には、抉《えぐ》られたような車輪の跡が残っている。堤防に残っている尾翼やエンジン、車輪の位置から、激突時の凄じさが推測出来た。

事故調査班員たちは、直ちに「機体散乱図」を記録する者と写真を撮る者とに分れた。志方班長は、堤防に激突して尾翼だけを残す地点にたち、

「ここは、詳細に記録すること、特に角度だ」

と云い、自らもノートに記入しはじめると、

「志方班長、どうして角度なんです？」

形振《なり》りかまわず、タオルで頰かぶりし、ハンカチで口を掩った行天が、覗き込むように聞いた。

「接地した尾翼の角度で、パイロットがどのような操縦をしたかが、概《おおむ》ね解るからですよ」

と答えると、主席機長の早坂は、沈痛な面持で頷いた。

まだ焦げ臭い尾翼を中心に、半径百二、三十メートルの範囲に残骸が散乱している。尾翼に近い後部座席は、焼け爛《ただ》れ、全焼していたが、前方の座席は、椅子が並んだまま焼けずに残り、操縦席も同様に砂漠に投げ出されている。コックピットは、ケーブル類がずたずたに千切れ、フロントの計器盤は、斜めに歪んで砂をかぶって針が見えない。砂を払おうとすると、白いターバンを巻いたインドの事故調査官が、手で遮った。

「ノー、機体の残骸はもちろん、計器類など、事故原因の究明にとって重要なものは、インド民間航空庁が、証拠品として押収するから、不用意に手を触れたりしてはならない」

厳しい口調で云った。事実、事故調査は、ICAO（国際民間航空機関）の条約によって、事故発生地の政府が行うことになっているのだった。

日本側は、コックピットの計器盤をはじめ、ジュラルミンの破片、椅子、その他の「残骸の散乱状況の概要」を記録し、写真に撮って行った。

外気温四十五度、熱風と砂塵が、眼や鼻に吹き込むのをマスクで防いでいるが、カメラのシャ

ッターの隙間にまで細かい粒子の砂が入り込んで来る。記録係と撮影係以外は、現場にあった長い棒を手にして、残骸の中から、フライト・レコーダー（飛行記録装置）とボイス・レコーダー（操縦室音声記録装置）を探しにかかると、インドの事故調査官は、

「その棒は、死体を運ぶ時、担架が無くて、棒に筵を渡して運んだものだが、それでよいのか」

と云った。だが、残骸を前にしては、これしか方法がなかった。ジュラルミンの残骸や破片の山から、千切れた衣服の切れ端や、ハイヒールの片方、押しつぶされたカメラやトランジスター・ラジオが出て来、子供が抱いていたらしい熊の縫いぐるみが、焼けずに出て来た時には、思わず、手を止める者もいる。さらに黒焦げの塊の中から、炭化した人間の腕や足が、思いがけないほど多数、出て来た。

いつの間にか、事故現場を遠巻きにする人の数が増え、警官が鞭《むち》を持って追い散らしている。聞けば、事故発生後、消防隊が消火にあたり、警官が遺体を運び出している間に、指輪や時計などの貴金属類が盗み出されたという。

不意に、現場を取り巻いている子供の一人が、声を上げた。死亡したスチュワーデスの赤い帽子をかぶった裸足の女の子だった。

「リング！　リング！」

大声で指している。その方を見ると、真っ黒に炭化した女性の手首が転がり、指にダイヤモンドの指輪が、白く光っている。遺品として収容するために、その手を拾い上げようとして、指輪に手が触れた時、火傷するほど熱かった。

調査をはじめてから一時間経っても、インド側の事故調査官は一名だけだった。不思議に思って尋ねると、われわれは墜落直後から調査を行っている。この暑熱の下では仕事にならぬから、

早朝と、陽が沈む頃から仕事をするようにしていると答えた。

正午近くになると、日本側の事故調査班員たちも、砂塵にまみれて、ふらつく者が出て来た。仕事を打ち切って、バスに戻ったが、炎天下、駐車していた車内は、五十度はあろうかというほどになっていた。ホテルで瓶に詰めて来た水を呑もうとすると、暑さのために湯になっており、弁当を開けると、海苔巻きに、青黴が生えている。行天の手配で、ニューデリーの日本人倶楽部で作って貰った海苔巻きであった。酢が入ったすし飯と、海苔ならばという心遣いであったが、青黴が生え、臭いがした。

それでも、朝から働き詰めの事故調査班員たちは、青黴のところを丁寧に取り、食べられるところだけ口に入れて、湯になった水も飲んだ。日射病の兆候なのか、いつものように尿が出ず、頭痛を訴えている者は、食事も咽喉を通らなかった。

昼食後、バスの中で仮眠をとったが、班長の志方だけは、さっき、コックピットの計器盤で見たフライト・ディレクター・トランスファー（飛行指示装置）のスイッチが、⑴に入っていたことが、妙にひっかかっていた。スイッチが⑴にセットされていたということは、ＩＬＳ（計器着陸装置）を使わずに着陸しようとしたということだ。⑵にセットされていれば、ＩＬＳを使って着陸しようとしていたことになる。別にＩＬＳを使用しなくても、有視界飛行が出来るのだから、決定的な問題ではない。事故原因は、あくまでフライト・レコーダーの航跡と、ボイス・レコーダーの一語一語とを照合して、はじめて割り出せるものであった。

しかし、志方の頭には、何となくひっかかるものがあった。

午後三時から再び、フライト・レコーダーとボイス・レコーダーの探索にかかった。

事故調査班員たちはマスクをし、その上からタオルで顔を掩って、散乱した残骸の山を注意深く探索していると、突然、叫び声がした。

何事かと声の方へ行くと、後部の焼け焦げた椅子の下から、半分焼けた肉塊が見えている。遺体の収容作業の時、椅子の下敷きになって、取り残されたものらしいが、どの部分であるか解らない。腐敗して臭気が鼻を衝いたが、遺体収容所へ持ち帰るために、大事にビニールの袋に入れて、口を固く結んだ。

四時近くなっても、なお熱風と砂嵐は止まなかった。辛抱強く残骸の中を探していると、

「見つかったぞ！　フライト・レコーダーだ！」

という声がした。一度、探した残骸の中から見つけたのだった。皆が、一斉に駈け寄った。バスの中にいた行天と早坂も、飛び出して来た。

フライト・レコーダーは、真っ黒に焼け焦げ、外側は衝撃を受けて、アルミの弁当箱のように、でこぼこになっていた。しかし、特殊な金属箔に包まれているから、摂氏千百度の高温の中でも三十分間耐えることが出来るのだった。

あと一つ、ボイス・レコーダーを探し出すことだ。だが、日射病で倒れる者が出、殆んどの調査班員たちも尿が出なくなって、脱水症状を起しているようだった。砂嵐が太陽の直射日光を遮っているとはいえ、炎のような暑さは衰えなかった。班長の志方は、

「本日は、ここまでにします」

と、第一日目の調査を打ち切った。

墜落後六日経った事故現場で、行天四郎はサングラス越しに部品探索の作業を眺めていた。事故原因の解明に最も有力な手がかりとなるレコーダーのうち、ボイス・レコーダーはいまだに発

見されていなかった。

　現場の堤防の近くに張ったテントへ戻り、パイプ椅子に坐って水筒の水をぐいと飲むと、すぐに汗となって蒸発して行くようだった。二杯目を飲みかけると調査班長の志方が、カメラのフィルムを交換しに戻って来た。

「おっ、志方さん――」

　行天が声をかけると、志方はうさん臭そうに、サングラスをかけている行天の方を見た。

「ボイス・レコーダーが一週間経っても出て来ないのは、機体が炎上した時の高温で溶けてしまったからではないかな」

　と聞いた。志方は作業服の衿もとに巻いているタオルで顔を拭き、

「そんなことはありませんよ、フライト・レコーダー同様千百度の高温に三十分間さらされても溶融しない特殊な金属で外側を囲ってありますから、必らず出て来ますよ、慣れない人が、こんなところにいたら日射病でやられてしまう、支店で待つ方がいいですよ」

　と云い、砂塵を避けるため、ビニール袋の中でフィルムの交換をし終えると、現場へ戻りかけた。

「ちょっと待って、まあここへ掛けて――」

　パイプ椅子を引き寄せ、志方を強引に坐らせた。

「志方さんは、コックピットの計器類の中で、フライト・ディレクター・トランスファーのスイッチの位置に、何かひっかかるものがあるらしいですね、どういうことです？」

「今の段階では、何とも云いかねます、フライト・レコーダーの内容と照合してみないことには――」

「なるほどね、しかし、インド側、日本の運輸省双方と折衝する立場にある私としては、懸念されることの大小にかかわらず、承知しておかねばならないからね、そのスイッチの位置はＩＬＳと関係があるのでしょう？」

気難しいと聞いている志方に対して、行天は踏み込んだ。

「まあ、そういうことです、事故機のスイッチは、墜落現場で(1)、即ちオフの状態になっていました、ということは、操縦士は何らかの理由で、ＩＬＳの誘導電波に乗らず、手動で着陸しようとしていたのか、あるいは……」

志方は、そこで口を閉ざした。

「あるいは、何だと云うのです」

「スイッチを(2)、即ちオンに入れ忘れていたのに、ＩＬＳの誘導電波に乗って下降しているものと錯覚して、高度を下げ続けたのか……しかし、何度も云うように、フライト・ディレクター・トランスファーのスイッチがオフになっていたからと云って、墜落原因にすぐ結びつきませんよ、今、アメリカのＮＴＳＢ（国家運輸安全委員会）で解析して貰っているフライト・レコーダーと、未発見のボイス・レコーダーの分析結果を照合しなければ」

志方が、あくまで慎重に答えた時、現場の方で騒《ざわ》めきが起り、後部座席辺りに人の輪が出来た。

志方は急いでたち上り、駈け足でその方へ行くと、

「班長、ボイス・レコーダーを発見！　やっと見つけました」

整備士の声がした。別の整備士が、一辺が三十センチほどの黒く焼け焦げた箱を、両手でおし頂くようにしている。

「よし、出た場所の写真は撮ったか」

「はい、後部座席の天井に取り付けられていたものですから、必らずこの辺りから出るという確信はあったのです、ただ、ラジオやその他の電気関係の箱と同じ規格なので、ごっちゃになってよく解らなかったのでしょう」

第一発見者の整備士が云った。志方は自身でも写真を撮り、焦げ工合を調べていると、いつの間にかターバンを巻いたインド側の事故調査官が現れ、

「ボイス・レコーダーは、わが国が押収する、引渡して貰いたい」

と要求した。

「ごもっともですが、わが社の事故調査班にも詳しく調べさせて戴きたい」

行天が強く云うと、ターバンを巻いた調査官は行天を一瞥し、

「国民航空は加害者の立場にある、調査はわれわれが行う」

と云うなり、ボイス・レコーダーを取り上げ、堤防の上の車に積むと、砂塵をあげて走り去った。

三日後、エア・インディアの整備工場の奥まった一室で、インドと日本と合同でボイス・レコーダーの読み取り作業が行われることになった。特殊な電気機器類を使うため、それに対応できる場所はここしかなかった。

事故原因に迫る重要な証拠物件であるから、厳重な警戒態勢が敷かれていた。日本側の出席者である運輸省の事故調査委員会の調査官でさえ、その部屋へ行き着くまでに、何重ものチェックを受けねばならなかった。

インド側の出席者は、民間航空庁の長官と安全課長であった。カースト制の国のせいか、役職

者にふさわしく共に威風堂々としている。

外側が焼け焦げたボイス・レコーダーの蓋を開けたのは、インド側の技術者であった。中は全く無傷のテープがリールに巻き取られている。

テープの再生に当って、国民航空の電気技師たちの出入りも特別に許可された。週に二、三度、停電があるインドの国情を慮《おもんぱか》って、バッテリーが持込まれる一方、インド側、日本側双方の手元においておくためのコピーを作製するため、ダビング装置も搬入されていた。バッテリーもダビング装置もインドではすぐに手配がつかず、急遽《きゆうきよ》、国民航空が空輸したものであった。

電気技師を退席させると、インドと日本の双方はリード・アウト（読み取り）の用紙を前にし、再生音に耳を傾けた。ボイス・レコーダーは、機長、副操縦士、航空機関士の、それぞれ管制塔と交信する音声と、操縦室全体の音声を集音する、計四チャンネルからなり、録音された音声は、各々、別々に再生して聞くことが出来る仕組みになっている。したがって、正確な読み取りをするには、チャンネルごとに聞いて、その時刻を書き入れて行く。

緻密で神経が疲れる作業だが、それとは別に時折、挟まれる日本語を、インド側に細心の注意を払って、通訳しなければならない。「どうも」という日本語を、「サンキュー」と訳したものか、「アイ　ウィル　ドゥー」と訳したものか、状況によって微妙に異るため、日本の事故調査官三人が時折、額を寄せ合うと、インド側の二人は疑い深そうな顔をした。

三つのチャンネルは管制塔との交信であるため、機長、副操縦士、航空機関士が、マイクに向って話しており、音声は比較的明瞭だった。四つ目のチャンネルだけ、マイクが天井に取り付けられているから、操縦室内に響くエンジン音や翼が風を切る音が混って、聞き取りにくく、誰が何と云っているのか特定することは、とりわけ困難であった。

当初、半日もあればと思われた読み取りは、二日にわたって行われた。二日目に、ほぼ照合の済んだ読み取り一覧表が出来ると、インド側は厳しい表情で、問題点に赤字を入れて行き、日本側は気まずくおし黙った。時刻はすべてグリニジ世界時で記入されている。

十四時三十八分、デリー・アプローチから最新の空港気象情報を得た国民航空四七七便はILS進入のため、高度六五〇〇フィート（一九八〇メートル）から三五〇〇フィート（一〇七〇メートル）までの降下の承認を受け、十四時四十三分、同機は管制塔より「滑走路二八にILS進入」を指示され「了解」と答えた。現地時間の午後八時過ぎといえば、地上には灯り一つなく、空港への着陸は電波誘導でなければよほど慣れたパイロット以外、降りられない。慎重の上にも慎重を期さねばならない。にもかかわらず、操縦室のそうした緊張感は、伝わって来なかった。

三十分のエンドレステープのうち、特に問題となるのは、最後の一分五十秒であった。

機関士　パワーを少し出して戴けませんか
機長　ラジャー（はい）
機長　どんどん冷やしてくれ
機長　ハッハハハ――（笑い声）
副操縦士　ギア　ダウン（脚下げ）
副操縦士　フラップ　ツー（?）《不明》ファイブ（フラップ角度二十〔?〕五度）
機関士　ランディング　ギア……ダウン・3　グリーン　アームド……（三つの脚とも下りた

グリーンのライト点灯)

機関士　スポイラー　アンド　プレッシャー　アームド（翼上減速板　圧力作動）

副操縦士　ファイナル　ラップ

機長　セット

副操縦士　ランウェイ　イン（滑走路が見えた）ゴー　アヘッド

機関士　ランディング　チェック　コンプリーテッド（着陸点検リスト点検完了）

副操縦士　デシジョン　ハイト（進入限界高度通過）

副操縦士　オーバーショート　パワー　パワー！

（水音、衝撃音）

最後の読み上げが終了すると、狭い部屋に重苦しい気配が漂った。

三人の乗員は、眼前にジャムナ川の堤防が見えるまで、高度はもっと上にあるものと思い込んでいたらしい。高温のため、もっと冷却しろとか、何が可笑《おか》しいのか笑声がすることからも、異常降下に気付いていない様子が推測される。

その上、安全運航のために重要な最終段階での降下に際して、一〇〇フィート毎に高度を読み上げることになっている声がない。また、操縦していたのは、機長ではなく、副操縦士であることは、ほぼ間違いなかった。

ボイス・レコーダーは、より性能のいい再生器にかければ、不明瞭な語句は正されるが、現段階でも大筋において、操縦上のミスがあることは、否めなかった。

ニューデリー・パラム国際空港の中にあるヤムナー・クラブで行天は、アジア・中近東路線主席機長の早坂と昼食を摂っていた。

食事用のテーブル、カウンターのあるバー、ゆったりした革張りのソファが置かれ、フライトを終えた各エアラインのパイロットたちが、昼食や飲物のサービスを受けながら、新聞や雑誌を読んだり、雑談したりしている。

早坂は、食事に半分ほど手をつけただけで、専らビールを口にしていた。飲むほどに早坂の悲憤慷慨の度は増すばかりであった。行天は内心、辟易していた。

「行天君、僕の話を真剣に聞いているのか」

「ちゃんと聞いていますよ、昨日、インドの民間航空庁と日本の運輸省とで行われたボイス・レコーダーの読み取りのことでしょう」

「そのことじゃない、ダビング・テープの音のひどさだ、あんな不明瞭な再生で事故原因の何が、究明されるというのだ」

「あのダビング装置は、わが社から急遽、送って貰ったものですよ」

「あの程度の装置で、ボイス・レコーダーの読み取りが出来、コピーが取れると考えるわが社の連中の愚かさを憤っているんだ！」

「しかし、あれでも税関にひっかかって大へんだったんですよ、インドにはダビング装置がないので、フライト・レコーダー同様、アメリカのＮＴＳＢへ送るというのを、インド民間航空庁に根廻しして、やっと諒承を得たんですからね」

行天は、早坂を宥《なだ》めるように云った。どこの国もお役所仕事は縦割りで、民間航空庁長官の名前で諒承された装置であるのに、税関が通してくれず、まる一日、すったもんだしたのだった。

早坂は、またビールを飲んだ。

「僕は、死んだ機長が可哀そうでならん、救援機第一便で着くなり、真っ先に事故現場を見に行った、その後、乗員たちの遺体と対面すべく、病院を探し廻った、国際的な決まりでは、彼らの遺体は解剖に付されるからね、ところがあったのは機長の遺体だけだった、それもベルトをつけたまま、薄汚ない部屋に置かれていた、顎から上は割れ、脳味噌が吹っ飛び、四本の金筋の肩章と、しょっちゅう見ていた体つきで、彼と解った……」

と、眼を潤ませた。

「直属の部下とそういう形で、対面されたのでは、さぞ、辛かったでしょう、しかし、検査で、アルコールが検出されることはなく、よかったですね」

と云うと、早坂は、

「君まで何を云うのか！ 彼は酒を飲めん男だ、にもかかわらず、インドの事故調査官は、アルコールが少し検出されたと云うのだ、何を根拠に云うのかと問い質したら、胃の中が腐りかけていたと云う、いやしくも事故で死んだら、機長の遺体は、真っ先に解剖されねばならんのに、冷房もない部屋に置き、僕が行った時には、既に陰部と腋の下に小さなうじ虫がわいていた、それくらい腐敗がひどかった、その体からアルコール検出云々など笑止千万だ！」

周囲を憚らず、声高に云った。行天は頷き、

「おっしゃる通りです、だが、インド側は、国際的な事故調査のやり方ではなく、ニューデリーの高等裁判所で審理するのですから、われわれの眼からみれば、変則的ですよね」

その初公判は、七月二週目の月曜日に開かれる予定だった。

「全く怪しからん、事故によって起った人的・物的損害を判定して、航空会社に罪の償いをさせ

るというのが、主目的になっている、しかも裁くのは、飛行機がどうして空を飛ぶのか解らないような判事だ、頭から国民航空がいかに悪いかという筋書を作っているに違いない」

早坂の眼は血走り、興奮のあまり声も上ずった。

「そのことですが、今日までの調査からして、操縦者は、ＩＬＳの誘導電波に乗っていなかったため、飛行機の高度が解らなかったという噂があるのですが、事実ですか」

行天は、周囲のテーブルで談笑しているパイロットたちを気にしながら、小声で聞いた。

「君までインド側の筋書に惑わされるなよ、フライト・ディレクター・トランスファーのスイッチがオフになっていたと判ったのは、われわれ第一陣が到着した翌日、つまり、事故発生から一日半経過した頃だ、墜落時にはオンになっていたのを、誰かがいじって、動いたのかも知れん、何しろ現場の保全が、なっていない、周辺の村人たちが、現場に入り込んでものを盗ったり、荒しているのを、裸足で鞭を持った男が追っ払っている、それがインドの警官というのだから、この国には呆れてものも云えない」

侮蔑するように云った。行天は、そこまでは云い過ぎだと思いながらも、抑制のきかない相手をこれ以上、興奮させぬように黙って、デザートに手をつけた。が、早坂は無念やるかたないように言葉を継いだ。

「もう一つ考えられるのは、機体が堤防に激突した時の衝撃で、スイッチがオンからオフへ切り替った可能性もあるのだ、僕は操縦席の計器類を具《つぶさ》にチェックしたが、あの周辺の計器盤に斜めからの衝撃が加わったらしく、計器の針が振り切れていた」

行天にとっては、はじめて聞くことだった。もしそれが事実とすれば、会社にとり有利な材料である。だが、それだけでは話の筋立てが充分でないと思った。

「それなら何故、ボイス・レコーダーには、ＩＬＳに従って進入している操縦士の、高度の読み上げの声が録音されなかったんですか」

「それは、誤電波だからだよ、パイロット仲間では、〝ニューデリーのゴースト・ビーム（幽霊電波）に要注意〟というのは常識だよ、それに、夜になると、管制官の英語がひどく解りにくい、カースト制の国では、夜間の管制官は、昼間と比べて身分の低い者が当るからという話だ」

早坂のインド叩きは、とどまるところを知らなかった。が、インドの空港施設が悪いことは、行天も聞き知っている。

「その幽霊電波の話は、ほんとうですか」

「一年前、パン・アメリカンのジャンボ機が、ＩＬＳで進入した時、あまり急降下するので、おかしいと思い、ＩＬＳのスイッチを切って、手動で降りて来、危険な状態から脱したという例が、ＩＦＡＬＰＡ（国際定期操縦者協会）に報告されている、その機長に裁判の時、証人になって貰うよう、レターを書き送ったところだ、その他にも、アショカ・ホテルのロビーで出会ったエア・インディアの機長に、今回の件は同情に堪えないと云われたよ、国民航空が事故を起した三十分後に、空港に進入中、ＩＬＳの誘導で『さらに降下せよ』という指示を受けたが、ゴースト・ビームかと思って、手動で着陸したと話してくれた。それで多くのパイロットのために、証言してほしいと頼んでおいた」

早坂は、何かに憑かれたように話し続けた。行天は頷きながら、早坂はアジア・中近東路線主席機長として、責任回避のために云っているのか、極度の疲労で神経が参り、妄想状態に陥っているのか、判別しかねた。だが、この際、早坂を前面に押し立てていくことで、運航管理部次長としての自分の責任も回避出来るかも知れない。ひいては、運航担当役員、堂本副社長、小暮社長の責任回避にも繋がって行く。

　インド側の誇りを傷つける結果になるかもしれないが、強気にインドの空港施設の不備を衝いて行き、各国の航空会社のパイロットを味方につける――。これしか、国民航空の立場を守る術《て》はないと、思い定めた。

＊

　アショカ・ホテルの早坂の部屋で、日本から飛んで来た同僚の機長が話し込んでいた。

「君、墜落事故の第一報で飛び出して以来、もうかれこれ三ヵ月ほどで、奥さんが心配しておられるよ」

「ワイフにたまに電話をすると、暑いインドでそこまで頑張らなくてもと、涙ながらに云ってくれるが、この不当な裁判を半ばにしては帰れないよ、自国の空港施設の貧弱さを棚に上げ、何が何でもパイロット・ミスへ結論を持って行こうとするインド政府の責任逃れを断固、糺《ただ》し、世界のパイロットがこの空港でどれほど悩まされているか、思い知らせてやるつもりだ」

　早坂は、云った。七月十日に、ニューデリー高等裁判所で初公判が開かれて以来、この三ヵ月足らずの間に二十三回の公判が開かれ、審理が進められているのだった。

「昨日、はじめて裁判を傍聴して、改めて、航空機事故の原因を法廷で争うなど、もっての外だと思ったよ、現実に僕自身、あの事故の二十日後、ニューデリーの空港へＩＬＳで降下中、ゴースト・ビームに遭ったんだ、計器上、降下経路は正常を示しているので、そのまま降下したが、途中でおかしいと思い、空港までの距離を測ると、まだ二十六キロもあった。管制塔に『ＩＬＳは信頼出来ない』と通報し、降下を止めて、正しい誘導電波が来るのを待ったからよかったものの、もし気付かずに幽霊電波に惑わされていたら、僕も空港のずっと手前で墜落していた、その時のフライト・レコーダーやボイス・レコーダーは保存してあるから、いつでも証人として出廷するよ」

結束の固いパイロット仲間の心情を披瀝《ひれき》した。

「有難う、あの時の君の報告書は大助かりだったよ、だが、わが方のインド人弁護士は、身内の証言なので、法廷では証拠として採用されない、あくまで第三者の証人をたてるべきだと云うんだ、それで同様のゴースト・ビームを体験したと話してくれたクウェート航空のイギリス人パイロットをクウェートまで訪ね、証人として出廷してほしいと、交渉したんだが、雇われパイロットの悲しさだ、社長が許可しないので勘弁してくれと、尻込みするばかりだったよ」

「ふん、情けない奴だ、君の話ではエア・インディアのパイロット部長と副部長も、誤電波に遭遇したんだろう、自ら体験したことを話してくれれば、ぐっと有利になるんじゃないか」

「二人には連日のように説得しているよ、操縦していたのは部長の方で、当人は、国営会社の乗員の最高責任者だから、自国政府の不利益になる証言については、首を賭けねばならんと云う、僕も『私だって命を賭している、ILSの科学的調査をないがしろにしておいたら、これからも多くの人が事故に巻き込まれる、それを防ぐ責任と勇気をもって出廷してほしい』と強く要請しているんだが、消極的だ、その点、副部長の方は操縦していなかったせいか、割にフランクなので、近々、マドラスの彼の家へ行き、説得に当るつもりだ」

「やれクウェートの、マドラスのと、君も大へんだねぇ」

「本社からも、徹底的に争えと檄を飛ばされているから、後にはひけんよ、それに加えてインドの航空設備を調べれば調べるほど杜撰《ずさん》だから許せない、誤電波が出る原因の一つは、電力不足による停電なんだ、空港には特別なパワー・ソースがあって、市内は停電しても、空港へは優先的に電力を供給するようになっている、ところが内密に調べてみると、毎日のように停電しているのだからＩＬＳの電波に障害が起るのは当り前だ、それをカバーするために、緊急用のバック・アップがあるのだが、それへの切り替え時間は国際規約で〇・〇二秒以内と決められている、〇・〇二秒を超えると障害が生じる可能性があるから、ＩＬＳアプローチはしてはならないという制約がある、しかしニューデリーの空港の場合は、コンマ何秒どころか何分という時間なんだ」

「へえぇ、信じられん話だな」

「さらに問題なのはＩＬＳ電波を出すトランスミッター（発信器）の保守だ、トランスミッターを保護している収納庫は、一定の温度と湿度に保っておかねばならないから、エアコンを入れている、ところがトランスミッターに緊急用のバック・アップはあっても、エアコンにはないから、停電すればエアコンは止り、中の温度は五十度以上になる、トランスミッターが誤作動を起すのは当然だよ、それを指摘すると、連中はその程度の温度は影響しないと云い張る」

「レベル以下だね」

「だから僕は、トランスミッターのメーカーの技術者をアメリカから呼んで、保守がどれほど大切であるか証言して貰うべく、既に証人申請をしている」

「収納庫がそのていたらくなら、周辺の保守もいい加減だろう」

「その通りだ、ＩＬＳ電波を正しく発信するためには、トランスミッターやアンテナ周辺に雨水が溜らないよう、人が近付かないよう常に保守しておかねばならんのだ、なのに、豪雨の後の水溜りはそのまんまだし、あの辺りを行くと近道だとかで、通勤時間帯ともなると、飛行場を、自転車や人間がぞろぞろと列をなして横切って行く、こんなことでは、誤電波の原因になると云うと、インドの当局者は、そんな時間に飛行機は降りて来ないと平然と答える、あまりのことに僕は通行人を摑まえて、お前は何時何分にここを往き来するのかと証言を取り、インド側に飛行機が降りる時間だと突きつけてやったよ」

早坂の話は止まるところを知らなかった。

「ところで話は変るが、例のフライト・ディレクター・トランスファーのスイッチのことだが、ボイス・レコーダーの読み取りと照合すると、オンになっていなかったという説もあるが、ほんとのところはどうなんだ」

「うちの事故調査班の連中は、現場で自分が見たことがすべてという近視眼的な見方しか出来ないのだ、そんな単純なことで事故原因が究明されるなど、とんでもないよ、あれは墜落時の衝撃で、オンだったスイッチが、オフに替ったんだ」

「君のその言葉がえらくインド側を刺激して、衝撃でスイッチの位置が替るかどうか、実験すると息巻いているそうじゃないか」

「どうして実験するのか知らないが、シートベルト着用サインのスイッチも、乗客が締めていたのに、オフの方になっていた、墜落の際、何らかの力が、斜めから働いたと考えるほかないね」

早坂は、自信たっぷりに云った。

「東京にいると、正確なことが解らず、やきもきしていたが、それを聞いて安心したよ、ともかく事故が起ると、パイロット・ミスがすぐ問題になる、それが一番簡単だからね」

「そうだよ、事故が起きた場合は大概、人が嚙んでいる、特にパイロットが亡くなった場合は、死人に口なしだ、こんな風潮を打破し、死んだ部下の名誉を守るために、真相を究明する覚悟だ」

力んで云うと、ナイトテーブルの上の電話が鳴った。早坂は、面倒臭げに受話器を取った。

「キャプテン・ハヤサカ　スピーキング」

「こちら、ニューデリー支店の総務主任です、大へんな事が……つい先ほど、ボ……ボンベイで四四二便が誤着陸しました」

早坂は受話器を取り落した。

国民航空ロンドン発東京行きＤＣ８が、九月二十四日、寄港地のボンベイ国際空港から西へ三・六キロのローカル空港、ジュフ空港へ誤って着陸、短い滑走路を飛び出して大破、負傷者は病院へ収容されたというニュースは、瞬く間に世界中をかけ巡った。

ボンベイから東京へ向うがらんとした機内の後部座席に、志方たち事故調査班七名の姿があった。

十日間にわたって、ボンベイで事故調査に明け暮れた一同は疲れきっていたが、帰国後直ちに提出する報告書の下書きをはじめていた。

「お疲れさまです」

パーサーやスチュワーデスが時折、そっとコーヒーや日本茶を配って行った。

志方は、カメラ、磁石、巻尺などの入った調査用の業務鞄から、誤着陸したジュフ空港の詳細な地図を取り出し、重い吐息をついた。

第二次大戦以前からの古い空港で、三本の滑走路の中で最も長いものが千四百メートルという空港と、ジャンボ・ジェット機が離発着する三千三百メートルの滑走路を備えているボンベイ国際空港を、なぜ、どうして見誤ったのか、理解に苦しむ。しかも、当日、朝の天候は良好で、目視で降下出来たのだった。

お粗末極まりないこの事故機の機長は、ニューデリー事故同様、自衛隊からの〝割愛《かつあい》パイロット〟で、副操縦士、航空機関士は二十代の若さであった。乗客百八人のうち、死者はなく、八人の負傷者だけですんだのは、不幸中の幸いだった。

人命を預かる航空会社の、安全に対する使命感が欠如し、パイロットが不足していることを承知しながら、利益優先の路線拡張を推し進めるその無節操な経営姿勢を、一挙に露呈したのが、ボンベイの誤着陸事故であったのだ。

志方は暫し、眼を瞑《つぶ》った。ニューデリー事故の社内調査報告書に、パイロット・ミスと判断されると記したのに対し、運航管理部次長の行天から、インド側のＩＬＳ誘導の際の誤電波によるものと書き直すよう命じられ、それを拒否した。再度の求めに対しても、頑なに拒むと、爾後、事故調査からはずされ、会社側の意を汲んだメンバーだけがホテルに缶詰めになって、事故原因の作文を強いられた。組織の中で節を全うすることは難しい。いつかは追い詰められ、最後まで筋を通すためには自己を犠牲にしなければならない——。アフリカの地に流人のように追いやられている恩地の姿が、志方の脳裡を過《よぎ》った。

＊

丸の内の東京本社の十階では、緊急役員会が開かれていた。

小暮社長は、額に皺を寄せた不機嫌な表情を隠さず、堂本副社長は無表情に黙り込んでいた。その中で運航担当の専務と運航管理部長は、厳しい叱責を受けて、うな垂れていた。

七月十日以来、ニューデリー高等裁判所で審理中の裁判は、まだ結審に至らなかったが、インド政府の事故調査報告書の大要が、国民航空側のインド人弁護士によって、齎《もたら》されていたのだった。

その内容は、ほぼ判決に繫がるものであり、英語の原文に、社の法務部による邦訳が付けられている。十章からなるインド政府の見解には、飛行経路、乗員・乗客の遺体及び機体の散乱状況、事故調査の範囲、空港の施設及びＩＬＳに関するパイロットの証言、調査委員会によって行われた実験、推定原因などが、項目別に記されている。

「この内容が、判決に直結するなど、全く予想外だ、これまで聞いていた裁判経過とえらく違うじゃないか」

小暮社長は、運航担当の専務を咎《とが》めた。

「申しわけありません、公判のたびに早坂主席機長を出席させ、仔細な報告を受け、私自身も三度、法廷に行っておりましたが、まさかこんな結果とは――、連続して起ったボンベイの誤着陸事故が、インド政府の心証を悪くしてしまったのかもしれません」

専務が弁解すると、堂本副社長は、いつものように表情を動かさず、

「たとえ、そうであったとしても、この報告書には、わが社にとって手痛い箇所が二つある、一つはフライト・ディレクター・トランスファーのスイッチだ、このスイッチは、君からの報告では墜落時の衝撃で、オンからオフに動いたとのことだったな、アメリカのメーカーから証人まで呼んで、わが社の主張を裏付けたにもかかわらず、認められていないではないか」

抑揚のない声で詰問した。

「それはインド側が、市内の高層ビルから、これでもか、これでもかという感じで投下して、実

験したことは確かです、しかし、ジェット機の墜落時のG（重力加速度）と、ビルの上からのGとでは、かかり方が全く異り、詭弁もいいところです」

専務は、口惜しげに唇を歪めた。

「自信をもって、詭弁と云い切れるのなら、結審する前に、早く反証の準備をすることだ、次に推定原因だが」

堂本副社長は、ボールペンで指し示した。

1　本事故の直接原因は、運航乗務員が定められた手順に従わず、かつ滑走路を視認することなく、またあらゆる計器指示を確認しなかったことによるものと推定される。

2　なお調査が不充分なため断定することは出来ないが、事故に関する要因としては次のことが考えられる。

(a)着陸体勢時の操縦は、副操縦士が行っていた。

(b)機長、副操縦士及び機関士の資格について、法的に問題はないが、経験が十分ではなかった。

(c)操縦士はあまりルートに馴れておらず、ニューデリー・パラム国際空港の施設について誤った印象を持っていた。

(d)操縦士は着陸進入開始後、百フィートごとに高度のコールアウト（読み上げ）をするように規定された手順に従わなかった。これは責任感の欠如及び怠慢によるものである。

(e)操縦は、管制官とＩＬＳによる進入を行うと交信しながら、その実、フライト・ディレクター・トランスファー・スイッチはオフのままであった。他の計器をよく見ていれば、それに気付き、事故に至ることはなかったであろう。

あまりに断定的な記述に、運航管理部長は、インド側が感情的になっていると感じた。だが、小暮社長は、ぐっと二人を睨み据えた。

「機体、計器類について科学的に争うことは出来る、だが、乗務員について経験不足とか、責任感の欠如、怠慢と云われては、国民航空の信用にかかわり、面目まる潰れだ、君らが云うようにニューデリーの空港施設に問題があり、誤電波がしばしば出て危険であるなら、機長は、なぜ副操縦士に着陸を任せたのか、そこが疑問だ、君らのパイロット教育はどうなっているんだ！」

「この、機長の経験不足云々などについては、最後まで争います」

運航管理部長が声を震わせて答えると、堂本副社長は、

「争ってどうなるものかね、ボイス・レコーダーの中に入っている墜落寸前の笑い声が消せるとでもいうのか、重要なことは、わが社の信用と体面を傷つける文言を何とか削除させることだ」

と厳命した。インド側の事故調査報告の文言を削除、修正させるとなると、加害者の立場にある国民航空は表だって何一つ要求出来ない。事は政府レベルの交渉であるから、社長が、運輸省へ出向き、再度、陳謝した上で、インド側報告書の文言の削除、修正を懇請しなければならない。堂本は、小暮社長がこの際、運輸省天下りの社長として、その力量を発揮すべきだと、醒めた表情で考えていた。

ボンベイでの事故から二ヵ月後の十一月二十九日午前二時、小暮社長、堂本副社長をはじめ運航関係者の自宅に電話の音が鳴り響いた。モスクワ・シェレメチェボ空港から東京へ向う国民航

空四四四便が、離陸後、火を噴いて墜落したとの第一報が入った。

＊

恩地はベッドで眼覚めると、いつものようにナイトテーブルのラジオのスイッチを入れた。BBCのニュースの時間であったが、いきなり〝日本のナショナル・エアライン〟という社名が聞えた。恩地は撥ね起きた。またしても国民航空の事故であった。

BBCモスクワ支局によりますと、現地時間十一月二十八日、午後七時五十分頃、モスクワのシェレメチェボ空港から東京へ向う日本のナショナル・エアライン四四四便、DC8機が、離陸に失敗し、雪の滑走路に墜落しました。機体は火を噴いて大破、空港警備の軍隊による救助活動が続けられています。これまでに入った情報によれば、乗客、乗員五十人以上が死亡、生存者は空港近くの病院で手当を受けている模様です。乗客の多くは日本人で、それ以外の乗客は十名、そのうち二名はイギリス人と確認されました。

このロンドン発モスクワ経由羽田行き四四四便には、恩地が航空券を売った昭和商事の駐在員が乗っている。

恩地は、血の気が引いた。直ちに着替え、階下のキッチンから車庫へ走った。

「ブワナ（旦那）、どうしたんです、朝食の用意は出来ていますよ」

コックが声をかけたが、恩地は車をオフィスへ向けて走らせた。

ビルにはまだ人の気配はなく、エレベーターも動いていない。恩地は、九階のオフィスまで階段を駆け上り、扉の鍵を開けた。予想した通り東京の事故対策本部から海外の全支店、営業所宛に発信されたテレックスが入っていた。事故機はやはり四四四便であった。すぐ乗客に関する項目に眼を走らせた。

確認された死者は日本人四十三人、外国人九人。行方不明を除く生存者はシェレメチェボ空港近くの病院へ収容、なお乗員十四人のうち機長はじめ九人死亡。

パッセンジャー・リストは以下の通り。

恩地はもどかしい思いで、ローマ字で記されたリストの中に、昭和商事の北村武の氏名を探した。ナイロビ―ロンドン間は予約通り、BOACに搭乗したが、ロンドンからは何らかの都合で、予約した便に乗らなかった可能性もある。

一刻も早く安否を知りたいが、航空事故の場合、事故対策本部からの情報を待つのが定《きま》りであった。殊に乗客の家族が日本にいる場合は、対策本部がすべての世話を担当する。事故が発生しても、各支店は、日常業務を恙《つつが》なく行うことが、重要であった。だが、これという仕事のない恩地はいたたまれなかった。欧州・中近東・アフリカ地区を統括しているロンドンの総支配人室へ、北村武の消息について、問合せのテレックスを打った時、扉が開き、東洋商船の事務所長が入って来た。

「ラジオで聞いたよ、あなたのところでロンドン発羽田行きの航空券を買った客がいるらしいと聞いて、何か手伝えることがあればと思ってね」

ワンマン・オフィスでは、人手がなくて困るだろうと思ってか、早朝から足を運んでくれたのだった。

「有難うございます、実はお客さんは昭和商事の北村さんでして……」

「彼だったのか、若いのに……、だが生存者がいるのだから、希望を持つことだよ、私はうちのロンドン支店に連絡をとり、消息を当って貰おう」

恩地を励ますように肩を叩いて、出て行った。

電話が鳴った。昭和商事の事務所長だった。

「何か、何か解りましたか！」

オフィスに着いたばかりらしく、息せき切っていた。

「ロンドンの総支配人室に問合せ中ですので、今暫くご猶予を――」

「何でモスクワへ直接、聞かないんだ！　うちには支店がないから、聞いているんだ！」

「申しわけありません、モスクワはてんてこ舞いで、回線の状態から云ってもロンドンの方が早いものですから」

「彼には、生れて間もない赤ん坊がいるんだ！　航空券は〝命のかかった切符〟だぞ！」

事務所長は怒りで声を震わせた。

「全力をあげて、一刻も早く知らせてくれ、売った者の責任だぞ！」

と怒鳴り、電話を切った。

クラークのウイリアムが出勤して来、事故発生を知ると、

「え、また……」

腰を抜かさんばかりに驚いた。それでも、ニューデリー事故でお客への応対は教わっていたから、緊張してカウンターに坐った。

再び電話が鳴った。ケニアの港町であるモンバサに事務所を置いている日本漁業の事務所長からだった。

「モスクワの墜落事故で、ナイロビの商社マンが死亡したらしいですね」

開口一番、云った。

「いえ……まだ確認されてはいません……」

「わが社の無線によれば、日本人五十二人中、四十人以上が死亡したというのに、楽観的ですな、ところで先般、わざわざモンバサまで出向いて、懇請された正月休みの従業員の航空券は、四人全員、キャンセルします」

「お気持は解りますが……」

「うちの従業員は、家族を日本に残して、一年近くマグロの遠洋漁業に携っている者ばかりですよ、そんな彼らを、僅か五ヵ月の間に三度も事故を起すような会社の飛行機には乗せられない、高給をとり、宿泊は超一流ホテル、空港までの送迎はハイヤー付きというおたくのパイロット連中の待遇は、安全運航のためとか聞いていたが、これではお粗末過ぎる」

と云い、電話を切った。

午後三時、テレックスが鳴りはじめた。死者、生存者、行方不明者の氏名が流れて来た。T. KITAMURA、TAKESHI KITAMURA――、一縷《いちる》の望みをつないで生存者の方を見た恩地の眼に、〝TAKESHI KITAMURA〟のローマ字が飛び込んで来た。すぐに昭和商事へ電話をした。

「北村さんは生存され――」

と云いかけると、

「君んとこはなってない！　北村は燃えさかる飛行機から脱出して、空港近くの病院にいることが、うちの東京本社から報せが入っているんだ！」

どんなに罵られようと、生存が確認されたことで、それまで張り詰めていた神経が緩み、がくりと坐り込みそうになった。東洋商船の事務所長に取りあえず、電話で報告すると、

「僕のところへも連絡があったので、電話を入れたが、話し中だったよ、今、メッセンジャーをそちらへ走らせたところだ、よかったね、恩地さん」

「はい、お心遣い、感謝します……」

辛い電話が続いていただけに、声を詰まらせると、

「だが、在留邦人の間では、国民航空はまたも墜ちたかと、非難囂々《ごうごう》だよ、モスクワの事故原因はまだ解らないが、ニューデリーとボンベイは、パイロットの経験不足、不注意というのだから、誰しも乗る気がしないよ、日頃、付き合いのある企業から、どっとキャンセルが出るだろうが、一段落したら、わが家へ食事に来て下さい、独りでは気が滅入ってしまうよ」

と云った。恩地は、温かい誘いに感謝しながら、ともかく昭和商事へ謝罪に行くため、たち上った。

*

街の大通りは、クリスマスの飾りつけで明るく彩られていたが、連続事故を起した国民航空のオフィスでは、クリスマスの飾りつけも、日本風のお正月の飾りつけも自粛していた。

ナイロビ駐在の日本企業の正月休みの帰国にも、国民航空は利用されず、せっかく、恩地が四年近くかかって、こつこつと築いて来た販路も、一挙に失われてしまった。

クラークのウイリアムが、自社の豪華なカレンダーを三本抱えて帰って来た。

「国民航空のものなど要らない、見るだけでぞっとすると、突き返されたんです」

しょげ返っていた。恩地は、

「もういい、解っているよ」

昭和商事をはじめ、あと二社も電話でこっぴどく非難された会社だと解っていた。いずれも去年までは、無理を云って追加を欲しがっていたのだ。ウイリアムは、郵便物を机の上に置いた。エクスプレスの航空便が混っていた。手に取ると、元書記長の桜井からの封書であった。今は、沢泉委員長を陰ながら援《たす》けている。


いつかはと、怖れていたことが遂にやって来ました。

アフリカの地で、ニューデリー、ボンベイ、次いでモスクワの連続事故の報に接した貴兄のご心中は、如何《いか》ばかりかと存じます。思えば十年以上前、国民航空労組の委員長に就任以来、常に〝空の安全〟を念頭に闘い、会社の利益優先策と衝突して、遥けき地で流刑に等しい勤務を強いられている貴兄にとって、さぞかし、ご無念のことと拝察致します。

わが社の事故調査班は一週間で、現場調査を終え、あとはソ連民間航空省の事故調査委員会の手に委ねて帰国しました。公式発表は後日になるそうですが、今回も、またもや人為的ミスとのことです。

離陸時に、副操縦士が、誤ってスポイラー（主翼の減速板）を開いたようです。操縦桿を握っていた機長は思うように上昇しないので、さらに操縦桿を引いて機首を上げようとした時、失速して墜落したということです。着陸時に使うスポイラーを、副操縦士が誤作動するなど、全く初歩的なミス以外の何ものでもありません。しかもボイス・レコーダーには、離陸直後の、

「ハイヨ」「やっこらさ」というやり取りまで記録されており、乗務員のたるみも指摘されています。

これらの事実を知る時、技術屋である私は「安全工学」で古くから知られている〝ハインリッヒの法則〟に思いを致さざるを得ません。これは航空事故だけでなく、炭坑での落盤事故や多くの労働災害の際、よく引き合いに出されるものです。

要約しますと、「一つの事故が発生した場合、その背景にはインシデント（事件）には至らなかった三百のイレギュラリティ（異常）があり、さらにその陰には、数千に達する不安全行動と不安全状態が存在する」という説です。また、航空事故の八〇パーセント以上が、人為的ミスによるものというのが、われわれの世界の常識です。わが社のように事故が続発する場合、日常的に不安全状態が多数、存在するものと考えられます。

例を挙げると、急速な路線の拡張と増便に伴うパイロット不足を補うため、厳格な採用基準を守らず、自衛隊の「推薦」による〝割愛パイロット〟を面接だけで採用している。

さらに、機長の不足を補うため、若い未熟な副操縦士に、機長昇格に必要な資格試験を行わず、標準時間を遥かに上回る長時間の訓練を、いたずらに繰り返すことによって、資格を与えています。事故は起るべくして、起ったのです。これらの現実を前にして、われわれ国民航空労組は、同封の、「モスクワ墜落事故に関する声明文」を出し、経営者側の利益優先主義、航空機の整備時間の短縮、乗務員を含めた教育時間の短縮と簡略化が、墜落事故の要因になっていることを明らかにしました。経営者側には、いささかの反省もなく、会社が窮地に陥っている時、内部告発するとは何事かと、声明文の撤回を命じました。しかし、われわれは、いささかも屈せず、組合サイドから、空の安全を確保する役割を果して行きます。

技術者らしく、抑制のきいた文章で綴《つづ》られている。恩地は、同封されている声明文に眼を通した。売却資材倉庫や資料管理室に隔離されながらも、声明を出し、空の安全を守り抜こうとしている桜井たちの行為に、胸を搏たれた。

＊

アカシアの樹々の果ての空が、茜色から薄紫に変り、夕闇がツァボのサバンナを包んだ。恩地は刻々と変化していく雄大な大自然に見惚《みと》れながら、食後のウイスキーを飲んでいた。国民航空が連続事故を起した〝魔の一九七二年〟も過ぎ、明けて二月、久しぶりに、土日を利用し、ボイ近くの狩猟区へハンティングに来たのだった。

今回、目指す獲物は豹だった。午後四時過ぎに木の枝の間からちらっと影を見かけただけで、明朝に望みを託して、早々に野営に入った。

薄紫の空が、やがて薄墨色に変ったと思う間もなく、夜の帳《とばり》がおり、焚火の炎だけが周りをちろちろと照らしていた。サーバントのムティソは丸太をくべながら、

「ブワナ、元気がないね」

恩地の顔を覗き込むように、云った。

「そんなことはない、思い過しだよ」

「いんや、ブワナは奥さんと子供さんが帰ってから寂しそうだった、飛行機が墜ちてからはもっと寂しそうで、悪い病気にかかったみたいだ」

「そりゃあ、たくさんの人が死んだのだからね」

恩地が、ウイスキー瓶のキャップをグラス替りにしてぐいと干すと、

「奥さんが一人だから、寂しいんだよ、ブワナの甲斐性ならもう一人、若い奥さんを持ち、子供を作れば、悲しいことはないよ」

真顔で、云った。

「お前たちの部族の風習では、一夫多妻は許されるだろうが、日本人は一人の奥さんを一生、大切にする習慣だから、そんなことは出来ないよ、まさかお前、二人目の奥さんを作ったんじゃあるまいな」

ムティソは三年前、郷里のマチャコスで同じ部落の十六歳の娘と結婚し、一児の父になっていた。

「いんや、まだそんな身分じゃない、それよりはじめての息子が出来て、嬉しいよ」

そう云われれば最近、郷里の両親の元に置いている妻が、二人目に男の子を生んだと知らされ、喜んでいた。

「男児出生とはめでたいな、早く顔が見たいだろう」

「そりゃあ、もちろんでさ、今度の休暇が楽しみだよ」

ムティソは相好を崩した。ナイロビからマチャコスまでは、カントリー・バスで一時間半、そこから更に徒歩で一時間もかかるから、休暇はまとめて与えることにしていた。

「ムティソ、ハンティングは明日、午前中で切り上げ、郷里へ連れて行ってやろうか」

ナイロビへ帰る幹線道路の途中を北東に折れれば、近道で行ける。

「ほんとうですか！　そうして貰えれば父も、祖父も、どんなに喜ぶか！　私も早く息子の顔が見たい」

「よし、行こう、お前はもう寝《やす》むことだ」

恩地が云うと、ムティソは感謝の気持を籠めて挨拶し、ランドクルーザーの中へ入った。丸腰のムティソは万一、獣が襲って来た場合、危険だからだった。

梟《ふくろう》の啼き声が断続的に聞えて来る夜のしじまの中で、恩地はふと、りつ子や克己、純子の姿を思い描いた。昨年の春休み、ナイロビへ来た妻子を連れて、ケニア、タンザニアでのサファリを楽しんだが、帰国してしまうと以前にも増して、独りきりの殺伐とした生活が身にこたえた。妻はあの時、高校に上る克己を恩地の妹夫婦に預け、中学生の純子を連れて、あなたと一緒に暮しますと云ってくれたが、期限のないナイロビ駐在を、妻子と共に過しても、空疎な思いは埋まらず、かえって荒んだ気持をぶつけ、妻子を一層、悲しませることは目に見えていた。

ウイスキーの瓶にキャップをかぶせ、恩地も明朝に備えて眠ることにした。片流れのテントを張った簡易ベッドの上に寝袋を置いて体を横たえ、右手はライフル銃に添え、眠りに落ちかけた時、テントの近くで何かが動く気配を感じた。反射的にライフルを摑み、耳を欹《そばだ》てた。木の枝に結んでいるテントの端がゆらりと揺れている。そっと寝袋から体を起すと、月明りに照らされた青白い地面に、人影があった。

「誰だ！」

恩地が腹の底から、声を放つと、人影はぴたっと止り、素早くブッシュの中へ消えた。

恩地の声に、ムティソが車の中から這い出して来た。

「ブワナ、何だったんです？」

「人間だ、こんなところに物盗りとも思えないが――」

恩地は周囲に気を配りつつ、不審な思いで云うと、ムティソは丸太をくべ足しながら、

「あ、毒矢だ」

と云い、先に黒いタールのようなものを塗った矢を拾い上げた。

「ブワナ、今、逃げたのは密猟者ですぜ、ブワナの大声に驚いて矢を落して行ったに違いない」

ブッシュの方を見た。

「だが、密猟者がわれわれの野営地に近付くはずがないだろう」

「近頃、密猟の取締りが厳しく、次々に逮捕されている、それでも、逃げのびる奴は多いに違いない、奴らは動物の干し肉をたくさん持歩き、もっと大物の密猟のために、ハンターの銃や弾を盗み廻っているらしいですぜ」

なるほど、それなら真夜中、ハンターの野営地をうろついても、不思議はない。

「この矢の毒は何か、解るか」

「多分、アコカンテラという夾竹桃《きょうちくとう》の木の汁を煮詰めたものだと思う、誤って自分の足に突き刺し、死ぬのがいると聞きましたよ」

「そうか、明日、レンジャーに渡すから、私が預っておく、さあ、寝よう」

恩地は、ムティソが車へ戻るのを見届けてから、自分も再び寝袋に冷えた体を横たえた。

密猟者の背後にはインド人がおり、巨大な闇市場を形成していると聞いたことがある。多くの動物は、サバンナの中に仕掛けられた金属製の罠《わな》に首や脚を突っ込み、もがきながら絶命して行く。昨今は、複数の車と自動小銃を使って、象などを追い詰める大掛りな密猟もあり、取締りのレンジャーをいくら増やしても追いつかないのが、実情らしい。

動物保護をおし進めて行けば、絶滅の危機に瀕している種も救われる。だが、それによって繁殖が進めば、家畜や畑に被害がもたらされ、人間社会と折り合うことは困難になるだろう。

恩地は、いつしか眠りに落ちた。

翌朝、早くから豹を追ったが、出遭うことは出来なかった。通常、豹はライオンと同様、餌を仕掛けての待ち伏せ猟だが、この前のライオンの時と違い、日数がない。

恩地は、途中で会ったレンジャーに、昨夜の出来事を伝えて毒矢を渡し、今回は豹を諦めることにした。ムティソの家への手土産に、インパラ一頭を撃ち、昼食後、狩猟区を出て、マチャコスへ向った。

ナイロビへ向う幹線道路をはずれると、凸凹道になり、車は左右に激しく揺れた。浅瀬を渡り、岩山を越え、奥地へ進むにつれ、赤い痩せた土地に稗《ひえ》、玉蜀黍《とうもろこし》、豆類の畑が見え、色鮮やかなスカーフで頭を掩い、ブラウスの下に巻いたカンガ（腰布）の裾をはしょった女たちが、鍬《くわ》を振っていた。小さな子供たちも手伝っている。

「ここが私の故郷です、よそ者はマチャコスと云いますが、先祖代々の名前はマサクと云うのです」

ムティソは、恩地のナイロビの社宅やハンティングのお伴の時とは別人のように生々とし、昂揚していた。

日干しした赤土を円形に積み、その上に茅葺きの屋根を載せた小さな住いが、そこここに点在している。

ムティソが自分の家です、と云う円形の茅葺きの家が数軒集っている前で車を停めると、家畜の世話をしていた男たちや子供が、わっと取り囲んだ。

「ムティソ、車で帰って来るとは、すげえな」

同年輩の男が、びっくりするように云うと、やや遅れてムティソの父親が、現れた。古くくたびれきっているとはいえ、化繊のシャツにズボン、足には古タイヤで作ったサンダルを履いている。

「父さん、私のブワナです」

ムティソが、紹介した。

「シカモー」

恩地は礼儀正しく、挨拶した。ジャンボと云うのは、恩地の齢からして礼儀に叶《かな》っていない。

「マラハバ」

ムティソの父は頷き、握手した。

いつの間にか十数人の人の輪が出来、その中から、赤ん坊を抱き、小さな裸足の女の子の手を引いた若妻が出て来た。

「おお、私の息子か」

ムティソは妻の傍に駈け寄り、腕に抱かれた赤ん坊を覗いた。色はまだ白く、髪もまっすぐのびている。二人の子としての証《あかし》は一ヵ月経ち、太陽の恵みを受けてから、その兆しが現われて来るのだった。

「早朝に生れたので、決まり通りお祖父さんの名前を付けました、この子はキオコです」

ムティソの妻が、夫に告げた。ムティソは嬉しさのあまり、暫し恩地の存在を忘れたかのように、父、二人の母、兄妹たちとの再会を喜び合い、子孫誕生の祝福を受けていた。人の輪の外でにこにこと笑っている恩地の前に、妻を連れて行き、

「私の妻カネメ、こっちは娘のベロニカです」

「え、ベロニカ？」

「私たち夫婦もクリスチャン・ネームを持っているが、使わない、けれど、この頃はクリスチャン・ネームで呼ぶのです、息子のキオコもいずれそうなります」

と云い、父に向って、

「ブワナからわれわれキロンギョ一家に生れた息子を祝って、身に余るお祝金とインパラを戴いた、お礼の宴を開きたい」

と告げた。父親は大きく頷き、たちまちご馳走の用意がはじまった。

夕暮になると、陽が沈むのを待たず、あかあかと焚火が焚かれ、ムティソの一家と、親戚の男たちが、賓客の恩地を囲んで、地酒とインパラの肉でもてなした。

ムティソは、日頃と全く異る厳かな口調で、

「私の最初の息子の誕生を祝うために、曾てわれわれの先祖を奴隷にしなかった人種、白人でもなく、アラブ人でもない、日本人であるブワナが、祝いの品を持ってわが家を訪れた、これは無上の倖せだ、わが息子よ、喜べ！　われわれ一族も喜ぶ！」

と云うと、十数人の男は、牛の角に注いだ地酒を干した。恩地の両隣りに、ムティソの父と祖父、そしてムティソ自身と部落にただ一人いる、以前、イギリス人のサーバント頭だった英語を話す男が坐り、得々とカンバ語を英語に通訳した。

恩地は、一族を挙げての歓迎を受けた礼を述べた後、

「せっかくの機会です、あなた方の先祖のお話を伺うことが出来れば、有難いのですが――」

と云うと、ムティソの八十近い祖父は、

「それではなぁ、わしの曾祖父《ひいじい》さんからの語り伝えを話しましょうぞ」

黒い肌に深く刻まれた皺を炎で赫《あか》く染めながら、語りはじめた。

「曾祖父さんの前頃までは、タンガニーカの北の、遠くにキリマンジャロが見えるところに住んでおり、日の出と共に畑を耕し、平穏に暮してたんじゃ。或る日、象牙を買いに来たアラブ商人に、象牙を海辺まで運んでくれ、代金は綿布と砂糖だと云われ、部落ではまだ若かった曾祖父さんと、村の衆六人が引き受けることになったのじゃ。

あとで解ったことじゃが、村の衆は、奥地から象牙を運び出す長い道をろくに食べものも与えられずに歩かされた。途中、他の部族の男たちが木の股で出来た首枷《かせ》をされ、繋がれて行く列を見て、おかしいと思い、逃げようとすると、その場で捕えられ同じように繋がれた。

海岸へ着いて、はじめて海と白人を見て、気を失うほど震え上ったそうじゃ。波の音が今まで見たこともない獣の唸り声に聞え、おまけに白人はわれわれの血を吸う人喰人種と考えられていたから、もう殺されると思うた。船に乗せられる時、何としても行くまいと砂浜にへばりついたが、革の鞭が唸り、引きずられていった。船が動き出すと、一斉に、『バガモヨ！　バガモヨ！』と泣き叫んだという。バガモヨというのは、心をここに残すという意味じゃが、今は港町の名前になってしもうた。そこからザンジバル島の奴隷市場へ連れて行かれたんじゃよ」

ムティソの祖父はそう云い、一息ついた。

ザンジバル島は、タンザニア本土から東へ三十五キロのところにあり、一八四〇年代には最大の奴隷市場であったことは、イギリス人の書いたアフリカ奴隷史で知っていた。ムティソの祖父の話は、語り伝えなので、年代や地域など定かではなかったが、曾祖父の代であること、ザンジバル島という名が出たことで、ほぼ一八四〇年から五〇年頃の話であろうと思われた。

「奴隷にされた曾祖父さんの話は、これからなんじゃ。聞けば、なんと西アフリカから運ばれた奴隷もあり、西では、東より百年以上も前から奴隷売買が盛んで、そこには〝奴隷の穴〟という、奴隷を積み込むために海に面した岩を穿《うが》った場所があったそうじゃ。奥地で捕えた奴隷を集めておいて、その穴から船に積み込むと聞いた曾祖父さんは自分が、その奴隷だと思うと、気も狂わんばかりになり、何としても逃げたいと思ったが、なす術はなかった。

奴隷市場がたつ日は、汚れた体を洗わせ、油を塗って見映えようし、六、七人ずつ台にたたせた。買主は体の肉をつまみ、歩かせたり、鎖に繫がれているのに、飛び上らせたりして、医者に、眼と口と生殖器をよく診させた。盲目になるような伝染病にかかっていないか、また、口を開けて歯並びを見ては、齢に偽りがないか、生殖器を診ては、梅毒にかかってないか、奴隷が痛がるほど検査し、病人、老人、体力のない者はそこで放り棄てられた。買手のきまった者には、胸に買主の印が入った焼ごてをあてて、刻印を入れる。奴隷の刻印が捺される瞬間、肉の焼ける臭いがし、痛みが全身に走るんじゃ。

この時まで、曾祖父さんは、自分が部落を出てから何日になるのか、自分と一緒に来た若者たちのうち、何人が生きているのか、どこへ売られたかも解らず、気がつくと、独りになっており、とうとう、大きな奴隷船に積まれて、白人の国へ送られることになったんじゃ」

一族の人たちは、語り伝えで、何度も聞いているはずであったが、〝奴隷船〟という言葉に、固唾を呑んだ。ムティソも体を硬くして、祖父の顔を見詰めた。

「その奴隷船は、全くの地獄、生き地獄じゃ。船倉の床一杯に奴隷を積み、その上に棚を作り、まだ空きがあればもう一段、棚を作って二人ずつ手枷、足枷で繫いだまま、体を横にして詰め込む。通気孔は船倉の昇降口だけじゃった。奴隷たちは、騒ぎを起さんように話を禁じられた。ちょっとでも話し声がすると、監視のアラブ人の鞭が唸る。それでもこっそり話しているのが見つかると、帆桁《ほげた》に宙吊りにされる刑が加えられた。食事は朝と夕方の二回。その時だけ甲板へ上げられて、キビ、トウモロコシ、イモ、豆などを煮たものと水が、時々は、栄養補給のために塩漬の肉が一、二枚与えられた。中には食事を拒んで、餓死しようとした者もおった。曾祖父さんも、死のうと思うて、食事を拒んだところ、二人がかりで鞭打たれた。それでも口を閉じていると、『口開け器』という、口をこじ開ける残忍な器械を使うたそうじゃが……」

　ムティソの祖父は、さすがに真偽は定かでないというように語ったが、それは紛れもない事実であり、イギリス人が書いた奴隷史にも記されている。金属のコンパスの先をまるくしたような器械を閉じている口に挿し込んでから、ねじを廻して口腔を押し広げる仕掛けで、頑強に拒めば口の中の肉が裂け、唇が切れる。そこからじょうろのようなものを入れて、流動食を流し込み、商品である奴隷の死を防ぐためのものであった。あまりに残忍な記述に、恩地はその頁を伏せた記憶がある。

　ムティソの祖父は、苦しげな吐息を洩らしてから、話を続けた。

「海が荒れると、奴隷船は地獄のまた地獄じゃ。船倉の昇降口が塞がれ、空気が澱み、波に揺られて排便用の桶がひっくり返る。赤痢患者の血便も混って、悪臭と噎《む》せ返る人いきれで、『俺たちは死ぬ、殺される！』と叫んだ。海に飛び込んでも逃げようと心に決めていた曾祖父さんが、機会を狙《ねろ》うていたところ、自分と繋がれている男が死んでしまった。監視人が手枷と足枷をはずして死人を海へ捨てた夜、嵐がもっと激しくなり、船倉にも浸水して来た。奴隷を繋いだ鎖の音と、狂ったような叫び声がしても、昇降口は閉ざされたままじゃった。曾祖父さんは、幸いにも一人だったから、昇降口まで這い上り、蓋を押し上げた。二人ずつ繋がれた者も、続いて這い上った。奴隷たちの様子に気付いた監視人や水夫が、風雨の中を鞭と銃で、奴隷たちを船倉に戻そうと発砲した。奴隷たちは鎖に繋がれながらも、手近の棒や板切れでたち向ったが、撃ち殺された奴隷の血で、みるみる甲板が染った。曾祖父さんは船尾に向って走り、そこに転っていた大きな樽を抱えて、海に飛び込んだ。片手には手枷、その上、泳ぎなどできずとも海へ飛び込んだのは、船倉で死ぬより、広い海で溺れ死んだ方がましだと思うたからなんじゃ。

何日、樽に縋《すが》りついて浮かんでいたか解らんが、気が付いた時には、丸木舟に引き揚げられ、同じ肌の色を持つ人間の顔を眼にした。言葉は通じんが、同じアフリカの部族に違いなかった。海岸に着いてから、その部族のところへ連れて行かれると、カンバ族を知っている村の長老が出て来た。曾祖父さんがこれまでの出来事を話すと、長老は『モンバサの沖で難破した船があるというが、それかもしれん。海に飛び込んでも、たいてい、鮫に喰われてしまう。お前は強靭な意志で白人の奴隷商人と戦った勇者じゃ』と云い、暫く、その家に匿われた。そして体力が回復してから、生れ故郷まで送ってやろうと云うたが、生れてはじめて奥地の部落を出て、タンガニーカから、今のケニアの海岸に流れ着いた曾祖父さんにとって、故郷の方角は、ただキリマンジャロが見えるというだけで、道順すら解らなんだ。

うな垂れていると、長老は、『北西の奥地にカンバ族の部落があるから、そこを頼ることじゃ。そこへ行くまで、いろんな部族がいて争いごとがあるから、われわれと通じている部落から部落へ、身を隠しながら行くことじゃ』と教えた。それから幾つもの荒野や、森に囲まれた村、野獣の住むサバンナ、時には小石だらけの山を越えて、ようやく辿り着いたのが、このマサクの村というわけじゃ。ここで曾祖父さんは、白人に捕えられても屈せず、最後まで戦って生還した勇者として扱われ、一家を構えたが、死ぬまで自分の生れ故郷は解らずじまいで、奴隷狩り、奴隷市場の怖しい有様を語り継ぐただ一人の語《かた》り部《べ》になったんじゃ。この曾祖父さんの名前が、ムティソ・キロンギョ。意志強固な生命の再来を念《ねご》うて、わしの孫に同じムティソと命名したんじゃ。お解りかの、これで」

ムティソの祖父は、一区切りするように言葉を結んだ。恩地は深い感慨を覚えた。書物で読んでいたアフリカ奴隷史の一端を、奴隷を先祖に持つ人から直《じか》に聞くことが出来たのだった。

*

獣医の兵庫は、ナイロビから南西約二百キロのマジモトのマサイ部落にある診療所の前庭で、牛の診療に当っていた。

午前中は近くの牧畜民の家畜を診療し、午後は軽自動車で巡回診療に出るのが、日課であった。十六頭目の牛が、兵庫の前に引き出された。大きな角を持った茶一色の見事な雄だが、体毛に艶がなく、目もとろんとしている。

「ドクター、ソバァ（今日は）」

近くに住む顔見知りの兄弟が、挨拶した。二人とも割礼《かつれい》を受け、一人前になった青年で、頭髪を剃り、足の長い茶褐色の精悍な体軀に赤い布を巻き、耳と腕にビーズや銅の飾りをつけている。

「ソバァ、どこが悪いのかね」

兵庫は、挨拶を返し、牛の症状を尋ねた。

「草を食べない、動くのも大儀そうだ」

「それは、いつ頃から？」

「ムエズィ　モジャ（一ヵ月前）」

若者たちの代になると、外部の人間に対しては、簡単ながら公用語のスワヒリ語を話す。

兵庫は牛が暴れないよう、棒杭《ぼうくい》の固定柵に牛を入れさせ、助手のオレ・サンカンに体温を測らせた。肛門にさし込んだ体温計を抜くと、四十度ある。牛の平熱は三十八、九度であるから、やや熱がある。兵庫は首を振って突っかかろうとする牛の首筋を押えさせてから、開口器で口をこじあけ、舌、口腔粘膜を視診した。健康な若い牛ならきれいなピンク色だが、蒼白く濁っていた。かなり貧血を起している。

眠り病にやられているらしいが、確かな診断は、血液検査をしなければ解らない。

兵庫は助手に採血させた。オレ・サンカンは兵庫より一廻り以上も齢上で、助手としてはベテランである。頸静脈から採血した注射器を兵庫に渡し、二人の兄弟に暫く待つように云った。

診療所の中へ入り、プレパラートに一滴、血を滴らせ、染色して塗抹標本を作った。残りの血液は、後で遠心分離器にかけ、貧血状態を調べる。

標本を顕微鏡で覗くと、予想通りトリパノソーマ原虫が蠢《うごめ》いていた。ツェツェ蠅が媒介するトリパノソーマが湧くと、牛は中枢神経を侵され、動作が緩慢になり、食欲不振、貧血が進んで、昏睡状態から死に至る。マサイ族には抗体があるらしく、ツェツェ蠅に刺されても眠り病に罹《かか》らないのは幸いだが、大事な財産である家畜を失うことは、牧畜のみで生計をたてているだけに、深刻であった。ワクチンが開発されれば問題はないが、今のところその見込みはなく、抗トリパノソーマ剤を注射する以外、術《て》はない。注射による治癒率は六〇～七〇パーセントであった。

外に出ると、二人の兄弟は心配そうに、牛に付添っていた。

「可哀そうだが、やはり眠り病に罹っている」

「ドクター、何とか助けて下さい」

兄弟にとって牛は財産であると同時に、一家と強い絆で結ばれているのだった。

「注射をする、この牛はまだ若く、元々、丈夫そうだから、回復するかもしれないよ」

兵庫はそう云い、固い牛の皮膚を通して筋肉に針を突きたてて、薬剤を注射した。

「これでよし、一週間したら往診に行くよ」

「ドクター、アサンテ（有難う）」

二人の兄弟は感謝し、牛に寄り添い、ゆっくり去って行った。

午前中の診療が終ると、白衣を脱ぎ、消毒液で手を洗った。オレ・サンカンが作ってくれたシチューを仕事机の上で食べ、食後の煙草に火を点けた。机の前のガラス窓から低い柵で囲った庭が見えた。その向うには遥か丘陵まで土漠が広がっている。強風で庭の木々が揺れ、地表から土が剝ぎ取られるように、土煙が舞って行く。

荒涼とした風景を見やりながら、兵庫はこの生活を何年続けて来たのだろうかと、思い返した。元来、動物が好きで獣医になったものの、封建的な研修医の生活に拘束されるのが我慢出来ず、アフリカの野生動物を一目、見たいと思いたって、ナイロビに渡ったのは、七年前であった。一年間、アフリカの諸国をヒッピー同然に旅しているうちに、日本へ帰る気持が失せ、ナイロビ大学獣医学部でケニアの獣医師免許を取得した。さて将来をと、考えている矢先に、日曜の礼拝に通っていた教会の牧師から、「ナロック郡のマジモトで長年、獣医をしていたドイツ人が亡くなった、後任の獣医が派遣されるまで、引き受けて貰えまいか」と依頼されたのだった。

マサイ部落での診療は無償だが、医薬品も獣医としての報酬も、ドイツ人獣医を援助して来たカナダのキリスト教団本部が引き続き、全面支援するということであった。だが、兵庫は百頭単位の牛を放牧しているマサイ族の獣医を引き受けるには経験不足であると辞退すると、「ドイツ人の獣医の助手を十年以上、務めた地元の人間がいるから心配ない」と再度、請われて、赴任したのが、この診療所であった。

電気も水道もなく、トイレも外で用を足さねばならなかったが、さすがにドイツ人の診療所らしく、建物は石造りでがっちりとし、一応の医療器具も揃っていた。その上、マジモトは、スワヒリ語で〝熱い水〟という意味の通り、程よい温度の温泉が湧き出している川もあった。数ヵ月の赴任なら、兵庫にとっても貴重な経験を積めると思った。ところが後任は半年、一年と経っても現われず、遂に今日にまで至っているのだった。

その間に、カナダの教団本部からの支援は打ち切られた。兵庫は日本の大使館を通じて、医療品や器具の寄附を依頼するとともに、自身も月の半分をナイロビの在留邦人の番犬やペットの診療をして、生計をたて、時には日本人会からも寄附を受けていた。その際、最も理解を示してくれたのが、国民航空の恩地であった。自分はゴルフや麻雀の付き合いをしないからと、寄附金集めにはいつも日本人会に奉加帳を廻してくれ、砂糖や紅茶、毛布、古着などの寄附にも快く応じてくれている。

彼ほどの人物が、まるでナイロビに捨て置かれるように、何年も駐在を解かれない裏には、よほどの事情があるに違いないが、恩地は一言も語らない。だが、ごくたまに「君にはやり甲斐のある仕事があっていいな」と呟くように云う言葉の端に、為《な》すこともないワンマン・オフィスに埋れている恩地の心中が推し測られた。

自分の属していた獣医学界の封建性、恩地の属している企業の不条理——、トップに都合のいいルールに従わなければ、弾き飛ばされ、無視されるのが、日本の組織社会なのか——。

兵庫は煙草を灰皿にもみ消すと、午睡に入った。

助手のオレ・サンカンを車に乗せ、午後の巡回診療に廻っている途中、牛の糞で塗り固められたマサイ族の小屋の屋根に、一軒だけ明り採り用の穴が開けられているのが目についた。その家の娘の割礼が早朝、取り行われたことの証《しるし》であった。

「あそこの娘も、もうそんな齢頃になったのか」

兵庫が云うと、オレ・サンカンは厳粛な表情で頷いた。

マサイ族の少年が一人前の男となるために、割礼を受けなければならないことは、以前から知っていた。曾て兵庫はオレ・サンカンの息子の割礼の儀式に招かれたことがあった。村の長老、青年組の見守る中で、少年は家の囲いの出入口に敷かれた牛皮の上に両膝を広げて坐り、背後《うしろ》から長老が、少年の体を支えた。メスを持った施術者がしゃがみ込んで、包皮をめくり上げ、メスで切り込みを入れながら伸ばし、亀頭の上の包皮を浅く切ると、そこから亀頭の先が外に出る。出血がひどく、痛みも激しいが、割礼中、少年が叫び声を上げようものなら、本人はもとより一族の恥になる。

だが、少女たちにも、そうした儀式があることは、マジモトに来てから知ったのだった。少女の場合は香りのいい香木《こうぼく》の小枝を敷いた寝床で、女たちだけで行われる。牛糞で塗り固められた家は真っ暗なため、屋根の一部が壊され、そこから入る朝の光の中で、クリトリスの一部が切り取られる。男子の割礼は、性交をスムーズに行うと同時に性病の予防になると信じられており、女子の場合は安産のためと同時に、性交の快楽を失わせるためと信じられている。一日中、家畜の放牧に出ている男たちにとって、妻が他の男と交り、快楽を得るようなことがあっては、ならないということであった。

少女の割礼が行われた家のある部落を過ぎると、草原が広がった。昼食時、鉛色の雲に掩われ、荒涼たる土漠であった景色は一変し、太陽の輝く明るい草原に、牛や羊が五十頭、百頭と群をなして、草を喰んでいる。

「ドクター、この家の仔牛を診てやって下さい」

オレ・サンカンに云われ、車を止めた。茨の囲いの入口を入ると、右側に第一夫人、左側に第二夫人の小屋が建っている。両方の小屋の中から女、子供たちが出迎えた。巡回診療に出ると、兵庫はナイロビから持って来た砂糖や古着をその家々の事情に合せて配るからだった。割り振りをオレ・サンカンに任せ、兵庫は齢取ったこの一族の長《おさ》に案内されて仔牛のところまで行き、診療をはじめた。生後三ヵ月の仔牛は前肢を骨折し、三本の足で辛うじてたっている。

当座の手当ては出来ても、牛の肢の骨折は致命傷で、生きて行くことは困難だった。

兵庫が首を振ると、主《あるじ》は悲しそうに肩を落した。そこには午前の診療でマサイの兄弟が牛に示したのと同様の、深い愛情が感じられた。

「次に生れる仔牛を待って下さい」

身ぶりを交えて励ますと、

「解った、生れる時は必らず診て下さい」

主も身ぶりで頼んだ。

兵庫がたち去る時、女、子供たちは砂糖や古着の礼を口々に云い、

「また来て下さい」

と車を見送った。兵庫にとって、この上ない喜びの一瞬であった。不充分な薬や器具、まだまだ力量不足の腕ではあるが、マサイ族の笑顔、家畜に対する深い情愛を思うと、兵庫はこの先も、

マサイ族の獣医を辞められず、この部落からも離れられないと思った。

*

ナイロビ国際空港の一角に、日本人の駐在員やその家族たちが、集っていた。

日本人会の会長として在留邦人の面倒を見て来た東洋商船の事務所長が日本へ帰任するのだった。連日のように送別会が開かれ、ナイロビ在住の多くの日本人が見送りに来ていた。

アメリカン・スクールに在学していた二人の娘の友人であるアメリカ人、イギリス人、アフリカ人の生徒たちも、両親と共に駈けつけており、一家の国際的な家族の在り方が見て取れた。

俄かに、華やかな気配がしたかと思うと、アフリカの女王と呼ばれているミセス耀子・ヒギンズが駈けつけて来た。パープルの透けるような薄い絹のドレスに、同色のストールを肩に巻いた華麗な姿に、見送りの人々は一斉に振り向いた。

「この間のジャカランダ・パーティでの送別会は、皆さん、あんなに集って下さり、楽しくもあり、淋しくもありました、ご夫妻のお人柄については、主人も常々、素晴しいカップルだと感じ入っておりました、休暇には是非、アフリカへおいでになり、わが家をホテル代りに使って下さい」

心から云い、一家と別れの握手を交した。

やがて搭乗時間になった。誰からともなく、日本流の「万歳!」の声が上った。

恩地は、機内持込みの荷物を持って、通関を手伝い、搭乗ゲートまで見送りながら、

「ご在勤中は、ことの他、お世話になりました、ご夫妻がいらしたおかげで、どんなに救われましたことか」

連続事故で肩身の狭い思いをしている時、独りの食卓は辛いでしょうと声をかけてくれたことが、最も有難く、心に滲みていた。

「恩地さんとのつき合いは長かったが、理不尽な会社に対する愚痴を一言も云わず、また、連続事故の時はまるで自分自身が、事故に全責任があるかのように詫び、対応された姿には、教えられるところがありましたよ」

事務所長は爽やかな笑顔で答え、妻子を伴って、ゲートを入って行った。

恩地が搭乗ゲートから戻って来ると、見送りの人たちは引揚げてしまい、次の便を待つ人たちだけになっていた。駐車場へ向いかけると、呼び止める声があった。アフリカの女王だった。

「どうなさったのです？　まだいらしたのですか」

驚くように云うと、

「お久しぶりね、この間のジャカランダ・パーティでの送別会にどうして、いらっしゃらなかったの」

「会社《うち》がきちんとたち直るまでは、賑やかな場所は遠慮しているのですよ」

「恩地さんらしいけじめね、この階上《うえ》の『シンバ』で、少しお話ししましょうよ」

「遅くなると、危いですよ」

気遣うように云うと、

「大丈夫よ、待たせてある車には、運転手の他に、ドクター兵庫のお世話で、屈強なマサイ族の警備員が乗っているから」

と云うなり、エレベーターの方へ歩き出した。空港ビルの五階に、『シンバ（ライオン）』という名のレストランがあり、その一角がバーになっていた。

夜のレストランには、トランプをしている牧師が二人と、パイロットが一人、それに白人の女性が一人、食事を摂りながら、熱心に本を読んでいるだけであった。ロンドン行きのＢＯＡＣが出たあとは、十一時十五分発のフランクフルト行きのルフトハンザのみだった。

恩地は、ミセス耀子・ヒギンズと、レストランの一角にあるバーに腰をおろした。大きな窓ガラス越しに、夜の空港が一望のもとに見渡せた。果てしない暗闇の中で、オレンジ色の滑走路灯とブルーの誘導灯が浮かび、少し離れた滑走路脇に、小型機が駐機している。ハイボールが運ばれて来ると、耀子はハンドバッグから、リボンのかかった小さな包みを取り出し、

「これ、私のおみやげよ、この間、パリへマリア・カラスの特別公演の『椿姫』を聴きに行った帰りに、ダーリンの先祖のイングランドの家へも久しぶりに寄って来たわ、その時、ロンドンで買ったカフスボタンなの」

恩地の手に渡した。

「それは、どうも、有難く頂戴しますよ」

気のおけない間柄であったから、遠慮なく受け取り、包みを解くと、ライオンを浮彫りにしたカメオにプラチナ枠の気品のあるカフスボタンであった。

「鬣の立派な雄ライオンですね、素晴らしい」

恩地が笑顔で礼を云うと、

「一度、あなたと狩りに出かけてみたいと思っているの」

唐突に云った。

「私と狩りに、どうして？」

「あなたって、どんな場合でも、銃を構え、ぴたりと獣を狙っているような研ぎ澄まされた冷徹さを身につけているわ、だから、一度、射撃のお手並みを拝見したいの」

「狩猟なら、ミスターと行かれればいいじゃありませんか、腕前は、ミスター・ヒギンズの方が、私より上ですよ」

「でも、私は、ゴルフや麻雀など、在留邦人の殆んどが集って遊んでらっしゃるのに、あなただけは独り、狩猟にのめり込んでいる、そこが知りたいの」

「狩りは、テヘランにいた頃からやっているので、格別の意味はありませんよ」

「そうかしら、いつもは冷静で慎しみ深い人なのに、狩猟へのめり込んでいるあなたの姿には、まるで何かと果し合いするような執念というか、異常なまでのエネルギーを感じるわ、もし、このアフリカに、獲物になるような動物がいなかったら、あなたは、いつもそう冷静で紳士的でいられたかしら」

鋭い洞察であった。会社の不条理に対する憤懣も、長く妻子と離れている孤独も、野生動物を追い、狙いを定め、引金を引く時には、すべてを忘れることが出来るのだった。だが、恩地は口を噤んだままだった。

燿子・ヒギンズは、二杯目のハイボールを注文しながら、窓の外へ眼を向け、

「夜の空港は、誘導灯がインクブルーに滲んで、哀愁が漂っているようね」

その雰囲気に身を浸すように云ったが、恩地は答えなかった。恩地にとって、夜の空港といえば、降りしきる雨の中、テヘラン空港で、妻子と東と南に別れた光景が思い浮かぶばかりだった。

「アフリカの女王らしくない感傷的な言葉ですね、夜の空港を旅だつ人、日本へ帰る家族の姿が、あなたを感傷的にしているだけですよ」

「そうじゃないわ、いくら優しい夫があり、経済的に恵まれていても、埋めようのない心の深い淵はあるものなのよ、あなたはご存じのはずだわ」

ぴたりと視線を向けた。その眼に、燃えたつ炎のようなものを感じながらも、恩地は、静かに姿勢を崩さなかった。

「少し、酔いが廻ってらっしゃるようですね、もう遅くなりましたよ、いくらマサイの警備員がいるとはいえ、ナイロビの夜は危険ですから帰りましょう、車までお送りしますよ」

恩地は、それ以上の烈《はげ》しい言葉を遮るように云った。

*

新任のケニア観光省副大臣への挨拶を済ませ、恩地はオフィスへ戻った。

副大臣は、経済大国日本からの観光客が一向に伸びないのは、ナイロビ営業所のPR活動が不充分だからだと、恩地を詰った。日本国内の景気の後退と、国民航空の連続事故が影響していた。だが、自社の事情を口には出来ず、短い不如意な会見で終ったことが、恩地を苛だたせていた。

クラークのウイリアムを使いに出し、一人だけのオフィスで、恩地は煙草に火を点け、机に向うと、娘の純子から航空便が届いていることに気付いた。日本の家族とは一ヵ月に一、二度、手紙をやり取りして、互いの近況を知らせ合っていたが、子供たちは、妻の手紙の余白に寄せ書きをする程度で、直接、手紙が届くのは、はじめてのことであった。

恩地は、思わず頰を緩め、封を切った。

中学二年生の新学期がはじまりましたが、学校なんて行きたくありません。お母さんに叱られるから、仕方なく家を出ましたが、校舎を見た途端、ぞっとしました。授業時間の間、図書館へ来て、この手紙を書いています。

楽しかった学校が急に嫌いになったのは、アメリカから帰って来たクラスメイトが、「うちのパパは、アメリカのシカゴだったけど、純ちゃんのところはアメリカのどこなの」と聞いた時からです。私は「アメリカではなく、アフリカのケニアよ」と云うと、「えっ、黒人が住んでいるあのアフリカ？　シカゴでは黒人が多くて、白人もおびえているのに、そんな黒人の国じゃあ、怖くてパパとは一緒に住めないわね」と同情されました。私は、去年の春休みにお父さんのところへ行った時のことを話し、ナイロビの街の美しさ、ケニア、タンザニアでのサファリの楽しさを皆に教えてあげると、「そんなの嘘だろう」と笑われ、信じて貰えませんでした。次の社会科の授業で先生に「ケニアのことをクラスの皆に説明して下さい」と頼みました。先生は困ったように「あとで調べておこう」と答えたきり、その後、何の説明もありません。

それ以来、クラスの全員が私のことを〝クロちゃん〟とあだ名して、笑いものにするのです。とてもショックで、先生もクラスメイトも嫌いになりました。せめて家で克己兄さんが話し相手になってくれるといいのに、この頃、面倒なことはいつも知らんぷりで、「僕はテストで忙しい」とうるさがるばかりです。夕食の時もろくに話をせず、終るとさっさと自分の部屋へ行ってしまいます。

お母さんは、いつも「お父さんに心配をかけてはいけない」と、わが家の悪いことはお父さんに知らせないでしょう？　兄さんもお利口だから、優等生の手紙を書くと思いますが、心の中は違うことを私は知っています。

純子の心はバラバラです。一家全員がバラバラです。

身勝手なお父さんへ　　純子より

恩地は愕然とした。妻からの手紙に、最近、純子が反抗期に入ったのか、少し難しくなったとは書かれていたが、登校拒否寸前にまで至っているとは、予想もしていなかった。情緒不安定であることは文面からも察しがつくが、〝身勝手なお父さん〟という最後の文字には、頭を一撃されたような衝撃を覚えた。

ナイロビで一人暮しを続けている父親のために、子供が傷つき、家庭崩壊が兆しているとは……。

カチカチカチ――、無機質にテレックスが鳴りはじめ、長い紙片が吐き出された。重い腰を上げ、手に取ると、人事異動の通知であった。恩地はもしやと、一縷の望みを抱き、テレックスのローマ字を追った。

〔退任〕運航担当専務　進藤悟　〔異動〕取締役労務部長　八馬忠次（バンクーバー支店長）、営業本部管理部長　浅川裕二（運航本部管理部長）、人事部次長　行天四郎（運航本部管理部次長）、ワシントン駐在所長　甘粕一夫（営業本部管理部課長）、広報部課長　美原譲治（パリ支店総務課長）……

昨年の連続事故の責任を取らされたのは、パイロット出身の運航担当専務唯一人で、それ以外の運航関係者は、浅川部長にしろ、行天次長にしろ責任を問われず、単にポストの横すべりでお茶を濁している。僅か五ヵ月のうちに、百二十八人の乗客の命が失われているというのに、その責任を小暮社長がとらず、留任というのは、一体、何と解釈すればいいのか。こんな無責任体制では〝空の安全〟は望むべくもなく、再び事故が起りかねない。

その上、第二組合の旗揚げを画策したメンバーの昇格が露骨である。組合分裂によって生じた人心の荒廃が、連続事故の遠因になっていることを無視した人事であった。

テレックスの最後まで待ったが、恩地自身の辞令はなかった。思わず、唇を噛みしめた時、再びテレックスが鳴った。

ケニア政府との航空交渉は三月三十一日を以て打ち切りと決定した。関係各位はその旨、了承されたし。

恩地は、凝然とした。中期経営計画に織り込まれているナイロビ就航が見送られて来たのは、採算面からやむを得ないことであったが、これまで通り航空交渉が継続されていれば、将来のアフリカ市場参入も容易である。国民航空の飛行機がナイロビへ飛び、支店の開設が実現するという希望を抱いておればこそ、寅さん映画のフィルムを担いで、港町のモンバサやウガンダのカンパラ、エチオピアのアジスアベバまで行って、こつこつと航空券を販売して来たのだった。

航空交渉は打ち切るが、営業所はそのままということは、このワンマン・オフィスで、永久に切符売りをしていろということと同じであった。恩地は、怒りで全身が震えた。

オフィスにいたたまれず、恩地は外に出た。すぐにも猟に出たい衝動に駆られたが、ランドクルーザーはブレーキが故障し、修理に出している。

日本企業の駐在員と、顔を合わせたくない恩地の足は、下町へ向った。

外国企業の駐在員の間では、下町は危険であるから、足を踏み入れないことが常識となっていた。だが、恩地はその雑踏の中に身をおいてみたかった。

中心街から十五分ほど歩くと、リバーロードに来ていた。衣料品や日用雑貨、飲食店が軒を列《つら》ねている小さな商店街をアフリカ人が道一杯に歩き、白人は見かけない。通りには、地方からナイロビへ物を売りに来た商人や貧乏旅行者が泊る安ホテルが数軒ある。〝天才〟と渾名されている若い言語学者の大江がここに長期滞在し、原因不明の熱病にかかった時、恩地は抗生物質と日本食を持って駈けつけたことがあった。大江は、曾て文部省の学術交流基金で、ケニアに一年留学しただけで、二十代にしてスワヒリ語辞典を編纂した才能の持主であると同時に、奇行癖でも有名であった。

昨年、再度、ナイロビに来た時も、同じようにここの安ホテルに滞在したのだった。この近くのおんぼろアパートに住む、〝夜の散歩業〟(売春婦)たちから、客への手紙や警察へ出す書類の代書を引き受け、大いに頼りにされていた。その彼も、今は日本へ帰ってしまったのだった。

恩地は、さらに下町を東へ向い、バス・ターミナルまで来た。

わーんと、耳が鳴るような騒音がし、バス・ターミナルの広場の周りには、古着、穀物、野菜、鍋釜、バケツ、ラジオ、時計と、ありとあらゆる商品の露店が並んで、客寄せの声が囂《かまびす》しい。盗品を売り捌くマーケットでもあるから、恰好の品を狙う目利きのインド人商人の姿もあった。

中央のバス・ターミナルには二十台ほどの古びた長距離バスが列び、地方から到着した人、出かける人でごった返している。乗降口にまで人がぶら下る満員のバスの屋根には、毛布から椅子までがくくりつけられている。ターミナルの広場には、さまざまな部族の言葉が飛び交い、アフリカ人の熱気とエネルギーで噎せ返っていた。

恩地は暫し、足を止めた。一人で来たことのあるのはここまでで、この先はスラム街のマジェンゴ地区につながっている。スラム街へ踏み込むことは危険過ぎると思えば思うほど、恩地の気持は昂揚し、足がひとりでに動き出した。

斜め向いの薄汚ないバーの看板が眼についた。

さっき、リバーロードを通り抜ける際に、スーツの上衣とネクタイは取り、腕時計と財布はズボンのポケットに入れていた。人目を引かないワイシャツ姿になっていたから、咽喉の渇きをいやそうと、バーへ入った。

三、四人の男が、カウンターで酒を飲んでいた。その向うの酒を並べた棚は、頑丈な鉄格子が嵌まっている。酔っ払い客が勝手に酒瓶を持ち出さないための用心らしい。カウンターの男たちはだらりとした背広を着、胡散臭げに見なれぬ恩地の方を見た。恩地は埃っぽいテーブルに坐り、ビールを注文した。汗臭いTシャツを着た男が、地元銘柄のTUSKER《タスカ》（牙を持つもの＝象）の瓶とコップを黙って置いた。

カウンターの男たちは、恩地をちらちら見ながら、スワヒリ語で喋っている。

「独立して十年になるというのに、貧乏人はますます貧乏になり、失業者は増える一方じゃねぇか、独立したと云ったって、国の頭《かしら》が、おいらたちのおえら方に代っただけのことで、やることはイギリス人と同じだな、奴らはロールスロイスやベンツに乗って、ワイロをがっぽり貯め込み、白人から召し上げた家に住んでいるんだぜ」

「俺たちも、そのおこぼれにあずかれると思っていたが、とんだ見当はずれ、増えるのはスラムだけで、男は日雇い労働、女は売春でしか食っていけねえ、その仕事でさえあぶれて、ひどいもんさ、そんな事情を知らねえはずがねぇのに、スラムが増えるとブルドーザーで、がぁんとおし潰しちまう、三日もすれば、またぞろ板と泥壁の家は建つっていうのにさ」

吐き捨てるように云い、強い酒をあおった。

恩地は、男たちの話を聞きながら、無性に強い酒が飲みたくなった。安もののウイスキーしかないのを承知で、注文していると、豊満な胸もとも露わなドレスを着た女が、

「坐っていいかしら」

と声をかけて来た。真昼間から客を取ろうとしている売春婦だった。黒い瞼に塗った青のアイ・シャドウと赤い口紅が、毒々しい。

「私、ソフィア、今なら部屋が空いていて、ホテル代、安くすむよ」

女が誘った。この辺の売春婦たちは、二人で部屋を借り、先に客を取った者がその部屋のベッドを使い、あとになった者は客と安ホテルへ行くと聞いていた。

「ビールを飲みたいなら、おごってやるよ、私はまだ仕事が残っているから――」

恩地は酒代と別に、十シリングをテーブルの上に置いて、バーを出た。

外へ出ると、真昼の太陽が、ぎらぎらと照りつけている。俄かに酔いが廻ってくると、いつの間にか、マジェンゴのスラム街に足を踏み入れていた。

赤土の細い通路に沿って、トタン屋根がぎっしり重なり合っている。泥壁で屋根を支えただけの、今にも崩れそうな小屋が密集している。そこからはみ出た者は、タイヤも窓枠もない廃車や、ドラム缶、缶詰、コーラやビールの栓まで平たく叩き延ばしたブリキ板の小屋に住んでいる。ここでは何一つとして捨てるもののない凄じさに、恩地は息を呑むと、アフリカ人特有の体臭と、

汚物のような悪臭が鼻をついた。

どれも二メートル四方ほどの小屋は、窓がないため扉が開け放たれている。剝き出しの赤土の床に置かれた、板切れや古新聞の上に飲み水を入れた大きなバケツと鍋釜をならべ、何人でも雑《ざ》魚寝《こね》できるように筵を敷いている。

昼間は仕事で街へ出ているはずの男たちが、職にあぶれ、ぶらぶらと歩き、恩地を見ると寄って来て、煙草をせびった。

道の真ん中で、密造酒でも飲んだらしい男が、酔っ払ってくだを巻いている。

「俺はどこに寝りゃあいいんだ、職も金も無《ね》えんだ、女房も貰えねえ」

と半裸で喚き続けているが、誰一人、見向きもしない。無気力で殺伐とした、人間が石ころのように見捨てられたどん底の場所であった。

恩地はさ迷うように、スラムの道を歩いた。陽の射さない迷路のように曲りくねった道を入って行くと、〝糞だらけのマジェンゴ〟という言葉通り、扉のない共同便所の外壁にまで大便が塗りたくられ、便器には人糞が山盛りになって、悪臭で息が詰りそうだった。その横を通り過ぎると、排水用に掘った浅い溝に、澱んだ水が溜って、どぶ川のようになっていた。どぶに足を滑らさないように歩いていると、背後に人の気配を感じた。裸足なのか、足音がしないのが一層、不気味であった。脂汗が滴り、振り返った途端、手に摑んでいた上衣がひったくられた。かっ払い、密造酒造り、麻薬の常習者の屯《たむろ》する危険な場所であることに気付き、恩地は我に返って、迷路をぬけ出した。

ようやく、共同水道のある所まで出ると、素っ裸の子供たちが、声をあげて石蹴りをしている。母親たちは、子供から脱がせたぼろの肌着を、賑やかに喋りながら洗濯していた。スラムのどん底の貧しさにもめげず、逞しく明るく生きている子供と母親たちが、恩地の眼に灼きついた。子供たちの前を通り過ぎ、ふと見ると、道端に独り踞っている老人の姿に、釘付けになった。

今にも崩れそうな小屋の前に踞る老人は、誰からもかまわれないのか、髪もシャツも砂埃にまみれ、焦点の定まらぬ眼で、ぼんやり空を見上げていた。恩地の背筋に、寒いものが走った。もし、自分も流人のような状態が長く続けば、いつしか、日本人であることも、恩地という名も忘れられ、このままアフリカの地に埋もれてしまうのではないかという恐怖が、襲って来た。

恩地は泥まみれになりながら、運よく通り合せたタクシーを拾って家へ帰り着き、運転手の云うままに代金を払った。

出迎えたサーバントたちは、上衣も失く、泥まみれの恩地が、スラムへ行ったと聞いて驚き、口々に命を取られずによかったと云ったが、恩地は、口をきくのも煩わしかった。シャワーを浴びて、食事をすますと、サーバントを彼らのクォーターへ退《さが》らせた。

独りになると、居間にあるホームバーで、また酒をあおるように飲んだが、酔えなかった。

昼間、独りで下町やスラムをさ迷ったのは、娘からの救いを求めるような手紙、会社からの非情なテレックスで、心が、ずたずたにされたからだった。一体、会社はどこまで自分を追い詰めようとしているのか。ここまで追い詰める会社側に対し、怒りを通り越して、人間の汚さへの絶望を感じた。一人の人間を、平然と、組織ぐるみで葬り去ろうとする冷酷さを考えると、この上さらに追い詰め、自分が自暴自棄に陥るのを待っているのだろうか——。

今日《こんにち》まで自分の生きる道を阻んだ一人、一人の顔が、まざまざと浮かんだ。無断で自分を組合の委員長に推薦した上、〝赤のレッテル〟を貼って、カラチ赴任の端緒を開いた労務課長の八馬忠次。二年で必らず帰すからと約束し、二度にわたって約束を破った桧山社長。曾て組合の副委員長として恩地と志を同じくしながら、離反して行った行天四郎。そして苛烈な組合分裂を強行し、労務担当役員から、桧山社長亡き後は副社長になっている堂本信介。このうちの残る三人が、恩地の人生と家庭を崩壊させようとしている。かくまで一人の人間の人生をいたぶり、破滅させることなど、許されない。

恩地は、何杯目かのウイスキー・グラスを空けた。夜になって、ぐっと気温が下り、暖炉の薪が、ぱちぱちとはぜて火の粉を舞い上げている。抑えようのない烈しい怒りが、こみ上げて来た。自分を破滅させようとする者を、すべて抹殺してしまいたい衝動に駆られた。

ふらつく足で二階の寝室へ入り、護身用のライフルを取り出して来ると、壁に掛っているバッファローの剝製の頭をぶちぬいた。酔っていても、照準はしっかりとしている。

「さしずめ、八馬忠次か――」

呟くように云い、恩地は、床に並んでいるライオン、豹、レッサークドゥーなどの剝製に眼を向けた。鮮やかな黒い斑点のあるしなやかな体型の豹が眼に止った。豹の心臓を狙い、行天四郎を思い浮かべながら、一発で仕留めるように撃った。飛び上るように宙に浮き、豹は不様に横倒しになった。

「堂本、お前は即死させないぞ」

と云うなり、ライオンの腸のあたりを狙った。腸を撃たれた人間は即死せず、長時間、苦しみぬいて死ぬのであった。

血走った眼で、ライオンの腸の辺りを撃ち抜いた。黄金色のライオンの胴体が撃ち抜かれ、毛が舞い散り、硝煙がたち籠めた。すべてが狂気のような仕業であった。

　部屋の壁は銃弾で穴だらけになり、床一面に、飛び散った動物の皮や角が散乱していた。肩で息をつき、ようやく正気にかえった恩地の眼に、怯えきって、部屋を覗いている警備員とサーバントの顔が見えた。

第九章　春　雷

東京・永田町界隈の桜は既に散り、遅咲きの八重桜の花弁《はなびら》が、春風に舞っている。

恩地《おんち》りつ子は、議員会館の地下食堂で、桜井と昼食後のコーヒーを飲んでいた。

「こんな国会の委員会の傍聴をお願いして、お手数をかけました」

ブルーのスーツ姿のりつ子は、カップを置きながら云った。

午後一時半から衆議院交通安全対策特別委員会が開かれ、昨年の国民航空の連続事故の背景を中心に、〝空の安全対策〟が調査されるのだった。

恩地委員長時代、書記長を務めた桜井は、鬢《びん》に白いものが混る温和な表情で、

「奥さんから今日の委員会を傍聴したいと云われる前に、私の方からお声をかけるべきでした、お子さんの様子を聞くにつけ、離れ離れに暮している家族がどんなに苦痛なものか、身にしみて考えさせられました」

と云った。

りつ子が今日の委員会を知ったのは、留守宅にも必らず送られて来る組合報によってであった。

純子が登校を厭《いや》がり、図書館で時間潰ししていたことを知って、りつ子は怖れていたことが起

ったと思った。以前から純子の情緒不安定には気付いており、話を聞こうと持ちかけても、「お母さんには解らないわよ」と反撥し、心を閉ざしたままだった。以前、テヘランから日本の学校へ編入した長男の克己《かつき》が授業について行けず、「外国へなんか行くんじゃなかった」と壁に書きなぐったことがあった。昨今は勉強に精を出しているが、高校生にしては妙に醒め、協調性が欠けている。ナイロビからの夫の手紙にもこれまでのような細やかな心配りがなくなり、寂寥《せきりよう》と孤独が深まっていることが行間から読み取れた。これ以上放っておけば、一家の崩壊は目に見えている。

今も第一組合に残る二百七十名の組合員のために、節は曲げられないというのが夫の信念だが、四年もナイロビに放置したままでいる会社に、りつ子は怒りを募らせながら、もう夫が自由な身になり、家族が一緒に暮せる生活を願った。既に四十二歳――、だが四十二歳なら、義弟が云うように、地方の大学の講師の口ぐらいならあるかもしれないし、自分も教員免許を持っているから、何らかの職に就けるかもしれない。

そう考えている矢先に届いたのが、衆議院交通安全対策特別委員会の報《しら》せだった。夫をカラチ、テヘラン、ナイロビと盥廻《たらいまわ》しにしている理不尽な会社の社長が、国会の場でどのような発言をするのか、自分の眼と耳で確め、これまでの生活に踏ん切りをつけたい。そのためにりつ子は、桜井の自宅へ電話をし、傍聴が出来ぬものかと、問合せたのだった。

「国会で労働組合の委員長が話せる機会など、めったにないので、沢泉君は〝空の安全〟の根幹を揺るがしかねない不正常な労使関係について発言したいと意気込んでいましたが、委員会の事務局から、今回は直接的な運航や整備の安全問題に限って下さいと指示され、悔しがっていましたよ、奥さんにも申しわけないです」

りつ子の胸中を慮《おもんぱか》るように、云った。

「沢泉さんが安全について話され、社長がそれに対してどう答えられるか、直《じか》に聞けるだけでも、気持の整理がつきますわ、どうかお気遣いなく」

「そう云って戴くと、少しほっとしますが……、奥さん、もう暫《しばら》く耐えて、一緒に春の訪れを待って下さい」

桜井は、力を籠《こ》めて云った。

先ほどまで、地方から陳情に上京した団体客でぎっしり混み合っていた食堂も、人影が疎《まば》らになっていた。

「そろそろ委員室へ行きましょうか、沢泉君たちは、議員秘書の案内で今頃はもう参考人控室で待機していると思います」

桜井は腕時計を見た。

国会へ通じる地下道を通り、衆議院分館へ入ると、衛視に傍聴許可証を示し、二階の委員室へ足を運び、傍聴席に坐った。

国民航空の連続事故で、航空安全対策に関心が高まっている最中《さなか》だけに、傍聴席も、記者席も一杯に埋っていた。

委員席には、与野党の委員十八名が着席し、参考人席には、国民航空、新日本空輸、極東国内航空の社長三名と、航空関係の各労働組合の代表たち四名が並んでいた。

国民航空労組の沢泉委員長は、証言内容で揚足を取られぬように心をひき締めていた。

午後一時三十三分、委員長である国労出身の社進党議員が、開会を告げた。

「昨年、国民航空機による海外での事故が連続して発生し、航空交通の抜本的な安全対策について、国民の関心が高まっています。本委員会としても、本日出席の各参考人の方から忌憚のないご意見を、一人十分で述べて戴きたいと思います」

と告げると、連続事故の責任を取らず留任した国民航空の小暮《こぐれ》社長が、神妙な面持でたち上った。

「昨年、一連の重大事故を引き起し、多数の尊い人命を失うに至り、ご遺族並びにご家族の方々に対し、誠に申しわけなく存じております」

深々と一礼した後、発言した。

「事故後、運輸省からたち入り検査を受け、直ちに運航、整備、運送の現業三本部で業務の総点検、見直しを実施し、運輸大臣に対し、『安全運航確保のための業務改善具体案』をご報告申し上げております。

第一に運航乗務員の人間性と人格形成教育を強化して行くこと。第二には運航乗務員の技倆、適性の向上。第三には運航乗務員の管理体制の充実強化。第四には運航乗務員並びに整備員についての質、量両面の向上。第五には航空機材の機能向上。最後に全社的管理体制並びに相互信頼の確保を掲げております。

さらに申し上げますと、運航乗務員の人間性、人格形成教育については、社内の各種教育を通じて、社会的、公共的な責任意識を充分徹底させるべく努力しております」

人間性、人格形成、責任意識という高邁な言葉が、繰り返された。力説すればするほど、連続事故の責任をいまだに取らない小暮社長に対する冷やかな空気が漂った。だが、小暮は、さらに語気を強めた。

「整備員については、先取り人員の確保、教育引き当て人員の充実によって量、質の向上をはかっております。また、航空機材の機能向上については、電波高度計及び対地高度警報装置を全機に装備する、ただし、部品の関係で四十八年度いっぱい、かかる見込みでございます――」

十分間の持ち時間が来ても、小暮は、なお安全対策の強化について述べたてた。委員長が時間超過を注意しないのは、国民が、事故当事者の充分な説明を求めていると判断したからのようだった。

「――さらに、組合とは問題があるごとに話し合っていますが、具体的な内容については、後ほど個々のご質問に応じて、ご説明申し上げたいと、かように思っております」

ようやく発言を終えた。正面の時計を見ると、発言時間は、十八分であった。この時、沢泉の心が決まった。社長の発言が時間超過を許されるならば、組合代表にも同等の権利があるはずだ。安全問題の根本にある労使関係にも言及しようと決意した。

次いで、新日本空輸、極東国内航空の社長が、それぞれの立場から安全対策を如何《いか》に強化しているかを述べたが、傍聴者の関心は、事故の当事者である国民航空関係者の証言に集っていた。

次いで、民間航空労働組合の幹事であり、国民航空のパイロットである参考人の番であった。

「私たち航空安全推進連絡会議が、今年三月、日本の各航空会社の乗員から集めたアンケートによりますと、会社の訓練体制は低下していると答えたものが四七パーセント、訓練時間が少く、実機訓練が不足だとしたものが六七パーセントにのぼっております。また昨年九月には、国民航空の乗員の八五パーセントが、全般に教育訓練時間が少な過ぎると訴えております。

組合の調査によると、国民航空における機長昇格の際の教育訓練は、昭和四十二年十月には、地上教育九十六時間、シミュレーター訓練二十時間、実機訓練十八時間であったものが、昭和四十六年十月には、地上教育二十六時間、シミュレーター訓練十六時間、実機訓練十時間と大幅に短縮されております。

このような訓練の短縮は、昭和四十三年四月、会社方針が述べられている『運航の課題』と称するパンフレットの中で明らかにされております。会社はこの中で『国際競争に勝つためには徹底したコスト・ダウンを押し進めなくてはならない。その対象は整備と訓練であり、整備においてはオーバーホール、改修などの機材の無駄をはぶき、稼動率を上げる。訓練については、高価な実機訓練はそのコストだけでなく、機材の稼動率を低下させるので減少させて行く』と云っています。そして当時の運航担当役員は、『将来は実機訓練をゼロにすべきだ』とまで云いきっております」

記者たちは慌しくメモを取っている。傍聴席には、小暮の高邁な証言とは程遠い環境に驚きが広がった。

「残念ながら、国民航空はものが云えない職場と云われるほど、労使関係は正常ではありません。アンケートにも、九五パーセントの乗員が『安全の基礎となる労使関係が非常に気になる』と答えています。

その大きな原因は、国民航空には多くの不当労働行為があるからです。昭和四十年に、乗員組合の四名が解雇されましたが、この問題について会社は、裁判所あるいは労働委員会で、既に二十一回も解雇無効の判決あるいは命令を受けているにもかかわらず、単に裁判を取り下げただけで、解雇事件の全面的な解決には至っておりません。

安全問題については、誰より機長が大きな責任を持っております。しかし、国民航空では昭和四十四年九月以降、機長を全員管理職にし、組合員になることを認めておりません。この時、組合が行ったアンケートによりますと、八八パーセントの機長が『機長を管理職にするのは、組合対策にほかならない』と答えております」

と締め括った。国民航空の実態に即し、核心を衝いた証言に、傍聴席から拍手が起った。

「次に、沢泉参考人」

遂に、沢泉の順番が来た。

参考人の中で一番若手の沢泉は、交通運輸労組協議会の幹事でもあった。

「昨年の連続事故以降、国内運航の三社を中心に、千三百六十六名の整備士から、安全対策アンケートを集めました。その結果、特徴的な点をあげますと、次の三点になります。一つは整備時間が短縮された結果、キャリー・オーバー、すなわち、故障を持ち越したまま、飛ばしていると答えたものが六八パーセントもありました。二つ目は、教育の問題について不満を持つ者が三〇パーセントから四〇パーセントあり、そしてその六五パーセントの者が、人員不足で教育を受けられず、家で自習したり、それも出来ない者は、技術スキルと申しますか、そういうものが低下していると訴えています。第三番目は、最近の整備方式について不安を持っている者が四〇パーセントあり、これが安全性の阻害要因になっていると指摘しております。

国民航空の航空機保有数は、昭和四十年度二十九機だったのが、四十六年度には六十八機になっています。ジャンボなどを考えると、非常に大きい飛行機も入っているわけですから、単純に数字で比較できないほど増加しております。これに対し、整備人員は二千六百二十七人から、昭和四十六年では三千七百八十九人、約一・四倍しかのびていません。

それからライン整備工場、日常の整備作業をしている工場のことですが、最近、非常に事故が増えていることが、職場の問題になっています。昭和四十三年には人身事故、物件事故、あるいは航空機の損傷を含めると、四十八件ありました。それが昭和四十六年では、七十七件にのぼっています。また労働者が負傷のため休んだ休業日数は、昭和四十三年の百四日に対して、四十六年には七千七百四十六日という極めて驚異的な数字を示しています。この職場環境は、私たちの健康を蝕《むしば》むだけでなく、空の安全の低下に繋《つな》がる重大なことと考えています」

沢泉の持ち時間が七分過ぎた。事務局員が「あと三分です」というメモを渡した。

「従来、会社がとって来た営利第一主義という体質を、減価償却費をのばすなり、あるいは広告宣伝費に使う金があるなら整備費に廻すとか、そういう方向で、少くとも、整備費の比率を英国のBOAC並みのところまで、引き上げて行くことが、重要だと思います」

遂に十分の持ち時間が来たが、沢泉は発言をやめなかった。

「もう一つ、先ほど小暮社長の発言の中で、組合と話していると云われましたが、私どもは、会社に再三にわたって安全問題の要求を提出して来ましたが、いまだ一度も、団体交渉を行ったことがありません。残念ながら、労働組合の委員長をしている私が、小暮社長のお顔を直接、拝見したのは今日、この席上がはじめてであるわけです」

と云うと、小暮社長の顔に動揺の色がうかんだ。記者席にも信じ難いような声が上った。「時間超過」というメモが来ても、沢泉は無視して発言を続けた。

「この問題は、過去にさかのぼりますと、非常に根深い会社の分裂攻撃、あるいは国民航空労組に対する差別攻撃、あるいは会社が気に入らない者は外地に飛ばす。事実、恩地前委員長は、あしかけ十年、カラチ、テヘラン、現在はナイロビにまで飛ばされ、まだ戻されておりません。このような労働組合政策を直ちに改めるべきだと考えます」

遂に恩地のことを証言したのだった。時間は規定を超えていた。

質疑応答に入ると、若手の社進党の委員が、たち上った。

「国民航空の社長は、今まで組合の団体交渉にも、また交渉ではなくても、直接、組合員と話し合うことがないのは、社長として大いに反省しなければならぬ問題ではないかと思うのですが、この点、どうですか」

厳しく問い質した。

「確かに、今、先生のご指摘の点は大事だと思います。ただ、団体交渉というのは、労務担当の役員もおりますし、その機会があれば、私は自ら進んでお会いしたいと、常に申し上げているわけですから、その点、ご了承戴きたいと思います」

これまで沢泉が何度、申し入れても無視して来ながら、平然としらを切った。

次いで共産党の委員が、質問した。

「組合の委員長だった人が、十年間も海外に飛ばされっ放しだそうですが、これは一体、どういうことですか。組合の委員長であったが故に、海外に飛ばすなどとは、考えられないことです。国内勤務に戻す意思はあるのですか」

「人事の問題でございますので、ここでお答えすることが適当かどうか、少し疑問を持つのですが、そういう差別待遇をして、長い間、そういうところに置いておくことが、今の時点ではそういうところから来たのではない……、あるいは労使紛争の当時においてどういう事情か、率直に云って私も、まだ八、九年ほど前ですから、詳しいその時の事情は解りません。そういうことが、もしあるとするならば、先ほど申し上げましたように、事態の改善をはかりたい――、こういうお答えでご了承願いたいと思うのでございます」

さすがの小暮社長も、しどろもどろだった。まさか、恩地のことが国会という公《おおやけ》の場で明らかにされ、世間の知るところとなるなど、予想だにしなかった。恩地の問題はいわば会社の恥部であった。場内が異様に静まり返り、沢泉の胸にも熱いものがこみ上げて来た。「事態の改善をはかる」という一言がすべてであった。この一言を勝ち取るために、十年の歳月がかかったのだった。

委員会が終り、廊下へ出ると、記者たちが、沢泉を取り囲んだ。

「十年も海外の僻地に飛ばされ、未だにアフリカにいる前委員長、恩地……、何という名前ですか」

「どうして、そんな不当労働行為を訴えないのです？」

矢継ぎ早の質問であった。沢泉は、現在、東京都の労働委員会に申し立て中であると答えたが、記者の中には、半信半疑の者もいた。

記者たちがたち去ると、沢泉は、廊下の端に、桜井と一緒にいる恩地の妻に気付いた。

「沢泉さん、おかげさまで……」

あとは言葉にならなかった。沢泉も、

「奥さん、長い間、ご苦労をおかけしました」

と言葉を詰らせた。桜井は、

「沢泉君、よくやった——、早く組合へ行って報告してやれ、皆、待っているぞ」

と促した。沢泉は、りつ子に挨拶して、先に国会議事堂を出た。

タクシーに乗り込み、ふとこの日が、自分の三十六歳の誕生日であることに気付いて、感無量の思いに浸っていると、午後六時のＮＨＫニュースが流れて来た。

本日の衆議院交通安全対策特別委員会で、国民航空の安全問題が取り上げられ、その中で、参考人の沢泉国民航空労組委員長は、「この席ではじめて社長と顔を合せた」と証言、場内が騒然としました。また組合の前委員長が、十年に及び中近東、アフリカを盥廻しにされ、現在、ナイロビに駐在している事実も明らかにしました。

——恩地さん、あと一頑張りです。何度も会社に裏切られて来た沢泉は、恩地の帰国を目にするまで気を緩めなかった。

労務部長の八馬《はちうま》忠次は、若い女子社員が運んで来た日本茶に、ごぼっと噎《む》せた。「お茶の淹《い》れ方も知らんのか！」と怒鳴りつけたいのを我慢したのは、有力政治家の縁故採用者だったからだ。

春霞のかかったどんよりしたビルの谷間を、鳥が飛んでいる。今日は厭な日だと、八馬は、舌打ちした。

カナダのバンクーバー支店長を勤め上げ、本社の取締役労務部長として、未だに残っている第一組合をこの手で潰し、常務をも目指そうと目論んでいた矢先、衆議院の交通安全対策特別委員会で、こともあろうに、第一組合委員長が、労使問題には触れないという事前の話合いにもかかわらず、「小暮社長の顔を見るのは、今日がはじめてです」と発言し、〝恩地前委員長の十年間海外盥廻し〟まで公になってしまったのだ。

小暮社長のように官僚出身で、国会答弁に慣れている人でも、狼狽することがあるのだろうか。

「事態の改善をはかります」と答弁するなど、苦々しい限りであった。その答弁のおかげで、小暮社長が出席するはめになった第一組合との団交が、開かれることになっていた。団交の主目的が、恩地呼戻しであることは、目に見えている。

「部長、そろそろお時間です——」

労務課長が、団交の資料を机の上に置いた。

「解っている、第一組合の連中は礼儀もわきまえん〝紅衛兵〟もどきで、社長を吊し上げかねん、先に行って様子を見て来い」

八馬はそう云いつけ、猫舌に頃合いのお茶を飲むと、堂本副社長の内線番号を廻した。

抑揚のない声で、堂本の応答があった。

「八馬でございます、社長ご出席の第一組合との団交が間もなくはじまりますので、何かご指示があればと思いまして——」

元労務担当役員であった副社長の堂本信介は、現在、運航、営業、人事を統括する立場で、団交の席には出席しない。

「社長が国会で弱腰だったのは、連続事故の責任を取って辞任すべしという世間の風当りを躱《かわ》して留任したからで、〝ごもっとも答弁〟になったのは当然だよ、自分で始末をつければいい」

堂本は突き放すように、云った。

「そうは云われましても、社長出席のはじめての団交ですので、ちょっとご意見を伺いに」

「必要ない、団交で注意することは、第一組合に要求されたから、恩地を呼び戻すという形にならんようにすることだ」

がちゃりと電話を切った。

八階の第一会議室のテーブルを挟んで、組合側は沢泉委員長を中心に、副委員長、書記長、組織部長ら執行委員七名が坐り、会社側からは労務担当の南専務、八馬労務部長以下、課長、係長ら七名が坐っていた。

「やあ、やあ、お待たせした」

小暮社長は笑顔で入って来たが、不自然な作り笑いであることはすぐ見て取れた。一方の沢泉も、社長出席の団交は今日がはじめてであったから内心、緊張していた。

「では、これより団体交渉をはじめます」

労務課長が、会社の事務方を代表して、告げた。

沢泉委員長は、小暮社長に向い、

「本日はご出席下さり、有難うございます、これを機に、他の組合と分けへだてなく、われわれの組合の意見もお聞き戴いて、具体的にお答え願いたく思います」

礼節をもって、云った。

「今後、すべての団交に必らず出席するというわけにはいかないが、出来るだけ都合をつけ、忌憚のない話合いをして行きたいと思っています」

小暮社長はそつなく答えた。

「早速ですが、今日、社長に申し入れたいことが二点あります、第一は先般の国会でも申しました安全問題についてです、会社側の従来のお考えでは、安全問題は会社側で解決する方針のようですが、現場で働く者の声を聞かずして安全は確保できません、と申しますのも、乗客の安全と整備環境は不可分の関係にあるからです、整備の現場の者が一番、不安に思っていることは、時間が不足しているため作業の一部を省略していることです、故障を抱えたまま出発した飛行機が大きな事故もなく今日まで来たのは、奇跡的と云っていいほどです、早急に整備時間の延長、整備士の増員をお願いします」

沢泉が云うと、小暮社長はもっともらしく頷《うなず》いた。

「第二は恩地前委員長の件です、組合委員長を辞め、予算室の仕事に戻って半年ほど後の昭和三十九年はじめに、カラチ支店へ出されて以来、足かけ十年の今日に至るまで、中近東、アフリカを盥廻しにされています、会社の定める海外駐在に関する内規に著しく反したこの不当人事を、直ちに是正して戴きたい」

力説すると、小暮社長の横に坐っていた労務担当の南専務が口を開いた。

「恩地君の件は、早い機会に善処するというのが会社側の意向です」

南労務担当は、曾てロンドン支店長兼欧州・中近東・アフリカ地区総支配人で、ナイロビ駐在時の恩地を熟知している人物であった。

「では、その時期は、いつ頃――」

沢泉が畳みかけると、横から八馬労務部長が割り込んだ。

「君らは盥廻しと云うけど、私が海外駐在員の巡回視察でカラチ支店へ行った際、本人に直接、意向を聞いている、彼は出世の望みのない国内勤務なら帰る気はないと、云ったんだよ」

「それは事実と異ると思います、組合と手を切るという一札を書けば、本社へ戻すと云われたが、そんなことは出来ないと峻拒したと、恩地さん本人から聞きました」

八馬の挑発に乗らないように、沢泉は沈着を心がけながら答え、小暮社長の方へ向き直った。

「社長は国会で、ご自身の口から事態の改善をはかると約束して下さいました、南労務担当も只今、会社側の意向を述べられましたが、恩地前委員長をすぐ日本へ帰して下さいますね」

社長の言質を取るべく、繰り返した。

「前委員長の件は、すべて故・桧山社長時代のことで、私は承知していない、しかし、ナイロビ営業所駐在まで足かけ十年というのは、長すぎるので、帰すことに決まりました」

小暮は淡々とした口ぶりながら、不本意さが唇の端に滲んでいた。小暮の口から「帰す」という約束を取りつけたことで、沢泉委員長以下、七名の執行委員たちが安堵の色を浮かべた時、八馬がすかさず、口をさし挟んだ。

「本人を帰すが、会社が組合の要求を呑んでというわけではない、健康上の理由で帰すのだ」

「健康？　確かに恩地さんは、長期の僻地勤務で健康状態はよくありませんが、会社が不当人事を反省して、帰すのでしょう、国会で小暮社長が事態の改善をはかると答えられたのも、労使関係の正常化を前提にした発言のはずです」

沢泉は〝国会証言〟をフルに活用した。八馬は苦虫を嚙み潰したような顔で、

「君らは、もう少し大人の話合いが出来んのかね、理由がどうあれ、要は恩地君を帰すことに変りはないのだから、それでいいじゃないか」

老獪な口ぶりで云った。沢泉は、恩地を帰すための理由で揉《も》めれば、せっかくの機会を逃してしまうかもしれないと一瞬、怯《ひる》んだが、中途半端な妥協は、かえって悔いを残すと判断した。

「小暮社長のご見解を、伺わせて下さい」

沢泉が云うと、

「今さら理由は要らないでしょう、ここから先の事務的な手続については、労務部と直《じか》に詰めて貰いたい」

小暮は素っ気なく答えた。確かに後任の人事、ワーキング・ビザの取得、引き継ぎ事務などを考えれば、事はそう簡単に運ばない。

「了解しました、本日は、恩地前委員長の帰国をご確約下さり、有難うございました」

沢泉は、恩地の帰国が記録に残るように、重ねて云った。

団交を終え組合事務所へ戻ると、沢泉は、遂に〝恩地奪還〟が叶《かな》ったことに、感無量の思いで、椅子に腰を下ろした。

恩地さん、一日も早く帰って来て下さい——。沢泉は今日の団交の内容をしたため、送付されて来たばかりの国会の委員会議録を組合報と一緒に、ナイロビの恩地宛に送った。

＊

恩地は、まんじりともせず、夜を明かした。

国会での証言に続き、団交の席で小暮社長から、重ねて恩地帰国の確約を得たとの報告と、会議録、組合報を、沢泉から受け取ったのだった。

妻からも、先に手紙が来ていたが、沢泉の封書によって、確実に日本への帰国が実現しつつあることを実感したのだった。それにしても、足かけ十年、ひたすら耐え忍び、待ち望んでいたことが、思いもかけぬ沢泉の国会証言から、突如として現実のものとなった喜びで昂奮し、一旦、目覚めた後は、容易に寝付けなかった。

ナイトテーブルの時計を見ると、午前四時だったが、恩地はベッドから起き上り、ガウンのまま、階下《した》へ降りた。サーバントたちはまだ起きていないから、キッチンへ入り、自分で紅茶を淹れて、居間のソファに坐った。テラスに面するカーテンを開けたが、まだ外は暗い。この間まで並べてあった剝製を自らの手で撃ち砕いてしまった居間は、がらんとし、弾の痕が残る壁が殺伐としていた。あの日以来、サーバントたちは、怯えるような眼を向け、恩地の行動に神経を尖《とが》らせている。

紅茶を飲んでいると、キッチンの外で、ガサガサと陸亀の動く音がした。扉を開けて、外へ出た。コンクリートの囲いを、ペットの亀がよじ登っては落ち、落ちてはまたよじ登っている。恩地がレタスの葉を千切ってやると、長径が四十センチほどの黄褐色に豹のような黒斑がある甲羅から、首をにょきりと出し、出目金のような目を動かしながら、もぐもぐと食べた。その動作が可愛い。

「カメよ、お前、三年もの間、この囲いの中で、不自由だったろう」

呟《つぶや》くように云った。恩地は二階へ上り、セーターの上に、サファリジャケットを着て、ガレージから、ランドクルーザーを出していると、庭番のムティソをはじめ、サーバントたちが起きて来た。

「ブワナ、日曜に、こんな暗いうちから、どこへ行きなさるんで？」

「カメをもといたところに、放してやりたいのだ」

陸亀を入れた段ボール箱を抱えると、ムティソは、

「そのカメを放してしまったら、お嬢さんが、がっかりしなさるよ、この前おいでになった時、可愛がっていなさったから」

と云ったが、その純子ももうここへ来ることはない。学校でも〝クロちゃん〟と苛められることもなくなるのだ。恩地は、一刻も早く、陸亀を放してやりたかった。

「ブワナ、暗がりの道は危いですよ」

サーバント頭兼コックは、先日来の恩地の行動が気になるらしく、止《や》めるように云ったが、恩地は、段ボール箱を助手席に置いて、エンジンをかけた。

ナイロビの北西約百六十キロにあるナクル湖に向って車を走らせた。三年前、狩猟の帰途、フラミンゴが棲息するナクル湖へ寄り、その帰りに道端に這い出て来た陸亀を拾ったのだった。

日曜日の早朝で、まだ明けきらなかったから、車も人影も殆《ほと》んどなく、道路の両側にコーヒー畑と麻畑が延々と続き、ところどころに、茅葺きの家が見えた。

一時間ほど走り、開けたサバンナで恩地は車を停めた。助手席から段ボール箱を下ろし、中から陸亀を出して、地面へ置いた。陸亀は長時間の車の振動に怯えてか、甲羅に頭と四肢を隠して、石のように動かなかった。恩地は、陸亀を抱えて、灌木の中に分け入り、

「仲間のところへ帰れ、達者でな」

とそこへ置いてやると、ようやく甲羅から首を出し、周囲を見廻すように首を振ってから、窪みの方へごそごそと這いはじめた。自分の勝手な気晴らしのために可哀そうなことをしたが、これで野性を取り戻せるのだと、恩地はほっとして、車へ戻った。

まだ辺りは薄暗い。赤道直下のケニアは、年間を通じて日の出の時刻は変らない。だいたい午前六時四十分頃であった。いつもは銃を携え、野生動物を追う恩地であるが、今朝は銃を持たず、静かにナクル湖の日の出を見ようとしているのだった。

六時三十分、ようやく、ナクル湖に着いた。湖の周りには、キリンやインパラ、ウォーターバックなどが、日の出を待たずして移動し、草を喰《は》んでいた。恩地は、日の出を待つために、湖畔近くに車を寄せた。

水辺では、ペリカンがゆっくりと水をかいたり、湖畔の砂地を歩いたりしていた。臆病と云わ

れているフラミンゴは、陽が昇るまで、ペリカンの群から離れた湖面に集り、騒々しく啼《な》くばかりである。

正面の山並みが茜色に染まり、太陽が昇りはじめた。陽光が湖面を照らしはじめた瞬間、ピンク色のフラミンゴが数十万羽、次々に羽搏《はばた》き、湖が濃いピンク色に染った。よく見ると、湖面から白い湯気のように朝靄《あさもや》がたつ中で快げに浮かび、羽根をやすめている群もある。

澄みきった朝の風が吹き渡って、ピンク色のフラミンゴが空一杯に飛び交い、花吹雪のように舞う。さながら天上の世界を眼にするような美しさであった。

何という幻想的な世界、心和《なご》み、華やぐ美しさだろうか——。恩地は、心を奪われた。そして自分が長く、こうした光景から遠ざかり、野生動物を追う荒くれた日々を過して来たかと、思い返した。下町やスラムをさすらい、愛蔵していた動物の剝製を自らの銃で撃ち砕いた行為は、孤独の無間《むけん》地獄に陥り、精神の安定を失った狂気のなせる業であった。

あのような日々が続けば、ほんとうに気が狂ってしまったかもしれない。だが、まさに天の思召しというべきか、沢泉の国会証言、組合の力によって、無間地獄から救い出されようとしているのだった。恩地は、オレンジ色の空をぐいぐいと昇る太陽に向って、祈るように手を合せた。

朝の陽に照らし出され、湖水のブルーと、フラミンゴのピンクとの対照が眩《まば》ゆい。浅瀬には餌をついばんでいる群もあって、見あきることはなかったが、肌寒さを覚えた。車に戻り、湖畔に一軒だけあるレストランへ向った。

数人の客の姿しかなかった。恩地は、湖に面した窓際のテーブルに坐り、トーストとフライドエッグ、温いコーヒーを注文した。いつもの日曜日なら、サラリーマン・ハンターとして、サバンナを駈け廻っている自分が、湖畔で朝食を摂って寛いでいるのが、不思議なように思われた。今の恩地は、満たされた平穏さの中に身をおいているのだった。

不意に、辺りが暗くなり、雷雲が近付いて来たかと思うと、バリッバリッと天を裂くような凄じい音が轟き、空から垂直の稲光が奔《はし》った。湖面のフラミンゴは、警戒し合うように羽搏きの音をたてて、乱れ飛んだ。

地面を叩きつけるような大雨が降り出し、湖は鉛色に変り、海のように波だった。だが、赤道直下の大雨は、三、四十分ほどで降り止む。

やがて雨が止むと、山並みの遥かから天がけるような虹がかかった。七色というより、赤、黄、ブルーの鮮明な輝きを持った巨大な虹であった。その虹の空を背景にして、再び、フラミンゴの群が、色鮮やかに飛び交いはじめた。

日の出とともに、フラミンゴが湖面を舞う、天界のような美しさから、一転してかき曇り、天を裂くような雷雨、そして雨が降り止むと、眼を瞠《みは》るばかりの鮮やかで巨《おお》きな虹――。恩地は今あった激変が、自分の人生の明暗のようにも思えた。

輝ける委員長と云われ、三千人の組合員と共に歩んだ日々、一転して、僻地を転々とした十年にわたる流離の日々、そしてようやく今、光明を見出した自分――、だがこの先も、まだ山坂があるというのだろうか――。

ナイロビの恩地に、「REGISTERED」と判を捺された航空書留郵便が届いた。東京都地方労働委員会からの封書で、すぐに開封した。中には「証人呼出状」が入っていた。

「下記により証人として尋問を行いますから、出頭してください」という冒頭の一文に続いて、申立人として組合側の沢泉中央執行委員長、被申立人として会社側の小暮代表取締役社長の名が記され、恩地が証人としてたつ日時、場所、尋問事項の欄があった。

尋問事項は、恩地自身の陳述書に基づいて行われるため、既に沢泉宛に書き送っていた。中立てている組合員の数からして、証言にたつのはもっと先だと思っていた。その頃にはナイロビ駐在を解かれ、国内勤務の辞令が出て、日本へ帰っていると思っていたから、予想以上に早い呼出しに喜ぶ一方、戸惑いも感じた。

添付されている書類には、旅費は実費、日当一日につき五千円、宿泊費一泊六千五百円とあるが、海外からの証人を呼出す際の規定は記されていない。

一身上のことであるから、自腹を切ればよかったが、本社人事部の許可なくしてワンマン・オフィスを空ければ、就業規則違反に問われかねない。ここは沢泉に相談し、あげ足を取られないよう考えねばならないと思いつつ、証人呼出状を封におさめた時、テレックスが鳴った。思いがけなく沢泉からだった。小暮社長と団交を持つ以前は、組合がテレックスを打って来るなど、考えられないことだった。

都労働委員会での証言に当っての航空運賃は、国際線を持つ航空会社であるゆえ、都労委を通じて会社側に便宜を図るよう申入れ、諒解を得た。ご安心願う。

恩地は、ほっとした。会社が運賃の負担を呑む以上、恩地が不在の間、少くともロンドンの総支配人室の手配で、代替の駐在員が出張して来るはずであった。

恩地は本社人事部宛に、都労委の証人呼出しに応じ、六月十日より五日間東京へ行く旨を打電した。

*

ロンドン経由での長い飛行を終え、羽田空港に到着すると、タラップの下に二、三人の整備士が駈け寄って来た。

「恩地さん、お帰りなさい」

「明日は必らず、傍聴に行きます」

明るい声で出迎え、国際線到着便の出口で車が待っていることを告げた。沢泉たち組合員の心配りであった。

礼を云い通関をすませて、外へ出ると公衆電話で、自宅へ電話をした。待っていたように妻の声がし、

「お帰りなさい、空港まで迎えに行きたかったのですけど――」

「そんな必要はないよ、今からまっすぐ本社へ行くが、子供たちは元気か、純子はどうだい」

「二人とも元気です、純子は、あなたが近く帰国すると知ってから、落ち着きましたわ」

「それを聞いて安心した、じゃあ、あとは今夜、家へ帰ってから」

電話をきり、非番の整備士が運転する車で、丸の内の東京本社へ向った。

四年半ぶりに、東京本社の玄関を入ると、玄関ホールに、エレベーターを待つ人々の姿があった。だが、誰一人として恩地の顔見知りはいない。以前は、一人や二人、知った顔に出会ったことを思うと、今さらのようにその歳月の長さを感じた。

最初に七階の人事部へ行くと、正面の部長席は、空席であったが、傍らの次長席では、行天《ぎようてん》四

郎が瀟洒な服装で、長い肢を大きく組んで、書類を繰っている。予《あらかじ》めテレックスを打っておいたから、恩地が歩み寄ると、

「おう、よく来たな、辞令待ちの大事な時期に、都労委で労働者側の証人として出るとは、いい度胸だ」

行天は開口一番、ずけっと云った。

「辞令より、真実を述べることの方が優先だよ、それより私の後任の件は、一体、いつ定《き》まるのか、それを聞きたい」

行天の毒舌には取り合わず、容易に定まらない後任の件を聞き、

「僕の後任だからといって、第一組合の中から選ぶようなことは、断じて許されないよ」

厳しく念押しした。

「そんなこと、君に云われるまでもないよ、社長が国会でも、団交の席でも、社内の組合を分け隔てしないと約束したんだから――、それでも気になるなら、後任には、どんな条件が必要なのか、聞かせて貰いたいねぇ」

「まず身体頑健、次に孤独に耐えられること、三番目に護身用の銃の一つも撃てることだ」

「えっ、銃……」

行天はぎくりとしたが、周りの社員が耳を欹《そばだ》てている気配を察し、

「なるほど、特殊な地域だな、まあ近々、何とかするよ」

と取り繕った。

「そう願いたい」

とだけ云い、恩地が席をたちかけると、

「明日の証言だがねぇ、帰国してからのポストのことも、よく考えることだな」

「それは、どういう意味だ」

恩地が問い質すと、

「言葉通りだよ」

と答えるなり、くるりと回転椅子を廻し、背を向けた。

恩地は廊下へ出、同じ階にある労務部に向いながら、次のポストは証言次第だと云わんばかりの行天の言葉に呆れ果てた。曾て志を同じゅうした者が、出世コースを歩むために、そこまで卑しくなれるものか。

労務部へ入って行くと、社員たちの好奇のまなざしが、恩地に集中した。正面の椅子に、小柄ではあるが、肥って恰幅のいい取締役労務部長の八馬忠次が坐っていた。

「今、着いたのか、疲れただろう、ナイロビからは二日がかりだからな、休暇の届け出は五日間になっているが、カイロ支店から留守番が行っているから、一週間でもかまわんよ」

今までと打って変った態度で、部長席の横の応接セットへ招いた。

「この度は何かとお手数をかけます、今、人事部へ寄って、後任の件を急ぐように頼んで来ましたが、八馬部長からも、よろしくお願いします」

と云うと、八馬は大きく頷き、

「君とは長いつき合いだったな、その間、いろいろと誤解や、ことの行き違いもあった、私がカラチへ巡回視察に行った時、もっと時間をかけて、よく話し合っておれば、とっくに帰任して、国会の交特委などで、つまらん話題にならずにすんだものを――、返す返すも残念だ」

組合と手を切らねば、今に吠え面をかくぞと云ったことなど棚に上げ、ことさら感慨深げに吐息をついた。

「恩地君、長い間、昇格が遅れていたな、君の次のポストについて、私はいろいろと考えているが、君の希望も聞きたいと思っていたところだ、今晩、都合はつくかね」

まるで、身をすり寄せんばかりの馴れ馴れしさで云った。明日の恩地の証言を前にした懐柔に他ならない。恩地が丁寧に辞退すると、

「君、ちょっと――」

女子社員でも呼ぶように手招きしたかと思うと、ずんぐりした体軀の男が、たって来た。

「こちらがナイロビの恩地君、彼が労務部次長の畑辰造君、明日、会社側として都労委へ出席するので、何かとよろしく」

巧妙な紹介の仕方だった。畑辰造は、ずんぐりした体軀に、野暮ったい身形《みなり》で、初対面の挨拶をした。恩地はどこかで見た顔だと思い、はっとした。以前、沢泉から送られて来た第二組合結成時の組合報に、大きく写真入りで紹介されていた顔だ。第二組合の旗揚げの時、参集した組合員を前にして開口一番、「お前らは犬じゃ、犬は犬でもシロ犬じゃ、アカ犬ではない」とぶち上げたあの男であった。それが八馬忠次の忠犬よろしく、労務部次長におさまっていた。

恩地は索莫《さくばく》とした思いで、次に労務担当の南専務に挨拶するため、十階へ上ると、女性秘書は、恩地のことを知らされているのか、

「専務は、札幌へ出張中でございますが、今日ぐらいには恩地さんが来られるかもしれないと、気にしておられました」

と云った。恩地は、南の温かい心遣いを感じ、

「では、ナイロビ営業所の恩地が、ご挨拶に参りましたと、お伝え下さい」

と伝言して、階下へ降りたが、心残りだった。

一年半前、ナイロビで欧州・中近東・アフリカ地区の支店長会議が開かれた時、アンボセリのロッジで、当時、ロンドン支店長兼地区総支配人であった南は、恩地の身の上を案じてくれたのだった。「私は近く本社へ帰ることになったが、君のような人材をこのまま、アフリカに埋もれさせておくのは、見るに忍びない、私が帰任して然《しか》るべきポストについたら、君を管理職として呼び戻したい、管理職になれば、組合員ではなくなり、自然な形で組合と接触を持つことがなくなるだろう」とまで云ってくれたのを、頑なに断ったのだった。

その南が、今、労務担当専務となり、一方、恩地は明日、都労委で、十年の長きにわたる会社側の不当人事を証言する立場にある。あの時の南総支配人の温情は、今以て身に沁《し》みて、忘れていないことを伝えておきたかったのだった。

翌日、恩地は、沢泉ら組合役員と共に、有楽町の交通会館へ出向いた。都労委の審問会で証言するためであった。

「所定の時間内で、きちんと話せるか心配だよ」

エレベーターの中で、恩地が云うと、

「大丈夫ですよ、恩地さんの陳述書はさすが堂々たるものだと、昨日も弁護士の大河内先生が感心しておられたじゃないですか」

沢泉が励ました。

「その通りです、今まで数十人の組合員の申立てを手伝って来た私としても、恩地さんの証言は百万の援軍を得る思いですよ」

組合の法務対策委員も、頷いた。

八階で降り、一号審問室へ入った。午後一時半の開始まで三十分以上あったが、長い海外の僻地勤務で、大勢の人の前で話す勘を失っていた恩地は、早く会場に着いておきたいと、希望したのだった。

審問室は、裁判所の法廷と同じように、正面に委員席、右に労働者側、左に会社側のテーブルが配置され、証言台はその真ん中にあった。労働委員会の審問室らしく、机も椅子も質素な木製であるが、正面の委員席の後方は全面、ガラス窓で、明るい光が入っていた。

恩地は、部屋の中をぐるりと見廻し、後方のパイプ椅子が並んだ傍聴席に視線を転じると、

「恩地さん、お帰りなさい！」

六、七人の第一組合員が、一斉に声をかけた。

「やあ、懐しい――」

恩地は傍聴席へ行き、一人一人と握手を交した。委員長時代、会社の不平等を是正するために、各職場で恩地を支えてくれた支部組合員たちであった。沢泉から、年次休暇の取れる組合員が傍聴に来るとは聞いていたが、十年近い歳月の経過があっても、なお自分のために傍聴に来てくれた仲間に、目頭が熱くなった。組合員たちの中にも、日に灼《や》け、髪に白いものが混る恩地の姿に、涙する者があった。

「恩地君、お帰り」

太い声がし、その方を見ると、テヘラン支店開設当時の支店長だった島津が、たっていた。驚いている恩地に曾ての侍《さむらい》支店長は「よかったな」と云うように、肩を叩いた。

「まさか島津さんがおいでになるとは――、少しもお変りになりませんね」

テヘラン支店長兼中近東地区支配人から、停年を前にして、空港管理サービス会社の役員に転じた島津は、九州男児らしく、古武士のような風格を備えていた。

「姑息《こそく》な役人上りや御殿女中のいない会社で、仕事のことだけ考えていればいいからね、いつか寄りなさい」

島津はそう云うと、傍聴席へ踵《きびす》を返した。そのうしろ姿を見送り、恩地はふと、後列の席から自分に向って、そっと手を振っている女性《ひと》に気が付いた。元スチュワーデスの三井美樹だった。カラチ支店時代、フライト中に赤痢の疑いがあるとして、入院した美樹の面倒を見たことはあるが、その後、結婚してスチュワーデスを辞めてからは、音信も途絶えていた。その女性までもが来てくれたことに、恩地は組合の光明を見る思いがした。

やがて、会社側が動員をかけた十五、六人の課長クラスや他の会社の労務関係者も着席し、五十の傍聴席は一杯になった。

恩地が、労働者側のテーブルで大河内弁護士、沢泉、法務対策委員らと最後の打合せに入ると、会社側も弁護士、畑労務部次長、課長らが、向いのテーブルでひそひそと相談しはじめた。

午後一時半きっかりに、公益委員を先頭に、労働者委員、使用者委員、事務局職員らが入って来た。公益委員は東都大学の法学部教授でもある都労委会長自身が務めた。国民航空の案件がそれだけ社会的に注目を集めていたからである。労働者委員は化学産業労連の組合役員、使用者委員は関東機械の労務担当役員であった。

全員起立して委員を迎えると、大河内弁護士は恩地に小声で、「じゃあ、打合せ通りに」と目顔で証言台へ送り出した。

証言台の前にたった恩地に、法廷での裁判長に相当する公益委員が、

「恩地さんですか、お掛け下さい」

と椅子を勧めた。五十代後半の温和な容貌で、物腰も穏やかであった。公益委員は、

「それでは労働者側から、主尋問をどうぞ」

と促した。大河内弁護士が、恩地の書いた陳述書を示した。

「証人が書かれたものに、相違ありませんか」

「その通りです」

「ここに書かれていることにそって、質問します」

大河内弁護士はそう云い、経歴と、国民航空労働組合の委員長になった経緯について質問した。

恩地は当時の八馬委員長から、是非とも後任にと依頼されたが、入社して十年間は会社の仕事に専念したいからと辞退したにもかかわらず、一言の断りもなく、掲示板に委員長当選と貼り出されたことを話した。

「その公示の貼り紙を見て、あなたは諦めて、委員長を引き受けたのですか」

「いいえ、驚いてすぐに八馬さんのところへ行きました。あれほど固辞したのに、無断で決めるとは酷いと抗議し、撤回を迫ると、『君しか候補にふさわしい人物はいない。もし立候補者がいなければ、組合の歴史上、はじめてのことで収拾がつかなくなる。ここは男と見込んで一つ、頼む』と拝み倒され、もはやそれ以上は断りきれない状況でした。そのかわり引き受ける条件として、期限は一期一年だけ、組合役員人事は任せて貰いたいと云うと、無条件で呑む、自分も全面的に協力すると約束してくれました」

と答えると、傍聴席から、信じられぬように、ほおっという声が上った。八馬がいかに信頼のおけない人間かが、公益委員、労働者委員、使用者委員にも印象づけられた。

「委員長に就任して、あなたが最初に取り組んだのは、どういう点ですか」

「以前から全社員の間で問題になっていた賃金の低さと、就業時間の不平等に関してでした。本社勤務の社員は土曜日は半ドンですが、その他の職場では土曜日も五時まで働いていました。本社ではゴルフやテニスに出かける人がいるというのに、その一方で、労働基準法に定められている産前産後の休暇や生理休暇も満足に認められない女子社員が、遅くまで働いていました。

そこで昭和三十六年十一月、スト権を確立し、ストライキ突入という直前、会社側が折れたのです。この時、労働協約の改訂交渉を行って、大幅な待遇改善を実現しました」

「その時、決った内容は、主にどんなものでしたか」

「定年が五十五歳から五十八歳になり、女子の産前産後、生理休暇も有給になりました。また年次有給休暇も大幅に認められるようになりました」

「その後、会社はどうしましたか」

「年明け早々に、労務担当役員と労務課長が更迭され、唖然としました。全面的に協力するからと、私を委員長に口説き落した八馬さんがその舌の根も乾かぬうちに、団交の席でテーブルを挟み、労務課長としてわれわれと対峙したからです」

「その後、会社側の態度や労務政策は、どう変りましたか」

「団交でまともに話し合いが出来なくなりました。三十七年の春闘で、われわれは賃上げと諸手当の新設を要求しました。手当としては、従来、昼夜にかかわらず一律だったものを、現場の強い要請でシフト手当、深夜手当、日曜・祭日出勤手当とに分けて、要求しました。

ですが会社側の労務部門の立て直しとともに反撃がはじまり、前年度の労働協約の自動継続はしないと通告して来たのです」

「委員長は、いつまでやっていましたか」

「当初の約束の一年が過ぎ、職場へ戻りたかったのですが、組合員から何としても続投して貰いたいと強く要請され、もう一年、引き受けざるを得ませんでした」

「二期務められた後、昭和三十八年に元の予算室へ戻られたのですね」

「はい、六月に戻り、仕事に慣れ、遅れをとり戻そうとしていた頃、直属の課長から、カラチ支店赴任の内示を受けました。今までの仕事とは全く関連のない業務で、会社が私を排除しようとする意図が明らかでしたから、受けられないと断りました」

「その後、どうなりましたか」

「組合が不当配転だというビラを出して、抗議しました。ただ、人事は会社の専権事項ですから、命令に従わなければ解雇もあり得る当時の情勢を考慮しながらの反対運動でした。

　次第に会社側の攻撃も激しくなり、これ以上、拒否出来ない状態の中で、当時の桧山《ひやま》社長に面会を申し入れました。社長から『不当配転というが、わしの立場も考えてくれ。内規では任期は二年までとなっているから、我慢して行ってくれ』と云われ、私の後任の沢泉委員長と相談し、これ以上拒否すると、解雇のおそれもあり得るとして、やむなく、承諾しました」

「ご家族は、どうしましたか」

「小学一年の男の子と、四歳の娘の他に、病身の母がおりました。母の面倒を妹夫婦に見て貰い、私のカラチ赴任半年後に妻子がやって来ました。カラチには日本人学校がなかったので、妻が上の子供のために時間割を作って、自宅で教えておりました」

「カラチ駐在時代、会社から何か働きかけはありましたか」

「八馬労務部次長が、海外支店の巡回視察に来られ、私を呼んで、『カラチ駐在は君に〝更生の機会〟を与えるための人事だが、何か反省するところがあったか』と、聞きました。呆れ果てて、何もないと答えますと、八馬さんは、内規の二年も近づいたことでもあり、自分宛に詫び状を書くようにと、迫りました」

「ほう、詫び状というと、どんなことを——」

「今後、組合とは一切、手を切り、社業に専念するという誓約書を出せば、管理職として本社へ戻すと云うのです。私はそんなことは出来ないと拒むと、『今に吠え面をかくぞ』と面罵して、帰って行きました」

「その後、どういうことがありましたか」

「カラチ支店長から、テヘラン支店開設委員を命じるという内示を受けました。私は社の内規に反するので、再考して貰いたい旨を支店長に申し入れますと、君の人事は一支店長が口を挟むケースではないから、関わりたくないと断られました」

傍聴席に、呆れたような声が上った。

「やむを得ず、私は桧山社長に約束を履行して戴きたいと直訴状を出しましたが、返事はありませんでした。そうこうするうちにテヘラン支店開設委員を命ずという辞令がテレックスで入り、後任者が到着して、押し出されるように、テヘランへ赴任するしかなかったのです。開設委員は全員、単身赴任のホテル住いでしたから、妻子を一旦、日本へ帰し、テヘランへ赴任しました」

「その際、ご不幸があったように聞いていますが」

「はい、テヘランへ行って二ヵ月もしないうちに、会社の総務部を通して、妻から『母死去、葬儀はあなたの帰国を待って営みます』というテレックスが入りました」

恩地はそう云い、言葉を詰らせた。テヘランでそのテレックスを受け取った時の衝撃、人目をしのんで、慟哭《どうこく》した時のことが甦り、不覚にも涙がこみ上げて来た。

「葬儀にお帰りになった際、桧山社長に面会を求められたそうですね」

「供花を戴いた御礼をかね、最初の二年の約束を履行して戴きたいと云いました。桧山社長はテヘランへ自社の飛行機が就航すれば、すぐに日本へ帰すよう、人事担当役員にも伝え、今度こそ必らず帰すから待っていてくれと頭を下げられました。私はその言葉を信じました。しかし、テヘラン就航記念のパーティには、桧山社長は出席されず、帰任の報せもないままに月日が流れ、やむなく家族を呼び寄せました」

「テヘランでは、お子さんの教育はどうされましたか」

「当時、日本人学校設立の動きはありましたが、子供は上が既に四年生、下も一年生になっておりましたので、開校まで現地の小学校へ入学させることにしました。英語による授業と送迎のスクール・バスがある学校でしたので、通わせることにしたのです。ところが登校初日にして、二人とも文房具を盗られ、泣きながら帰って来るなり、『もう学校なんか行きたくない』と云いますので、カラチ同様、妻が時間割を作り、自宅学習させました」

「そうしますと、子供さんは満足に学校へ行けなかったわけですか」

「はい……」

恩地の声が震えた。事実関係については淡々と語れたが、母の死や子供のこととなると、胸が締めつけられる。

「子供は日本へ帰ってから、学校へ行くようになると、授業についていけず、自分の部屋の壁に、

〝外国へなど行くんじゃなかった〟となぐり書きし……、子供の運動会にも学芸会にも、行ってやることが出来ず、ほんとうに可哀そうなことを……」

恩地の両眼から涙が噴き出し、それ以上、言葉を継げなかった。傍聴席にも目頭をおさえる人の姿があり、寂として声がなかった。

「証人は気持が落ち着くまで、お話しにならなくていいですよ」

公益委員が見かねたように云った。

弁護士は、恩地の気持が静まるのを待ってから、

「テヘランから、アフリカのナイロビへ転勤を命じられたのは、どういう経緯ですか」

と聞いた。恩地は、テヘラン支店長と本社人事部に、度重なる不当人事だと訴えたが、辞令通りと答えるばかりだったこと、ことここに至っては、一度ならず、二度までも約束をたがえた桧山社長に直訴するより他ないと考え、東京へ向い、社長を訪ねたことを述べた。

「そこで、桧山社長との話合いはどのようでしたか」

「話合いは出来ませんでした。なぜなら、桧山社長は入院しておられたからです。病院までお見舞をかねて行くと、面会謝絶の札がかかっておりました。どうしたものか思案していると、たまたま中から奥様が出て来られ、テヘランからと聞いて、病室へ入れて下さいましたが、桧山社長は既に死の床にあるという状態で、私の顔を見るなり、すまん、すまんと詫びるように、涙を流されました。私はもう云うべき言葉がなく、弱い者は撃てない——、そう自分に云いきかせて、お見舞の言葉だけを述べて病室をたち去りました」

傍聴席で、啜《すす》り泣きの声がした。

「ナイロビ駐在は何年になりますか」

「四年四ヵ月になります」

「会社は、あなたを帰すことをようやく認めたようですが、中近東、アフリカ駐在は通算、何年になりますか」

「現在のところ、九年四ヵ月です」

「そのような人が、他にも社内にいますか」

「他にはいません。僻地勤務は二年という内規がありますので」

「そうすると、あなたが組合委員長として、強い指導力を持っていたことが、この不当人事の背景にあったというわけですね。以上、主尋問を終ります」

大河内弁護士は、尋問を終えた。期せずして、傍聴席に拍手が起った。

「反対尋問はありますか」

公益委員が、会社側の弁護士の方へ顔を向けた。会社側のテーブルに居並んでいた畑労務部次長が、弁護士に何事か囁《ささや》いた。

「一、二、ございます」

会社側の弁護士がたち上った。

「ナイロビ駐在中、プロハンターの資格を取られましたね。資格を取るためには、定められた多くの基準があると思いますが」

「そのことが、会社の不当人事とどんな関連があるのですか」

すかさず、大河内弁護士が云った。

「関連があるから、お尋ねしているのです。恩地証人の場合、どうだったのか話してください」

恩地には、その意図は解っていたが、問われるままに答えた。

「銃や狩猟区に関する知識の学科試験と、プロハンターの立ち合いの下、ビッグ・ファイヴと呼ばれる象、ライオン、豹、バッファロー、犀《さい》などを仕留めた実績と推薦を持って、はじめて資格が取得できます」

「ほう、大したものですね。ところでそんな大物を撃つには、よほどの経験を積まねばならないと思いますが、ハンティングにはよほど精を出されたわけですか」

「いや、私の場合、土、日曜のサラリーマン・ハンターですから、何とか取得できたのです」

「私の聞き知るところによれば、あなたの生活は、サーバントを使って、大邸宅に住み、狩猟三昧の王侯貴族並みだとかで、島流しとは、ほど遠いものだったんじゃないですか」

「私の場合、マージャンもゴルフもしないので、狩猟が唯一の趣味でした。サーバントの件は、ケニア政府の雇用政策で、必らず使用しなければなりません。大邸宅云々の件も、外国企業の駐在員の社宅に関しては、一エーカー単位で貸しつけられ、結果的に大邸宅に住むことになったのです。それが王侯貴族並みの生活であったとしても、毎日、未就航のワンマン・オフィスで、日本語を話すこともなく、長く孤独に耐えて、正常な精神を保つことは、至難なことでした」

恩地の脳裡に、剥製を撃ったあの時の狂気が過《よぎ》った。

「以上、反対尋問を終ります」

会社側の反対尋問は、藪蛇《やぶへび》に終ったようだった。

公益委員が閉廷を告げると、拍手が湧き起り、鳴りやまなかった。

目黒《めぐろ》の社宅の恩地の家に、久しぶりに賑やかな笑い声がたっていた。

妹の紀子《のりこ》夫婦と二人の子供も一緒に食卓を囲み、部屋が狭いほどだった。

義弟の秀雄は、恩地にビールを注《つ》ぎながら、

「都労委での証言のために帰って来られたとはいえ、国内勤務が決ったんですから、またナイロビへ戻るなど、大へんですね」

と云った。明日、恩地はナイロビへ出発するのだった。

「せっかくの一時帰国なのに、お兄さん、組合の人との打合せばかりで、家でゆっくり出来ないなんて、お嫂《ねえ》さんや純子ちゃんたちが可哀そうよね」

紀子も、夫に同調するように云った。

「でも、今度こそ日本に帰って来るんだから、嬉しいわ、ねぇ」

純子が、兄の克己の方を見て云った。

「そうだな、お父さんが帰って来れば、僕も心丈夫だからな」

克己は、たくさんの料理の皿から、骨つきの唐揚げをつまみながら、ませた口調で云った。

「あら、克ちゃんたら、いつの間にそんなに頼り甲斐が出来たのかしら」

紀子夫婦の高一の長女が、まぜっ返した。

「相変らず、へらず口ばかり達者だな、ピアノを習いに行くより、英検の二級でも目ざせよ」

克己が、応じた。恩地は、秀雄とビールを酌み交しながら、幸せを噛みしめていた。情緒不安定な手紙を書いて寄越した純子は、生来のお茶目な元気さを取り戻し、テストを口実に自分の殻に閉じ籠もり勝ちだったという克己も、活発な従妹《いとこ》と明るくやり合っている。家族の絆《きずな》、言葉にしなくても解り合える心の安らぎ——。これで母が生きていてくれたら、なお云うことはなかった。

「お義兄《にい》さんが帰って来られたら、家を持たなくちゃなりませんね」

「そうね、いつまでも社宅住いというわけには行かないし——」

紀子夫婦が、高二と中二の二人の子供を抱えた兄夫婦を気遣うように、云った。りつ子はにぎり寿司を子供たちに取り分けながら、

「実は私、公団に二回、応募したことがあるのよ」

と云った。恩地は驚いて、

「え、そんなこと今、はじめて聞く話だよ、いつ応募したんだ？」

と聞いた。

「一回目は、あなたのナイロビ駐在が三年近くなった時です、いくらなんでもそろそろ帰任じゃないかと思って、公団の横浜の分譲住宅に応募したんですよ、四十倍以上の難関だったけど、私、抽籤《ちゆうせん》で当ったのよ」

「まあ、お嫂さん、どうしてそれを買わなかったの」

紀子が、わが事のように悔しがった。

「すぐに報せようとしたところに、主人から手紙が届いて、ナイロビ駐在はさらに延びそうだから、そのつもりで子供たちのことを頼むとあったんですよ、それで諦めたってわけ」

りつ子は、つとめて明るく話した。恩地は聞きながら、その手紙を出したのは、多分、東京本社から、ナイジェリアの首都、ラゴスでの市場調査を命じられた時期に違いないと思った。日本の合弁会社はおろか、商社の事務所すらないラゴスへ市場調査に——という突拍子もないテレックスは、会社に楯突けばナイロビよりさらに西へ飛ばすぞという脅し以外の何ものでもなかった。離れ離れの四年間、手紙のやりとりは欠かさなかったが、それぞれに書けないことがあったのだと、恩地は改めて思い返した。

「それで二回目はいつだったの」

克己が聞いた。

「あなたがテスト、テストと云いはじめた時期よ、克己には自分の志望通りの大学へ行かせ、好きな道へ進んでほしかったから、窓のある明るい勉強部屋を持たせてあげたかったのよ」

「それ、どこだったの」

「少し遠かったけれど、千葉市内の交通の便がいいところよ、でも二回目は外れだったわ」

「なんだ、がっかりだな」

「克ちゃん、吉祥寺のうちの近くに引っ越して、家庭教師になってよ、うちのお姉ちゃんはおてんばで、こわいんだもん」

紀子夫妻の下の中一の男の子が云い、しんみりしかけた食卓に、再び笑いが起った。

恩地も笑いながら、ビールのコップを置き、

「そうか、帰ったら家を建ててやろうね、今からでは小さい家しか建てられないが、楽しみにお父さんの帰りを待っていてくれ」

二人の子供の顔を見ながら、約束した。

「うん、お父さん、きっとだよ」

克己と純子は嬉しそうに、云った。父親不在の社宅住いでは、近所の人の親切が人一倍、身に滲《し》みる一方で、心ない噂にも傷ついているだろう。恩地は一日も早く日本へ帰り、共に過してやりたいと思った。

食事が終ると、紀子夫婦は子供を促し、帰り支度をはじめた。

駅まで見送りに行くという子供たちが先に玄関を出ると、紀子は、ハンドバッグの中から白い

封筒を取り出した。

「お兄さん、これはもう要らないわね」

「何だい、それ」

「お兄さんの履歴書よ、国会で小暮社長は、事態の改善を図ると答弁したけど、私は信用できなかったの、いざという時のために、いい就職口を見つけなければと、持ち歩いていたのよ」

兄に似た二重瞼の大きな眼を、潤ませた。

「紀子、有難う……」

恩地は、その封筒を受け取って、紀子の前で二つに裂いた。


それから三ヵ月後、台風一過の快晴の朝、予想以上に早く都労委の命令が出た。組合側の全面勝利であった。

「万歳！　遂に勝ったぞ！」

「これでわれわれを支持し続けてくれた人や家族に、申しわけがたつ」

第一組合に留っているというだけで差別を受けて来た組合員たちは、長い忍従の果てに味わった歓喜を噛みしめていた。

「沢泉君、全面勝利だそうだな、おめでとう」

恩地委員長時代、書記長を務めた桜井が息せききって、組合事務所に入って来た。

「お蔭さまで、この命令書を勝ち取りました」

沢泉は感無量の面持で、命令書をさし示した。そこには国民航空労働組合の申立てについて十一人の公益委員が合議し、会社側に非のあることを認めたことが記され、主文の第四には、小暮社長が沢泉委員長に宛てた謝罪文も掲載されていた。

貴組合所属の組合員に対する、昇給、昇格などにおける差別は、不当労働行為であるとの指摘が、東京都地方労働委員会によりなされました。今後、かかる事態がくり返されないように留意します。

予想より一ヵ月も早い命令に、桜井は読み終えるなり、

「これも、証人尋問のしんがりを務めた恩地さんの声涙ともにくだる証言と、その後、沢泉君が中央執行委員長として、会社の差別政策を止めさせるよう、早期に命令を出してほしいと訴えた結果だよ、よくやった」

桜井は、沢泉の手を強く握った。

「ですが、まだ一山、残っています、午後一時からの小暮社長とのトップ交渉の場で、差別を是正するという言質を取らない限りは、信用出来ません」

「小暮社長は、命令書が出たら守ると、明言しているのだろう」

「しかし、この命令書を前にして、もう一度、確約して貰わねば、百パーセント安心出来ませんよ」

「そうか、君は何度も煮え湯を呑まされて来たからな」

桜井が、沢泉の胸中を推し量るように云った時、

「委員長、NHKがわれわれの全面勝利を、正午のテレビで取り上げるって話ですが、全国放送か首都圏のニュース、どちらでしょうね」

組織部長が、声をかけて来た。

「昨日、取材を受けた時、記者は全国扱いで流したいと云っていたよ」

「それじゃあ、各支店の組合員に早速、伝えておきます」

と云い残し、慌しく引き返して行った。

桜井も職場へ戻って行った。沢泉は、鉄道、バス、船舶など、支援してくれた全国の交通運輸の労働組合からかかって来る祝いの電話の応対に忙殺された。


正午のNHKニュースのトップは、国民航空に対して都労委の命令が出されたことだった。それを受けて沢泉は、社長とのトップ交渉にのぞんだ。

社長室の応接ソファで、社長と向い合うと、

「正午のニュースをご覧になりましたか」

沢泉が、先に口を切った。

「会議が終ってからだったので、はじめの方は見逃したがね」

小暮社長は、曖昧に答えた。

「早速ですが、社長ご自身が不当労働行為を認め、謝罪された以上、速やかに約束を履行して戴けますね」

「そう努力したいと思っています」

「努力とは、どういうことでしょう、十日前のトップ交渉で、都労委の命令が出たら、それに従うと、約束されましたよ、社長と組合委員長との約束ですから、きちんと守って下さい」

「あの時は、確かにそう答えたが、ニュースで大々的に報道された直後から、訴訟に持ち込むべ

しとの声が、社内外から猛然と沸き起ってねぇ」

　小暮社長は、十日前とは微妙に態度が変っていた。この時、沢泉はテレビの力というのは両刃の剣であることを悟ったが、強気の構えを崩さず、

「社内外とは、どこを指すのですか」

　と迫った。

「国民航空は半官半民だから、民間会社のように労使の話し合いだけですませるわけにはいかない問題が多いのだ、ともかく今日のところは、命令書を仔細に検討し、約束は履行するよう努力しましょう」

　小暮社長は曖昧な態度に終始して、交渉を打ち切った。


　北鎌倉の自宅の書斎で堂本信介は、肘が擦り切れたソファに坐り、ステレオから流れるマーラーの交響曲第一番に聴き入っていた。

　カッコウの啼き声が、澄んだ森に美しく響きわたり、暫く牧歌的なメロディが続いたかと思うと、やがてラッパが鳴り響き、強烈なティンパニーの連打へと、旋律がうねって行く。

　クラシック・マニアの堂本がイギリスから取り寄せた「デッカ」のステレオ・プレーヤーから響く音は、さながら生演奏のようであった。都労委の命令が出た今日のような苛だたしい夜は、帰宅してから音楽に浸るのが、常だった。

「あなた、只今――」

　結城《ゆうき》の単衣《ひとえ》をきりっと着こなした妻が観劇から帰って来、ステレオの音量を低くした。

「銀座四丁目で電光掲示板のニュースを見ましたわよ、それで苛々しているんでしょう」

戦前のブルジョワの娘で、左翼かぶれして、堂本と結婚しただけに、普通の主婦とは趣が異る。堂本はそれには答えず、音量を元に戻した。マーラーは、堂本のお気に入りの一人だった。

「八馬さんたちがいらしてるのよ、お約束があったんですか」

「いや……、ちょっと待たせておけ」

佳境に入ったところだっただけに、堂本は聴き続けた。

第二組合の委員長と共に応接間に案内された八馬は、手持無沙汰に待っていた。奥の部屋から聞えて来る音楽は、八馬にとって単に音の洪水でしかなく、げんなりしたが、一式百万円以上もしたというステレオとはどんなものか、興味はあっても一度として拝んだことがない。

ようやく、堂本が応接間に現れた。

若いお手伝いに指図して、ウイスキーとおつまみを持って来た堂本の妻に、

「奥様、非常識な時間に参りましたので、すぐ失礼致します」

八馬は頭を下げながら、堂本夫人の薬指に輝いている三カラットのダイヤモンドに眼が眩《くら》んだ。

「で、用件は何かね」

堂本はウイスキーの栓を開けながら、八馬と第二組合の二代目委員長の方に顔を向けた。委員長の中谷《なかたに》は、初代委員長の畑辰造と対照的に小柄で一見、温和そうだが、鰓《えら》の張った顔は、ことあれば一筋縄ではいかない質《たち》のようだった。

八馬は、ウイスキーには手をつけず、

「失礼も顧みず夜分に押しかけて参りましたのは、都労委の命令が出た直後、社長と旧労の沢泉との会談で、社長が、命令を検討して約束を履行すると回答した件です、それが本心なら重大なことです」

と云うと、中谷は、ずいと体を乗り出した。

「われわれの組合員は、都労委の命令には断乎、反対です、新生労働組合誕生以来七年余り、今や三千三百名の組合員を擁しています、それがアカのゲリラのような二百七十名のちっぽけな組合に、おめおめと負けてはいられません、ろくに仕事もせず、闘争に明け暮れるあの連中に、昇給、昇格を認めるのは悪平等というものです。それに整備士の資格が取れないのは、会社が勉強出来ないようなシフト制に組み替えたからだとか、騒いでいるようですが、要は連中の能力が低いのです、あんなゲリラ連中の言い分が罷《まか》り通るようでは、私は委員長として、組合員を納得させられません」

団体交渉さながらの口調で云うと、八馬は、堂本の様子を窺《うかが》いながら、

「だいたい、このような事態になったのは、甚だ申し上げにくいことですが、旧労に対する態度の甘い小暮社長の国会での発言が、原因です、その上、都労委の命令が出た後の二組合の委員長との個別のトップ交渉で示した、官僚出身者独特の曖昧な対応が、大きな混乱をもたらしています」

と批判した。

「労務担当の南専務は、君たちにどう云っているのかね」

堂本が聞くと、八馬は小鼻に皺《しわ》を寄せた。

「南専務は、命令が出た限りは、従うより他ないという意見です、もともと、心情的に恩地シンパなのです、せっかく、アカの親玉黴菌《ばいきん》の恩地を、今日まで島流しにしてきたというのに、沢泉という子黴菌が育って、一人前のことをはじめたかと思うと、腸《はらわた》が煮えくり返ります」

恨み骨髄に徹するというように云い、中谷も歯ぎしりした。中谷は、

「副社長、かくなる上は、裁判に持ち込むべきかと思います、金と時間がかかる裁判に持ち込んで、あのアカ組合を徹底的に殲滅《せんめつ》する、これがわれわれ組合の総意です」

「裁判に持ち込むほどのことはないだろう、中央労働委員会へ再審査を申立てればすむことだ」

「中労委などとは、手ぬるいと思いますが——」

八馬が、不満そうに云った。

「日経連の専務理事と話したところ、やはり同意見だった、中労委へ持ち込んでおいて、自由党の労働族や、労働省から圧力をかけ、巧く中労委斡旋で解決を図る、この線で行くのが、効果的だよ」

「そのような政治的判断でしたら、私たちは従います」

八馬が納得すると、中谷は不承不承、押し黙った。

「君たちは、組合の決起大会を開き、中労委へ持ち込むべしとの決議文を、小暮社長へ提出するのだ、そうすれば、社長は、都労委の命令通りには出来なくなる」

堂本は、天下り官僚の社長が、決断せざるを得なくなる立場に追い込まれるよう、術《て》を打った。堂本に長年、仕えて来た八馬は、その思惑を理解した。

「副社長のご判断のほど、よく承知致しました」

八馬は中谷を促し、退去した。

*

ジャカランダが満開のナイロビのオフィスで、恩地はクラークのウイリアムを部屋に呼んで、話していた。

「私の後任には誠実な人間をと本社に頼んでいるから、安心しなさい、それより、このあたりで航空会社の仕事を本格的に勉強する気があれば、私は君をカウンター・クラークとして取りたてようと思う、そのためにはロンドンの総支配人室と交渉し、教育研修を受けられるようにしなければならないが、君にそのつもりはあるかね」

ウイリアムの意志を確めた。

「もしそんなことが叶うものなら、一生懸命、勉強します、しかし……」

「しかし、どうだと云うんだね」

「私は、ミスター・オンチにメッセンジャーとして採用され、今日まで来ました、メッセンジャーがカウンター・クラークに昇格するなど、ほんとうにあり得るのでしょうか」

イギリス統治下にあった国柄のせいで、階級制が厳しく、メッセンジャーは一生、それで終るのが通例であった。

「他の企業ではそうかもしれないが、私の考えは違う、この四年余り、君は勤務態度が真面目で、向学心も人並み以上だった、私が駐在している間に、カウンター・クラークに育てたいと思っている、予約、航空券の発券、収支管理など、航空会社の仕事を本気で勉強する気はあるのか」

「勉強します、本格的に教えて下さい」

ウイリアムは、眼を輝かせた。

「そうか、では早速、オフィスに備えつけの本を読みなさい、解らないことはどんな些細なことでも、遠慮せず聞いてくれ」

「ミスター・オンチ、ご恩は生涯、忘れません」

ウイリアムは感激して、部屋を出て行った。そのうしろ姿を見ながら、自分の帰国までにウイリアムをロンドンの欧州・中近東・アフリカ地区総支配人室の下にある研修所へ入れてやることが、ナイロビでの最後の仕事だと思った。

煙草に火を点け、恩地は一昨日、組合の沢泉から届いた都労委の命令書のコピーを、机の引出しから取り出した。第一組合の申立てを全面的に認め、小暮社長の名で第一組合に対する不当労働行為を繰り返さないと約束する謝罪文が添えられていたにもかかわらず、会社側はこれを不服として中央労働委員会へ再審査を申立てたという。会社側の根深い、第一組合憎しの感情を思い知らされる行為であった。

テレックスがカチカチと鳴りはじめた。恩地は煙草を灰皿にもみ消し、テレックスから出て来た紙片を手に取った。発信元は、本社人事部からであった。

ナイロビ営業所長　恩地元　本社国際旅客営業本部付とする。

後任者の名前も記されていない変則的な辞令であったが、待ちに待った本社帰任を確約するテレックスであった。

恩地の脳裡に、組合の沢泉や桜井の顔が浮かんだ。彼らの不屈の闘いなくして、自分がナイロビから呼び戻されることはなかったと思うと、すぐにでも感謝の気持を伝えたかった。

りつ子や克己、純子の笑顔も浮かんだ。妻子も自分の犠牲になりながら、忍耐強く自分の帰国を待っていてくれたおかげで、会社側の辞めろと云わんばかりの盥廻し人事に屈することなく、どうにか踏みとどまることが出来たのだ。会社側の挑発にのり、辞表を叩きつけ転職していれば、生涯、悔いを残したまま生き続けなければならなかっただろう。

窓辺に寄ると、そこここの通りや公園のジャカランダの樹に、一斉に薄紫の花房が開き、さながら満開の桜のようであった。長い長い道程《みちのり》であったが、〝春の到来〟を信じてよかったと、目頭が熱くなった。

翌年、一九七四年の三月、ようやく後任の着任を迎え、事務引継ぎが完了して、帰国は目前に迫った。クラークのウイリアムをロンドンの研修所へ入れることも出来、毎週、土、日曜に自分の身辺整理をするだけであった。

気がかりだった後任者は、四年前に、ニューデリー支店の総務主任から一旦、福岡支店営業課に戻った、恩地より三歳齢下の人物だった。ニューデリー駐在の経験があれば、中近東事情にも通じ、インド人が多いナイロビでもうまくやって行けそうに思ったが、未就航のワンマン・オフィスであることが相当、こたえているようだった。生活習慣の違いは苦にならないが、一日中、日本語を話す相手がいないことは耐えられないと云い、当初は呼ばないと云っていた家族を呼び寄せる手続をした。家族が到着する頃には、日本人学校も開校していることだろう。自身が骨の髄までこたえた孤独を、後任者には味わわせたくなかったから、恩地はその手続に賛成した。

その週の土曜日、恩地は二挺のライフル銃を入れた黒い革張りのケースをランドクルーザーに積み、ナイロビ郊外のムサイガへ向った。ヒギンズ邸を訪れるためだった。

コーヒー畑が連なる簡易舗装の道から、「O. HIGGINS」の標識を右に曲って私道へ入った。ヒギンズ家は二百エーカー（二十四万坪）のコーヒー農園を持ち、十エーカーの森の中に屋敷を構えている。私道を三百メートルほど進んだところに頑丈な鉄の門があり、クラクションを鳴らすと、顔馴染みのマサイ族の門番が、「ジャンボ！」と笑顔で挨拶して、車を通した。

門からさらに、車一台が楽に通れる幅の道を徐行して行くと、やがて眼前が展《ひら》け、森の中の高台にイングランド風の館《やかた》が見えた。

数頭の犬がけたたましく吠えたが、恩地がランドクルーザーから降りると、尻尾を振り、まつわりついてきた。

「ようこそ、いらっしゃい」

正面玄関の扉が開き、〝アフリカの女王〟のミセス耀子《ようこ》・ヒギンズが現われた。長い黒髪をうしろで束ね、三時のティー・タイムにふさわしいブルーのドレスを着、指には大きなダイヤモンドが光っている。

「お茶の時間に招いて戴き、有難う」

恩地は挨拶し、車の後部座席から猟銃ケースを取り出した。ミセス耀子は、サーバントに命じて運ばせ、恩地を見晴しのいい居間へ案内した。

「ミスター・オンチ、お待ちしていました」

長身のヒギンズが迎えた。イングランド北部の出身らしく、コバルトブルーの眼にもの静かな笑みをたたえた風貌は、コーヒー園の経営者というより、大学教授のようであった。

恩地にテラスに面したソファを勧め、

「本国へ帰られるとなると、お忙しいでしょう、引っ越しの荷造りぐらいはうちのサーバントに手伝わせますよ」

ヒギンズは、妻の耀子の方を振り返りながら、云った。

「お気持は有難いですが、社宅での独り住いですから、身の回りの衣類と書籍くらいしかありません、わが家の者たちで充分、こと足ります」

　恩地が云うと、サーバントが銀のティー・セットを運んで来た。ティー・ポットからカップに紅茶が注がれると、ジャスミンの香りがたちのぼった。

「恩地さん、どうぞ召し上れ、うちの農園で採れたいわば、今年の一番茶ですのよ」

　ミセス耀子が勧めた。

「さすがにいい香りですね、味もほどよい苦味があります」

　味わいながら云った。サーバントが退《さが》ると、ヒギンズはティー・カップを手にして、長身をソファに埋め、

「アフリカの野生動物に関する書籍は相当、集められたでしょう、ナイロビやロンドンの古本屋のカタログを見て、私が注文した中に、ジャパニーズのオンチが買った、という返事が一度ならずありましたからね」

　蔵書家のヒギンズらしい話だった。

「私の場合は取り寄せても、ミスター・ヒギンズのように読破するわけではありませんので、お恥しい限りですよ、実は今日、私が使っていた猟銃をお贈りしたいと思って持参したのですが、納めて戴けますか」

　恩地が云うと、

「それは何より嬉しいことですが、ハンティングはもうしないということですか」

　ヒギンズが聞いた。

「剝製の動物を自分の銃で撃ち砕いた私には、ハンティングをする資格はなくなったと思っています」

恩地がそう云うと、ミセス耀子はサーバントを呼び、恩地の猟銃ケースを持って来させた。居間の真ん中に置かれた黒革のケースに恩地はキーをさし込み、蓋を開けた。真紅のビロードが張られた内張りに、恩地が愛用していた二挺の銃が納まっていた。

大きい方は、オーストリアのマンリッヒャー・シュタイヤー社製で、.243口径の長距離狙撃用である。ケニアやタンザニアのように獲物に困らない土地柄では、それほど必要でないこともあって、プロハンターといえども所持している人が少いという点で、希少価値があった。

もう一挺は、ベルギーのブローニング社製の22口径だった。マガジン覆いに銀を使い、精巧な彫刻を施してある逸品で、一メートル弱の銃身を二つ折りにすることが出来る元折れ式の銃であった。

ヒギンズは、銃の傍に寄り、

「イギリスでは銃を贈られることは、友情と信頼の証《あかし》とされています、嬉しく戴きます」

と云い、長距離狙撃用の銃を慣れた手捌《てさば》きで構え、銃口をベランダ越しの彼方に見えるキリマンジャロの頂きに向けた。

「ミスター・オンチと一緒にハンティングに行って、いつも驚かされるのは、狙撃力の確かさですよ、ハンティング歴は、私の方が長いのに、巨大なアフリカ象を一発で仕留めるあなたの技には感服する」

と云い、もう一挺の銃を手に取ると、

「逸品ですね、これをヨーコのために改造していいですか」

と聞いた。

「もちろん、結構です」

思いがけない申し出にも、恩地は快諾した。

「あなたがナイロビを去られると、私たちには子供がないので、特にヨーコは寂しがるでしょう」

「ジャカランダ・パーティに在留邦人が集うので、そんなことはないと思います」

「ヨーコはご承知のように、好き嫌いの激しい性格ですから、日本人なら誰でも心が満たされるというわけではありません、あなたのことはとりわけ敬愛しており、この四年余り、どれほど心やすらかでいられたかしれない、お礼を申します」

ヒギンズはそう云い、

「残念ですが、私の友人がヨハネスブルクからナイロビへ来ております、市内のホテルで約束があるので、今日はこれで失礼しますが、明後日は盛大な送別会を予定していますので、楽しみにしていて下さい」

恩地と固い握手を交して、居間を出て行った。

耀子と二人きりになると、恩地も、ヒギンズ邸を辞するために、席をたった。

「あら、ちょっとお待ちになって」

耀子は猟銃ケースに施錠すると、自分の寝室の隠し金庫へしまいに行った。戻って来るなり、

「わが家の森を散策することはもうないでしょうから、少しご一緒して下さいな」

と誘った。

「そうですね、ヒギンズ家の森ともお別れですね」

恩地は、フラット・シューズに履き替えた耀子に続いて芝生の庭を横切り、森の小径《こみち》へ入って行った。十エーカーの広大な森の中には草原もあり、ナイロビ国立公園の動物が迷い込んで来て

は草を食む姿が時折、見かけられるということだった。

樹木の間から木洩れ陽が射し込み、黄色いハタオリ鳥や緑と黄のハチクイ鳥などが飛び交っている。

遠くのコーヒー園から、豆を摘み取る働き手《レーバー》たちの黒人独特の歌声が、かすかに聞えて来る。

「コーヒー園の見廻りは、もうしないのですか」

「ええ、一度、落馬して、足を挫《くじ》いてから、ダーリンや支配人が心配して、もう見廻りに出てはいけないと強く云うのでやめましたわ、アフリカで生きて行くためには、一つでも怪我や病気を増やしてはいけませんものね」

耀子はそう云い、さり気なく、恩地の腕に手をかけた。二人の前を蝶が、ひらひらと飛んで行き、近くの木の花弁にとまった。

「あら、珍しい、アフリカン・クイーンですわ」

指さす方を見ると、鮮やかなオレンジ色の羽に、黒と白の紋様がある美しい蝶であった。

「やはり、あなたは、あのアフリカン・クイーンのように華麗で、人々を魅了してやまない女性《ひと》ですよ」

恩地が云うと、

「それは恩地さんのお気持かしら？」

黒曜石のように輝く瞳を向けた。恩地はそれには答えず、視線を蝶に向けたままでいると、蜜を吸い尽したアフリカン・クイーンは、ひらひらと飛び去った。

「先ほど、私たちに贈って下さった猟銃、有難う、ブローニングの方、あなたの分身だと思って身近かに置かせて戴くわ、でも、あなたがいないナイロビで、ずっと生きて行くのかと思うと、堪らないわ」

「あなたには、あんなすばらしいヒギンズさんが、いらっしゃるじゃありませんか」

「そうね、でも、イギリス人の妻として、イギリス人社会で何不自由なく生活していても、どこかに故国を偲《しの》ぶというのか、日本人の血というのか、何か埋められないものがあるわ、恩地さんと出会ってから、これまでの私と異るもう一人の私がいるような――」

と云うと、耀子は、不意に恩地の胸に顔を埋めた。恩地は愛惜の情を籠めて、耀子の肩を抱いたが、やがて静かにその場を離れた。


帰国を明日に控えた恩地は、憑《つ》かれたように、ナイロビの南西にあるンゴング・ヒルへの山道を車で登っていた。

海抜千七百メートルのナイロビから、ンゴング・ヒルまでは約八百メートルの標高差がある。丘陵のカーブを左右にハンドルを切りながら、頂上に登って行くと、往き交う車もなく、眼下には草原とブッシュが広がっている。草原には牛の群を追うマサイ族の少年の姿が、小さく見える。

頂上の手前で、恩地は車を止め、外に出た。東風がンゴング・ヒルに向って吹きつけ、岩場の間に生えている草が、揺れている。

恩地がサファリジャケットの衿をたて、稜線にたつと、壮大な視界が展けた。人類発祥を遥かに遡る二、三千万年前に、地殻の大変動で出来たアフリカ大地溝帯が幅六、七十キロにわたって横たわっている。

この大地溝帯の縁《へり》の遥かに、恩地がよく通ったマサイ・マラ地域の狩猟区があるのだった。まる二日間待ち構え、ライオンを仕留めた時の黄金の鬣《たてがみ》が、今も瞼に鮮やかに浮かぶ。また、南東の方角にあるツァボ地域では、象を撃ち倒し、アンボセリ地域の狩猟区では、バッファローを撃ったことなど、一コマ、一コマが眼に浮かんだ。

狩猟区で野営して、獲物を待ち構えて見つけると、全神経を集中して近付き、一発で仕留める。その瞬間、体中のエネルギーを費してしまうのだった。

長く日本を離れ、家族とも離れ離れの孤独な日々に耐えられたのは、アフリカの大自然との触れ合いと、野生動物との出合いがあったからだった。もしこのような出合いがなければ、正常な神経を保ち得なかったかもしれない。流浪の身の自分の精神を支えてくれたアフリカの大地に、恩地は限りない感謝を捧げた。

ひゅうひゅうと風が鳴り、肌寒くなって来た。間もなく、太陽の沈む時刻であった。

恩地は、マサイ・マラの方角に沈む太陽を見たかった。西の空に、オレンジ色の濃淡が広がり、真紅の夕陽が燃えたつように膨らんで四方を紅く染めたかと思うと、黄金色の光を放った。何一つ遮るもののない地平線へ黄金の光の矢を放ちつつ沈むアフリカの夕陽は、荘厳さと凄じい力に満ちていた。

日の出にも心搏《う》たれるものはある。昇った瞬間の感激は強いが、余韻が乏しい。その点、夕陽には余韻があり、嚙みしめることが出来る。カラチ、テヘランでも、夕陽を見ることは多かった。中でも、心に沁みたのが、カラチのクリフトン海岸で見た夕陽だった。渺茫《びょうぼう》としたアラビア海に沈む夕陽に、さながらさすらい人のように望郷の念をかきたてられた。だが、今、目にしているアフリカの夕陽は、明日を約束する力強く輝かしい夕陽であった。

さらに風が強く吹きつける稜線にたたずみ、恩地は暫し、夕陽の輝きの中に身をおいた。次第に胸の鼓動が高まり、ふつふつと滾《たぎ》るものを覚えた。

「さらば、アフリカよ！」
恩地は、アフリカの大地に、別れを告げた。

（「㈢　御巣鷹山篇」に続く）

沈《しず》まぬ太陽《たいよう》（二）アフリカ篇・下

発　行——一九九九年　六　月二五日
一二刷——一九九九年一二月二五日
著者——山崎豊子《やまさきとよこ》
発行者——佐藤隆信
発行所——株式会社新潮社
162-8711 東京都新宿区矢来町七一
電話——編集部（03）三二六六—五四一一
　　　　読者係（03）三二六六—五一一一
振替——〇〇一四〇—五—八〇八
印刷所——錦明印刷株式会社
製本所——加藤製本株式会社

乱丁・落丁本は、ご面倒ですが小社読者係宛お送り下さい。送料小社負担にてお取替えいたします。

価格はカバーに表示してあります。

ISBN4-10-322815-6　C0093